2026 특수교사임용시험 대비

KORea Special Education Teacher

김남진
KORSET 특수교육

기출분석 ①

I 영역별 마인드맵 수록
I 2009~2025년 기출문제 수록

김남진 편저

Part 01

행동지원

Part 02

통합교육

Part 03

특수교육평가

모범답안 및 해설

박문각 임용   동영상강의 www.pmg.co.kr   박문각

이 책의
차례

KORea Special Education Teacher

PART 01

행동지원

KORea Special Education Teacher

01

정답) ④

해설

④의 지원 내용 중 '활동 시작 전에'는 선행사건 조절을 의미한다.

02

정답) ④

해설

① 순간표집기록법은 매 간격의 마지막 순간에만 관찰이 이루어지므로 여러 유아의 상호작용 행동을 관찰할 수 있다.

② 순간표집법은 선행사건과 후속결과에 대한 정보를 제공하지 않으며 단순히 행동이 발생한(또는 발생하지 않은) 간격의 수만 보고된다. 따라서 행동발생 수에 대한 정보도 알 수 없다.

③ 표적행동을 조작적으로 정의하는 것은 학생의 행동을 일관성 있게 측정하였다는 것을 나타내는 지표인 신뢰도를 높이기 위한 것이다.

• 대부분의 훈련에서 사용된 목표행동의 정의에 대한 관찰자의 해석이 변화되어 발생하는 관찰자 표류는 측정의 신뢰도에 영향을 주는 요소인 만큼 관찰자가 기존의 목표행동의 정의를 확대하거나 축소하지 않도록 지속적인 훈련이 제공되어야 한다.

⑤ 상호작용 행동 발생률은 행동발생 간격 수를 전체 간격 수로 나누고 100을 곱하여 구한다.

03

정답) ④

해설

직접관찰평가방법 중 행동분포관찰은 문제행동이 자주 발생하는 시간과 자주 발생하지 않는 시간대를 파악하는 데 유용하다.

04

정답) ④

Check Point

(1) 반응촉진과 자극촉진

반응 촉진	• 변별자극에 반응하지 않는 아동에게 다른 사람이 변별자극 외의 부가적인 도움을 제공함으로써 정반응을 하도록 영향을 주는 것 • 변별자극을 그대로 유지한 채로 주어지는 부가적인 도움을 의미	
	시각적 촉진	사진, 그림, 글 등을 사용하여 바람직한 행동을 유발하도록 돕는 것
	구어적 촉진	말로 지시, 힌트, 질문 등을 하거나 개념의 정의나 규칙을 알려주는 것으로 바람직한 행동을 유발하는 것
	몸짓 촉진	아동을 신체적으로 접촉하지 않고 교사의 동작이나 자세 등의 몸짓으로 정반응을 이끄는 것
	모방하기 촉진	다른 사람이 정확한 행동을 시범 보이는 것
	신체적 촉진	• 신체적 접촉을 통해 아동의 바람직한 행동을 유발하도록 돕는 것 • 신체적 촉구는 강제성이 강하기 때문에 아동의 능동적인 반응을 유발하기가 상대적으로 어려움 • 나이가 어리거나 장애의 정도가 심한 경우에는 가장 자주 사용되는 촉구
자극 촉진	• 정확한 반응을 더 잘하게 하기 위하여 변별자극을 변화시키거나, 변별자극을 증가시키거나, 변별자극에 대한 단서를 주는 것 • 변별자극에 변화가 주어지는 것을 의미	
	자극내 촉진	변별자극 자체 혹은 그 위치를 변화시키는 것
	가외 자극촉진	다른 자극을 추가하거나 변별자극에 대한 단서를 외적으로 주는 것(변별자극 외에 다른 자극을 추가하는 것)

(2) 유아특수에서의 촉진의 종류

유아특수 분야에서는 다음과 같이 촉진의 종류를 분류한다.

종류	방법
구어 촉진	주어진 과제를 수행하도록 직접적으로 또는 간접적으로 지원하는 단순한 지시 또는 설명으로, 이 때 사용되는 말은 유아가 이해하기 쉽도록 짧고 간결해야 한다.
몸짓 촉진	과제를 수행하도록 안내해 주는 가리키기 등의 몸짓으로, 단독으로 사용되기도 하지만 주로 구어 촉진과 함께 사용된다.
시범 촉진	구어나 신체 촉진, 또는 두 가지를 함께 사용해서 과제의 일부 또는 전체를 수행하는 모습을 보여주는 방법으로, 주로 유아가 기대하는 행동을 수행할 수 있을 때 사용된다.
접촉 촉진	접촉을 활용하는 방법으로, 유아의 특정 신체 부위를 만지거나 유아가 특정 사물을 만지게 하는 두 가지 형태로 사용된다. 사물을 만지게 하는 방법은 특히 시각장애 유아나 수용언어의 발달이 지체된 유아에게 유용하게 사용될 수 있다.
신체 촉진	과제를 수행하도록 신체적으로 보조하는 방법으로 부분적이거나 완전한 보조의 형태로 주어진다.
공간 촉진	행동 발생 가능성을 높이기 위해서 사물을 특정 위치(예 과제 수행을 위해서 필요한 장소, 유아에게 더 가까운 장소)에 놓아 과제 수행을 상기시키는 방법이다.
시각적 촉진	그림이나 사진, 색깔, 그래픽 등의 시각적인 단서를 사용해서 과제 수행의 주요 요소를 보여주는 방법으로, 정기적으로 수행되거나 순서대로 수행되는 활동을 보조하기 위하여 많이 사용된다.
단서 촉진	과제 수행의 특정 측면에 대한 직접적인 관심을 유도하기 위한 방법으로, 구어 또는 몸짓으로 단서를 제공한다. 이때 사용되는 단서는 과제를 가장 잘 대표할 수 있는 것이어야 한다.

출처 ▶ 이소현(2020 : 443-444)

05

정답 ③

해설

① 전체간격기록법은 행동의 지속 여부가 중요한 경우에 사용된다.
   • 행동의 발생 여부가 중요한 경우에 사용되는 기록법은 부분간격기록법이다. 부분간격기록법은 소리 지르기, 남을 때리기, 몸을 흔들기 등과 같이 비교적 짧은 시간에 발생 빈도가 높은 과잉행동을 관찰할 때 많이 사용된다. 관찰자는 한 단위간격 사이에 표적행동이 몇 번 발생하였는지, 얼마나 오래 지속되었는지에 상관할 필요가 없다. 다만 표적행동이 발생하였는지의 여부만을 확인하여 해당 칸에 표기한다(홍준표, 2017 : 549).

② 순간표집기록법에 의해 상동행동을 관찰하면 행동발생률은 41.7%(5/12×100)이다.

④ 부분간격기록법에 의해 상동행동을 관찰하면 행동발생률은 50.0%이다.

⑤ 어느 정도 지속되는 안정된 행동을 측정할 때는 전체간격기록법이 사용된다.

Check Point

전체간격 기록법	• 전체간격기록법은 공부하기, 협동놀이, 주의 집중하기, 손가락 빨기 등과 같이 한번 시작되면 상대적으로 오래 지속되는 행동을 측정대상으로 한다. • 몸통 흔들기, 웅얼거리기, 손 흔들기 등과 같이 동일한 행동이 빠른 속도로 반복되어 한 반응의 종료와 다음 반응의 시작을 구분하기 어려우나 전반적으로 그러한 행동의 연속이 시작되는 시점과 일단락되는 시점을 구별할 수 있을 때도 활용될 수 있다.
부분간격 기록법	부분간격기록법은 소리 지르기, 남을 때리기, 몸을 흔들기 등과 같이 비교적 짧은 시간에 발생 빈도가 높은 과잉행동을 관찰할 때 많이 사용된다.
순간표집 기록법	• 순간표집기록법은 비교적 장시간 지속되는 특성을 가진 행동을 관찰할 때 많이 사용된다. • 발생비율이 낮고 지속시간이 짧은 행동의 관찰 방법으로는 적당하지 않다.

출처 ▶ 홍준표(2017 : 549-551), 내용 요약정리

06　　　　　　　　　　　　　　2009 초등1-26

정답 ③

해설

지문 돋보기

- (문구점 안에서 성수에게) 공책을 집으세요. : 변별자극 제시
- (공책 사진을 보여주며) 공책을 집으세요. : 시각적 촉진 제공
- (성수의 손을 잡고 공책을 함께 집으면서) 자, 이렇게 공책을 집으세요. : 신체적 촉진 제공

① 동시촉진 = 0초 시간지연
③ 최소-최대 촉진 = 도움 증가법, 최소촉구체계
④ 고정 시간지연 촉진 = 지속적 시간지연 촉진

07　　　　　　　　　　　　　　2009 초등1-34

정답 ②

해설

- 자기관리 기술의 유형에는 목표설정, 자기기록, 자기평가, 자기강화/자기처벌, 자기교수 등이 포함된다. 여기서 자기기록과 자기점검은 동일한 의미로 보기도 하고 자기기록과 자기평가를 포함하여 자기점검으로 간주하기도 한다(박은혜 외, 2018: 197).
- (가)는 확인란에 진수가 직접 ○표를 하는 것이므로 자기점검(자기기록)에 해당하며, (나)는 정해진 목표를 달성하여 스스로 선택한 강화제를 자기에게 제공하는 것이므로 자기강화에 해당한다.

08　　　　　　　　　　　　　　2009 초등1-35

정답 ⑤

Check Point

✎ 경향선 그리는 방법

제1단계: 양분선 그리기
1. 자료점들을 좌우로 2등분한다.
2. 자료점들이 홀수일 때에는 중간 자료점을 통과하여 2등분한다.

제2단계: 사분교차점 확인
1. 전반부와 후반부 자료점들을 각각 좌우로 2등분하는 수직선을 그린다.
2. 전반부와 후반부 자료점들을 각각 상하로 2등분하는 수평선을 그린다.
3. 두 개의 사분교차점을 확인한다.

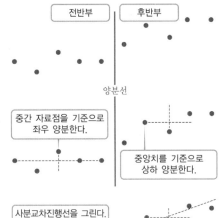

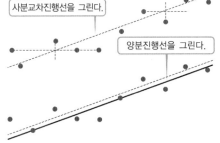

제3단계: 사분교차진행선 그리기
1. 두 개의 사분교차점을 통과하는 직선을 그린다.
2. 이 직선을 '사분교차진행선'이라고 한다.

제4단계: 양분진행선 그리기
1. 사분교차진행선을 상하로 이동하여 자료점들을 동수로 양분하는 위치를 찾는다.
2. '양분중앙추세선'이 완성된다.

09   2009 초등1-36

[정답] ③

[해설]

ㄷ. 단어장을 보여주며 컵이라고 읽는 시범을 보인 후 따라 읽도록 하였다. : 모델링 촉진

ㄹ. 초기에는 학생이 발음을 하려고만 해도 강화를 제공하였으나, 점진적으로 목표행동에 가까운 발음을 하면 차별적으로 강화하였다. : 행동형성

ㅂ. 학생이 카드 위에 쓰인 cup과 cap을 성공적으로 변별하면 다양한 책에 쓰여진 cup을 읽도록 하였다. : 일반화

10   2009 중등1-12

[정답] ⑤

[해설]

(나) 점진적 안내는 신체적 촉구를 용암시키는 데에 사용된다. 교사는 시작할 때 신체적 도움을 필요한 만큼 주다가 점진적으로 개입을 감소시키는 것이다.

(다) 배변 훈련을 하는 유아에게 엄마가 "화장실 갈 시간이야"와 같이 직접적인 지시 혹은 단서를 제공해서 성공적으로 화장실에 갔다면 이는 직접 구어촉진이다. 반면 나눗셈 문제를 풀고 있는 학생이 잠시 머뭇거릴 때 교사가 "그다음은 어떻게 하지?"와 같이 직접적으로 해결책(단서)을 제공하지 않고 단순히 말함으로써 학생이 교사의 질문에 답을 하면서 다음 단계를 해결했다면 교사의 질문은 간접 구어촉진을 한 것이다(이성봉 외, 2019 : 255 수정 후 인용).

Check Point

(1) 지속적 시간 지연

① 지속적 시간 지연(Constant Time Delay, 고정시간지연, 무변시간지연)은 대부분 0초 시간 지연으로 여러 시도가 제시된 후에 촉구 제시가 일정하게 지연된다. 즉 처음 여러 시도 혹은 첫 회기는 실수가 일어날 가능성을 낮춘 무오류 학습시도를 제시하는데, 이를 위해 선행자극과 촉구가 0초 지연된다. 따라서 동시 촉구가 제공되어 목표 반응과 관련된 강화 이력을 좀 더 확실하게 형성한다.

② 무오류 학습 시도를 통해 강화 이력을 형성한 후 자연적 선행자극 제시와 촉구 제시 사이의 시간 지연(예 2초)이 일정하게 유지되는데, 촉구 제시의 지연이 2초라면 대상 아동은 그 2초 동안 촉구 없이 독립적으로 자연적 자극에 의한 반응을 할 기회를 갖게 된다.

(2) 점진적 시간 지연

① 점진적 시간 지연(Progressive Time Delay, 진행시간지연)에서는 지연된 시간이 개별 시도 혹은 단위 시도(회기)에 걸쳐 점진적, 체계적으로 증가한다.

② 예를 들어, 첫 시도는 0초 지연, 두 번째 시도는 1초 지연, 세 번째 시도는 2초 지연 등으로 지연시간을 점진적으로 증가시킴으로써 자극통제의 전이를 꾀할 수 있다.

(3) 동시촉진

촉진은 아동이 변별자극에 반응하지 않을 때 주어지는 것이라고 알려져 있으나 동시촉진은 예외라고 할 수 있다. 이러한 형태의 반응촉진을 사용할 때는 변별자극 제시와 함께 촉진(정반응을 이끌어 주는 것, 흔히 정반응 자체)을 제공하고 아동은 즉시 정반응을 한다. 이것은 마치 시간 지연법을 시간 지연 없이 사용하는 것처럼 보인다. 이 절차를 다른 형태의 촉진 절차와 비교했을 때 두드러진 차이는 나타나지 않았으나 동시촉진이 다른 형태의 촉진보다 더 나은 유지와 일반화 효과를 보이는 것으로 나타났다(이효신, 2014 : 438).

(4) 직접 언어촉진과 간접 언어촉진

배변훈련을 하는 유아에게 엄마가 "화장실 갈 시간이야." 해서 성공적으로 변기를 사용했다면 엄마의 음성적 지시는 (직접적인) 언어적 촉진이다. 나눗셈 문제를 풀고 있는 학생이 잠시 머뭇거릴 때 교사가 "그다음은 어떻게 하지?" 하여 학생이 교사의 질문에 답을 하면서 다음 단계를 해결했다면 교사의 질문은 간접적인 언어적 촉진을 한 것이다(이성봉 외, 2019).

11   2009 중등1-17

[정답] ⑤

[해설]

비유관 강화란 문제행동을 감소시키기 위하여 사용되는 선행중재의 한 방법으로, 학습자의 행동과는 무관하게 고정시간계획 또는 변동시간계획에 따라 지금까지 문제행동을 통해 얻을 수 있었던 강화를 제공하는 중재방법이다. 제시문의 경우 평균 6분마다 수업방해 행동을 하는 A에게 평균보다 짧은 시간마다 무조건적으로 강화를 제공하고 있다.

12   2009 중등1-22

정답 ③

해설

ㄱ. 대상자 간 중다기초선설계가 사용되었다.

ㄹ. 학생 2의 기초선 자료는 중재를 실시하기에 적합하지만, 학생 3의 경우는 문제행동의 비율이 감소하고 있는 경향이기 때문에 중재를 적용하기에 부적합하다.

13   2010 유아1-12

정답 ③

해설

• 아동이 수업 중 소리를 지르자 교사는 아동으로 하여금 교실 구석에서 벽을 쳐다보고 1분간 서 있게 하였다. : 배제 타임아웃 중 고립 타임아웃(또는 분리 타임아웃)

• 울 때마다 과제를 회피할 수 있었던 아동이 싫어하는 과제를 회피하기 위하여 울더라도 교사는 아동이 과제를 끝내도록 하였다. : 소거

• 교사는 아동이 5분간 과제에 집중을 하면 스티커 한 장을 주고, 공격행동을 보이면 스티커 한 장을 회수하여 나중에 모은 스티커로 강화물과 교환하도록 하였다. : 반응대가, 토큰경제

• 문제행동을 보일 때마다 교사의 관심을 받았던 아동이 교사의 관심을 끌기 위하여 물건을 집어던지는 행동을 하더라도, 교사는 문제행동에 관심을 기울이지 않고 무시하였다. : 소거

14   2010 유아1-13

정답 ①

해설

ㄱ. 문제행동의 기능분석을 한다. : 표적행동 관련 정보 수집하기 단계에서 이루어진다.

ㄴ. 문제행동을 조작적으로 정의한다. : 표적행동의 선정 단계에서 이루어진다.

ㄷ. 채원이에게 효과적인 대체행동 기술을 지도한다. : 긍정적 행동지원 계획 수립·실행하기 단계의 내용이다.

ㄹ. 문제행동의 유발 요인을 미리 제거하거나 수정한다. : 긍정적 행동지원 계획 수립·실행하기 단계의 내용이다.

ㅁ. • 채원이의 선호 활동 파악은 기능평가(표적행동 관련 정보 수집하기 단계)를 통해 이루어진다.

    - 강화제 판별은 강화를 적용하고자 하는 교사와 치료사에게 매우 중요한 과제이다. 대상 학생에게 효과적인 강화제를 판별 및 선정하여 적용하는 것은 행동지원·중재 효과와 직접적으로 관련이 있다. 특정 자극이 표적행동을 유지 또는 증가시켰을 경우에, 그 자극은 강화제로 작용한 것이다. 행동 지원·중재 계획을 위해 기능행동평가를 할 때 대상 학생의 선호 또는 비선호 강화제에 대한 정보를 함께 수집해야 한다(이성봉 외, 2019 : 190).

  • 채원이의 선택을 존중하여 선호도와 관심사를 활동에 추가하는 것은 배경/선행사건 중재에 해당하며, 채원이의 선호도를 바탕으로 강화를 제공하는 것은 문제행동에 대한 반응으로 모두 긍정적 행동지원 계획 수립·실행하기 단계와 관련된다.

Check Point

☑ 긍정적 행동지원의 실행 절차

표적행동의 선정
⇩
표적행동 관련 정보 수집하기
⇩
가설 설정하기
⇩
긍정적 행동지원 계획 수립·실행하기
⇩
행동지원 계획 평가·수정하기

15

정답 ①

해설

① 종속변인은 Y축에 위치하며 단위는 분으로 제시되어 있다.
② 스티커를 제공하는 중재의 효과를 파악하기 위한 것이므로 중재단계에서 선우가 활동에 참여하면 스티커가 제공된다.
  • 기초선이란 연구대상에게 어떠한 중재도 적용하기 전의 표적행동의 현행 수준을 의미한다.
③ 중재는 시간 순서대로 자유놀이 활동, 소집단 활동, 대집단 활동의 순으로 진행한다.
④ 각 활동에서의 기초선 총 회기 수는 기초선 구간에서의 학생의 반응에 따라 결정된다.
⑤ 자유놀이 활동에서 스티커가 제공될 때 소집단 활동의 기초선 자료는 안정적임을 알 수 있다. 각각의 상황은 기능적으로 독립적으로, 자유놀이 활동에 대한 중재가 주어지더라도 소집단 활동에서 선우의 활동 참여 시간은 영향을 받지 않는다.

16

정답 ④

지문 돋보기

문제에 제시된 내용(1단계~6단계)은 과제분석 결과임. 맨 마지막 단계인 6단계부터 먼저 지도하는 행동연쇄 전략의 명칭을 묻고 있으므로 지도 전략은 후진 행동연쇄가 됨

Check Point

🗹 전진 행동연쇄와 후진 행동연쇄의 유사점과 차이점

유사점	• 행동연쇄를 가르치기 위해 사용된다. • 자극-반응 구성 요소로 이루어지는 과제분석을 먼저 수행해야 한다. • 한 번에 한 가지 행동을 가르치고 나서 그 행동들을 함께 연쇄시킨다. • 각 구성 요소를 가르치기 위해 촉구와 용암법을 사용한다.
차이점	• 전진 행동연쇄는 첫 번째 구성 요소를 먼저 가르치는 반면, 후진 행동연쇄는 마지막 구성 요소를 먼저 가르친다. • 후진 행동연쇄에서는 마지막 구성 요소를 먼저 가르치기 때문에 학습자가 모든 훈련에서 자연적 강화인을 받게 된다. • 반면, 전진 행동연쇄에서는 학습자가 모든 훈련을 마무리하지 않기 때문에 마지막 단계를 제외한 훈련에서는 인위적인 강화인이 사용된다. 전진 행동연쇄에서 사변석 강화인은 연쇄의 마지막 행동 후에 주어진다.

17

정답 ④

해설

ㄱ. 자극촉진 중 자극 내 촉진에 해당한다.
ㅁ. 반응촉진 중 모델링 촉진(또는 시범 촉진)에 해당한다.

18

정답 ⑤

해설

ㄱ. 촉진 없이도 학생이 정반응을 지속적으로 보이면 과제에 대한 독립적 수행이 이루어진 것으로 본다.
ㄷ. 학생들이 기술을 습득하는 초기 단계에서 사용하여 학습과정에서의 오류를 줄이는 데 유용한 촉진체계는 최대-최소 촉진체계이다.

19

정답 ⑤

해설

① 수업방해 행동이 발생한 직후, 교사가 그 행동에 대하여 긍정적이거나 부정적인 관심을 주지 않는다.: 소거전략에 대한 설명으로 교사의 관심을 받기 위한 수업방해 행동에 대해 적절한 중재 방법이다.
② 수업 시간에 바람직한 행동을 할 때는 교사가 관심을 주고 수업방해 행동을 할 때는 관심을 주지 않는다.: 차별강화에 대한 전략으로 영희의 방해 행동에 대해 적용 가능한 중재 방법이다.
③ 수업방해 행동과는 상관없이 미리 설정된 시간 간격에 따라 교사가 관심을 주되 그 행동이 우연적으로 강화되지 않도록 주의한다.: 비유관 강화로 문제행동의 기능을 고려할 때 적용 가능한 중재 방법이다.
④ 완전히 제거된 줄 알았던 수업방해 행동이 얼마의 시간이 지난 뒤 다시 발생하더라도 교사는 그 행동에 대하여 관심을 주지 않는다.: 소거전략으로 소거 과정 중에 나타나는 자발적 회복에 대한 적절한 중재 방법이라고 할 수 있다.
⑤ 수업방해 행동을 빠른 시간 내에 감소시키기 위하여 정해진 시간 동안 수업방해 행동이 미리 설정한 기준보다 적게 발생하면 교사가 학생이 좋아하는 활동을 함께 한다.: 정해진 시간 동안 수업방해 행동이 미리 설정한 기준보다 적게 발생하면 교사가 학생이 좋아하는 활동을 함께 하는 중재방법은 저비율행동 차별강화이다. 그러나 저비율행동 차별강화는 변화과정이 빠르게 나타나는 것이 아니므로 위험하거나 심각한 행동에 적용하기에는 적절하지 않다(양명희, 2016: 414-415).

20

정답 ①

해설

ㄴ. 긍정적 행동지원은 바람직한 행동을 증가시키고, 문제가 되는 행동을 예방하는 데 초점을 맞춘다.

ㄷ. 문제행동의 기능을 검증하기 위해 선행 사건과 후속 결과를 실험·조작하는 활동은 기능분석이다.

- 가설의 성립, 즉 문제행동과 환경의 기능적 관계에 대한 입증을 위해서는 선행사건이나 결과를 조작하는 기능분석을 해 보아야 한다(양명희, 2018: 120).

ㅁ. 특정 행동을 신뢰할 수 있게 예언하고, 그 행동을 지속시키는 환경 내의 사건을 정의하기 위해 이루어지는 일련의 활동 과정은 기능평가이다.

- 성공적 행동 변화를 가져오는 중재의 설계에서 가장 기초가 되는 것이 문제행동을 예측하게 해 주거나 문제행동을 유지하게 하는 환경요인을 찾아내는 것임은 분명하다. 그러한 요인을 찾는 과정을 '기능적 행동평가' 또는 '행동의 기능평가'라고 한다(양명희, 2018: 88).

21

정답 ②

해설

지문 돋보기

(가)는 기준변경설계, (나)는 중재교대설계가 적용됨

② 기준변경설계는 중간준거(기준)를 조정할 수 있다. 중간 단계에서 준거에 너무 늦게 도달할 경우 중간준거의 조정을 고려해 보아야 한다.

22

정답 ②

해설

ㄱ. 기초선이 X축과 수평을 이룰 때 안정적이라고 표현하는 것이 아님에 유의해야 한다.

ㄴ. 단일대상연구 방법의 설계 명칭은 중재교대설계이다.

ㄹ. 만약 과제를 하기 싫어서 책상을 두드리는 행동을 하는 것이라면 과제를 철회했을 때 행동 발생률은 감소해야 할 것이나 큰 변화가 없다. 따라서 과제를 하기 싫어서 책상을 두드리는 것이라고 할 수 없다.

ㅁ. 과제와 행동 간의 관련성이 없는 것으로 나타났기 때문에 과제의 양을 줄이거나 난이도를 낮출 필요가 없다.

Check Point

☑ 중재교대설계의 중재 효과 입증

① 한 중재가 다른 중재보다 꾸준히 다른 반응 수준을 나타낼 때, 중재 효과의 차이를 입증하게 된다. 즉, 한 중재의 선 그래프(또는 경향선)가 다른 중재의 선 그래프(또는 경향선)보다 계속하여 우위에 있을 때 효과의 차이가 입증된다.

② 두 중재 효과의 강도 차이는 자료선 간의 수직적 거리의 차이에 따른다.

  ㉠ 수직적 거리가 크면 두 중재의 효과 차이도 큰 것을 의미한다.

  ㉡ 자료선이 중복되는 구간이 많으면 중재 효과가 차이를 보이지 못하는 것을 의미한다.

③ 중재교대설계는 복제 구간을 갖지 않으므로 기능적 관계의 존재는 상대적으로 약하다.

- 기능적 관계를 입증하기 위해 새로운 구간이 도입될 수 있다. 이 구간에서는 효과적인 것으로 나타난 처치를 적용하며, 이 구간에서 행동이 개선되면 처치의 복제가 이루어지는 것이고 기능적 관계가 입증된다.

23 · 2011 유아2-1

모범답안 개요

1)	• 수준: 기초선 단계의 수준(11.5)과 중재 단계에서의 수준(11.5)은 같은 것으로 나타났다. • 경향: 현우의 소리 지르기 행동은 기초선 구간에서는 무변화, 중재 단계에서는 증가이다. • 중재 효과: 중재 효과는 없다고 할 수 있다. • 근거: 기초선과 중재 단계에서의 수준이 동일할 뿐만 아니라 경향 역시 소리 지르기 행동이 증가하는 방향으로 나타났기 때문이다.
2)	• 행동의 기능: 친구나 교사의 관심을 끌기 위한 것 • 유지변인: 현우가 소리 지르기 행동에 대해 친구, 교사가 쳐다봄으로써 문제행동이 유지되는 강화를 받고 있다. • 가설문: 현우는 교사나 친구가 자신을 쳐다보지 않으면 관심을 끌기 위해 소리 지르는 행동을 한다.
3)	• 선행사건: 친구 혹은 교사는 등교하자마자 현우의 이름을 불러주거나, 또래와 짝을 지어 항상 현우를 쳐다보게 한다. / 소리 지르는 행동과 관계없이 주기적으로 현우에게 관심을 보인다. • 후속결과: 현우가 소리를 지르는 행동을 하였을 때는 친구나 교사가 관심을 보이지 않는 소거 전략을 사용하거나 소리를 지르지 않았을 때에만 친구나 교사가 강화를 해준다. • 대체행동: 친구나 교사에게 관심을 얻기 위해 소리를 지르는 것보다는 손을 들거나, 의사소통판을 만들어 적절한 표현을 할 수 있도록 한다.

Check Point

(1) 자료의 수준
① 그래프의 세로좌표에 나타난 자료의 크기를 의미한다.
② 한 상황 내에서 자료의 수준은 자료의 평균치를 의미하기도 한다.
③ 평균선 값(모든 자료의 Y축 값의 합/전체 자료점의 수)을 X축과 평행하게 긋는다.

(2) 자료의 경향
① 경향이란 한 상황 내에 있는 자료의 방향과 변화 정도를 의미한다.
② 자료의 경향은 경향선을 그려서 알아볼 수 있다.

(3) 가설 문장
가설 문장은 다음과 같은 요소를 포함해야 한다.
① 학생의 이름
② 배경/선행사건
③ 추정되는 문제행동의 기능
④ 문제행동

24 · 2011 초등1-1

정답 ③

해설

	선행사건 중재	후속자극 중재
①	민지가 숙제를 하지 않을 때 무시하는 것은 소거전략에 해당하는 후속자극 중재이다.	• 행동형성은 지금까지 나타나지 않았던 새로운 표적행동에 대해 차별강화하여 새로운 행동을 형성시키는 전략이다. • 과제의 난이도 조절은 행동형성 전략이 아닌 선행사건 중재에 해당한다.
②	숙제 일정을 미리 약속하는 것은 선행사건 중재에 해당한다.	벽을 보고 서 있게 하는 것은 행동계약 전략이 아닌 타임아웃에 해당한다.

④	밤에 잠을 충분히 자도록 하는 것은 배경사건에 해당한다.	• 매일 5분씩 시간을 늘리면서 그 시간 동안 숙제를 하면 스티커를 주는 것은 행동연쇄 전략이 아닌 토큰을 이용한 행동형성에 해당한다.
		• 행동형성은 다음과 같은 방식으로 사용될 수 있다.
		  - 새로운 행동을 만들어 낼 수 있고
		  - 원래 있었던 행동을 복구시킬 수 있으며(예 지체장애 아동의 다시 걷기)
		  - 현존하는 행동의 차원을 변화시킬 수 있다 (예 장애아동의 소변 간격 늘리기).

⑤	어머니와 함께 오늘 숙제가 적힌 알림장을 확인하는 것은 선행사건에 해당한다.	

25 | 2011 초등2-1

모범답안 개요

구분	개요
기능분석 이유	• 간접평가 혹은 직접관찰평가 등을 통해 정보를 수집해도 명확한 가설을 세우기 어렵기 때문이다. • 간접평가 혹은 직접평가와 같은 기능평가에 근거한 중재가 효과적이지 않았기 때문이다.
문제행동의 이유	• 과제이탈 행동 이유 : 교사가 과제 수행 시 집중하는 시간이 짧고 학습 의지가 부족한 진수에게 많은 양의 과제를 제시할 경우, 진수가 문제행동을 보이면 진수가 좋아하는 책을 꺼내 읽을 수 있도록 해주었기 때문이다. • 또래방해 행동 이유 : 교사의 관심이 주어지지 않는 상황에서 문제행동을 하면 즉각적으로 교사의 관심을 받을 수 있었기 때문이다.
주요 요소	• 진단기반 중재 : 긍정적 행동지원은 환경적 사건들과 그에 대한 반응을 분석하여 문제행동의 기능을 이해하고, 아동의 선호도와 강점을 강조한다. – 기능분석을 통해 문제행동의 기능을 파악하였음은 진단기반 중재에 해당하는 활동이다. • 삶의 방식 변화를 위한 중재 : 긍정적 행동지원은 문제행동의 감소만을 목적으로 하는 것이 아니라, 삶의 방식이 변하는 좀 더 넓은 성과를 목적으로 한다. – 행동지원팀이 학교에서의 행동지원뿐만 아니라 지역 스포츠 센터의 축구 교실에 참여시켜, 동네의 또래도 사귀고 건강을 유지할 수 있도록 한 것은 삶의 방식 변화를 위한 중재에 해당한다.

Check Point

✎ 긍정적 행동지원의 주요 요소

주요 요소	설명
생태학적 접근	문제행동은 장애 때문이 아니라 환경적 사건이나 조건 때문에 발생할 수 있으며, 문제행동이 개인에게 자신이 원하는 결과를 주는 역할을 하기도 한다는 전제하에, 문제행동을 이해하기 위해 환경을 살필 것을 요구한다.
진단을 기반으로 하는 접근	환경적 사건들과 그에 대한 반응을 분석하여 문제행동의 기능을 이해하고, 아동의 선호도와 강점을 강조한다.
맞춤형 접근	중재는 아동 개인의 필요와 아동이 처한 환경에 맞추어 실제적이고 현실적으로 구성한다.
예방 및 교육 중심의 접근	아동이 어려워하는 환경에 변화를 주어 문제행동을 예방하고, 아동에게 문제 상황에 대처하거나 그 상황을 바꿀 수 있는 기술을 교육한다.
삶의 방식 및 통합 중심의 접근	문제행동의 감소만을 목적으로 하는 것이 아니라, 삶의 방식이 변하는 좀 더 넓은 성과를 목적으로 한다.
종합적 접근	문제행동의 예방, 대체기술의 교수, 문제행동에 대한 반응, 개인 삶의 방식의 개선을 이루기 위해 다양한 중재를 적용한다.
팀 접근	중재의 목표와 가치에 동의하는 팀의 협력이 요구된다.
대상을 존중하는 접근	아동의 입장에서 문제행동을 이해하고 아동의 필요와 선호도에 관심을 갖는다.

---

26 | 2011 중등1-19

정답 ⑤

해설

기초선과 중재의 적절한 시기를 파악하고 있는가를 중심으로 묻는 문항이다.

ㄱ. 중재는 과제 수행 정도의 증가 효과를 알아보기 위한 것으로 기초선이 증가 추세에 있을 때 제공해서는 안 된다.

ㄴ. 중재는 문제행동의 감소에 효과적인지를 파악하기 위한 것으로 기초선 구간에서의 자료가 감소 혹은 불안정한 상태에서 제공해서는 안 된다. 기초선 구간에서의 자료가 불안정한 상태에서는 좀 더 많은 자료를 수집 후 중재 여부를 결정하여야 한다. 이뿐만 아니라 중재 결과도 불안정한 상태이므로 종속변인의 변화가 독립변인으로 인해 발생했을 가능성이 높다고 볼 수 없다.

---

27 | 2011 중등1-21

정답 ③

해설

시간 중심 관찰 기록 방법의 관찰 일치도에서 관찰자 간 일치율은 주로 시간 간격 일치도를 의미한다. 따라서 일치하는 시간 간격의 수 + 일치하지 않는 시간 간격의 수 = 30, 일치하는 시간 간격의 수 = 27이므로 $(27/30) \times 100 = 90\%$가 된다.

※ 시간 간격별 행동 발생을 시각적으로 표현한 것을 토대로 행동발생률을 산출하는 것과는 구분지어 파악할 필요가 있다.

28

정답) ①

해설

ㄴ. 소리 지르기는 문제행동에 해당되며, 문제행동의 기능은 관심 끌기이다.

ㄹ. 긍정적 행동지원의 주된 목적은 문제행동에 대한 처벌보다는 예방에 있기 때문에 선행사건 중재와 후속결과 중재 모두에 초점을 둔다.

- 긍정적 행동지원은 가정, 학교, 지역사회에서 문제행동을 보이는 개인은 물론 행동을 지원하는 사람들의 삶의 질을 높이는 것을 목표로 문제행동의 예방을 강조하는 종합적 중재 접근이다.

29

정답) ⑤

해설

고확률 요구 연속이란 학습자에게 일련의 고확률 요구들을 먼저 제시한 후에 즉시 계획된 저확률 요구를 제시하는 연속적인 과정을 말한다. 즉, 학습자가 연속되는 여러 개의 고확률 요구에 성공적으로 반응할 때 계획된 저확률 요구를 순간적으로 빨리 삽입하여 반응을 유도하는 방법이다. 고확률 요구란 학습자의 능력으로 쉽게 수행할 수 있으며, 실제로 학습자가 잘 반응하는 것으로 알려진 요구를, 저확률 요구란 무엇을 요구하면 잘 순응하지 않고 불응할 확률이 더 높은 요구를 의미한다.

30

정답) ①

해설

① 일치하는 시간 간격의 수는 12이므로 $(12/16) \times 100 = 75\%$이다.

② 목표행동의 발생 여부만을 기록한 것이므로 원인을 파악할 수 없다.

③ 순간표집기록법은 시간 간격의 끝에 한 번 관찰하고, 이때 발생이 관찰되면 행동이 발생한 것으로 기록하는 방법이므로 매 15초가 되는 순간에만 관찰이 이루어진다.

④ 전체간격기록 방법에 해당하는 설명이다.

⑤ 구인 타당도란 타당도의 하위유형으로, 측정하고자 하는 이론적 구인을 검사도구가 실제로 측정하는 정도를 나타낸다. 여기서는 목표행동 발생 횟수가 아닌 목표행동 발생 여부에 대한 일치도가 높은 경우 관찰자 간 일치도(또는 관찰자 간 신뢰도)가 높다고 표현하는 것이 바람직하다.

㉠ 타당도란 검사도구가 측정하고자 하는 것을 얼마나 충실히 측정하였는가를 의미한다.

㉡ 타당도는 일반적으로 내용타당도, 준거타당도, 구인타당도로 구분한다.

내용 타당도		• 검사도구가 얼마나 검사의 목적을 달성할 수 있는 문항으로 구성되었는지를 나타내는 것 • 검사문항들이 측정하고자 하는 전체 내용을 얼마나 잘 대표하고 있는가를 전문가가 주관적으로 판단하는 주관적 타당도
준거 타당도		• 연구자가 측정한 검사점수와 그 개념에 대한 준거와의 상관관계 추정을 통해 검사도구의 타당도를 검사하는 방법 • 준거가 가지는 예측성과 일치성에 따라 공인타당도와 예언타당도로 구분
	공인 타당도	검사와 준거 변수에 관한 자료를 거의 동시에 수집하여 두 변수 간의 상관 정도를 나타내는 증거를 수집하는 과정
	예언 타당도	검사를 통해 얻어진 결과가 향후 학생의 행동이나 특성을 얼마나 정확하게 예측할 수 있는지를 나타내는 것
구인 타당도		연구자에 의해서 가설된 검사의 구인을 검사결과로 얼마나 잘 측정할 수 있는지를 평가할 수 있는 증거들을 수집하는 과정

31   2012 유아1-30

정답 ①

해설

ㄴ. 주관적인 용어('아쉬운 듯')가 사용되었다.

ㄹ. 반드시 포함되어야 할 정보 중 관찰 시간, 관찰 장소, 관찰 장면에 대한 정보가 누락되어 있다.

• 일화기록지에 관찰 날짜, 관찰 시간, 관찰 장소, 관찰 장면, 관찰 아동의 이름, 생년월일, 관찰자 등을 꼭 기록한다. 관찰 장면, 장소, 시간, 날짜 등을 기록해 둠으로써 그 때의 상황이나 사건의 배경 등을 잘 알 수 있는 지침이 되기 때문이다(전남련 외, 2014 : 56).

ㅁ. 말과 행동을 명확히 구분하지 않은 곳이 있다. 예를 들어 '환자 해라고 하면서'가 여기에 해당한다.

지문 돋보기

• 민국이가 좋다고 하여 가위바위보를 하고 : 말과 행동의 구분이 이루어지지 않음
• 수지는 자기가 이겼으니까 의사라고 말하며 : 말과 행동의 구분이 이루어지지 않음
• 수지는 민국이에게 너가 졌으니까 환자 해라고 하면서 : 말과 행동의 구분이 이루어지지 않음
• 민국이는 "나도 의사하고 싶은데…"라고 아쉬운 듯 말한다. : 관찰내용을 주관적인 언어로 기록하였음

32   2012 중등1-10

정답 ②

해설

㉠ ABA, ABAB 설계의 경우에 해당하는 설명이다.

㉡ AB 설계는 실험집단과 통제집단이 무선으로 배치되어 있지 않은 준실험설계로, 독립변인과 종속변인 간의 기능적 관계를 입증하기가 매우 어렵다.

• AB 설계는 상관관계적인 결론만 도출할 수 있다.

㉢ ABAB 설계의 변형인 BAB 설계는 자해행동이나 공격행동을 보이는 아동들을 대상으로 흔하게 사용되는 연구 설계이다.

㉣ 대상자 간 중다기초선설계는 다양한 상황이 아닌 동일한 상황에서 이루어진다.

행동 간 중다기초선설계	한 대상자의 유사한 여러 행동에 대해 실시
대상자 간 중다기초선설계	동일한 상황에서 목표행동을 보이는 세 명 이상의 아동을 대상으로 실시
상황 간 중다기초선설계	한 대상자가 동일한 행동을 나타내는 여러 환경에서 실시

㉤ ABC 설계는 조건변경설계의 기본형에 해당한다. 조건변경설계는 처음부터 여러 중재를 비교하고자 하는 목적으로 실시할 수도 있지만, 교육현장에서 어떤 중재를 도입했을 때 아동의 행동 변화가 전혀 없거나 미미해서 다른 중재를 사용해 보고 싶을 때 사용할 수 있다.

33   2012 중등1-13

정답 ③

해설

㉢ 철수가 '현금자동지급기에서 현금 인출하기'의 모든 하위 행동을 수행할 수 있는지 보기 위해 다수기회법을 사용하였다. 이는 −표시 밑에 다시 +표시가 되어 있음을 통해 파악 가능하다.

㉤ 전체과제 제시법에서는 훈련 회기마다 과제의 전 과정을 학습자에게 제시하며 수행을 요구한다. 학습자가 각 하위행동을 올바로 수행하면 칭찬과 함께 정적강화하고 결과를 '+'로 기록한다. 학습자가 반응하지 않거나, 그릇되게 반응하거나 또는 기준에 못 미치게 반응하면 시범을 보이거나, 언어적 힌트를 주거나, 필요하면 수지도와 같은 물리적 촉진자극을 사용하여 올바로 반응하도록 유도하면서 강화한다. 그러나 도움을 받아 수행한 반응은 그릇된 반응으로 평가하여 '−'로 기록한다(홍준표, 2009 : 446).

Check Point

(1) 행동연쇄법의 종류

전진 행동연쇄법	과제분석을 통해 결정된 단계의 행동들을 처음 단계부터 순차적으로 가르치는 것
후진 행동연쇄법	과제분석을 통해 나누어진 행동의 단계들을 마지막 단계부터 역순으로 가르치는 것
전체과제 제시법	학생이 구성 요소의 일부 혹은 전체를 이미 숙련하고 있으나 순서대로 수행하지 못할 때 적절한 방법

(2) 성취수준의 평가

① 단일기회법

  ㉠ 학습자가 표적행동의 하위과제들을 순서에 따라 올바로 수행할 수 있는 능력이 얼마나 되는지를 평가하기 위하여 고안된 방법이다.

  ㉡ 단일기회법에 의한 성취 수준의 평가는 아동이 하위과제 1번에서 시작하여 순서에 따라 혼자서 어디까지 할 수 있는지를 확인하는 것이다.

  ㉢ 학습자가 과제를 순서대로 수행하는 과정에서 하나의 하위과제를 올바로 수행하지 못할 경우 모든 평가를 그 시점에서 중단한다(단일기회법은 다수기회법보다 엄격한 보수적 평가방법이다).

② 다수기회법

  ㉠ 표적행동의 모든 하위과제에 대하여 피험자의 성취수준을 평가하는 방법이다.

  ㉡ 학습자가 일련의 과제 수행과정에서 그릇된 반응을 하거나, 허용된 반응 지연시간을 초과하거나 또는 과제의 순서를 놓치고 다른 반응을 시도할 때, 평가자는 학습자를 대신하여 올바른 과제 수행 상태로 교정해 놓음으로써 학습자가 다음 과제를 순서대로 수행할 수 있도록 한다.

34 · 2012 중등1-14

정답 ⑤

해설

① 저비율 행동 차별강화는 표적행동의 강도를 감소시키는 데 초점을 두는 것이 아닌 표적행동 발생빈도의 감소에 목표를 둔다.

② 상반행동 차별강화는 양립할 수 없는 상반행동 강화를 통한 표적행동의 제거에 초점을 둔다. 답지의 예에서 '소리 지르기'와 '옷을 너는 것'은 상반행동에 해당되지 않는다.

③ 대체행동 차별강화는 문제행동을 대신할 수 있는 바람직한 행동(대체행동)을 할 때 강화를 주는 방법으로, 표적행동의 제거에 초점을 둔다. 답지의 예는 저비율 행동 차별강화에 해당된다.

④ 비유관 강화는 학생의 행동수행과 무관하게 부적절한 행동을 유지하고 있는 강화 인자를 제공하는 것이다. 답지의 예는 대체행동 차별강화에 해당된다. 단, 대체행동 차별강화는 대체행동을 강화하기는 하지만 궁극적 목적은 표적행동의 제거에 있다.

35 · 2012 중등1-22

정답 ④

해설

ㄱ. 1단계에서는 표적행동의 선정과 선정된 표적행동에 대한 조작적 정의가 이루어진다. 조작적 정의란 목표행동을 관찰 가능하고 측정 가능한 구체적인 형태로 명확히 정의하는 것이다. 따라서 행동의 양상(예 빈도, 지속시간, 강도 등)을 이용하여 공격행동을 관찰 가능하고 측정 가능한 구체적인 형태로 진술해야 한다.

ㄷ. 답지의 예문 "학생 A에게 하기 싫어하는 과제를 주면, 공격행동이 증가할 것이다."에서 가설의 구성 요소는 아동의 이름(학생 A), 선행사건(하기 싫어하는 과제를 주면), 문제행동(공격행동이 증가할 것이다)으로 구분할 수 있다. 여기서 문제행동의 공격 역시 관찰 가능한 구체적인 행동으로 표현되지 않았을 뿐만 아니라 구성 요소 중 추정되는 문제행동의 기능이 생략되어 있다.

36 · 2013 유아A-1

모범답안

1)	• 행동 목표 1: 관찰 가능한 구체적인 행동으로 표현되지 않았기 때문이다. • 행동 목표 2: 정확한 기준이 제시되어 있지 않기 때문이다.
2)	학교 규칙을 제시하여 새로운 문제행동의 발생을 예방하고자 하는 것이다.
3)	• ㉡ 빈도기록법 • 좋은 점: 회기마다 관찰 시간이 다르더라도 행동의 발생 정도를 서로 비교 가능하게 해준다.

해설

1) 제시문의 행동목표 문장을 요소별로 구분하면 다음과 같다.

	행동	조건	기준
목표 1: 컴퓨터 시간 내내 3일 연속으로 바르게 행동할 것이다.	바르게 행동하기	컴퓨터 시간	컴퓨터 시간 내내, 3일간 연속
목표 2: 쉬는 시간에 컴퓨터 앞에 앉아 있는 친구의 손등을 때리는 행동이 감소할 것이다.	친구의 손등을 때리지 않기	쉬는 시간	–

행동목표 1의 경우 모든 요소는 충족되었으나 바른 행동이 무엇인지 관찰 가능한 용어(행동적 동사)로 수정되어야 한다. 또한 행동목표 2는 기준이 제시되어 있지 않다.

3) (나)와 같이 매 회기마다 관찰 시간이 다를 경우, 관찰 결과를 비율로 요약하면 행동의 발생 정도를 비교 가능한 척도로 바꾸어 줄 수 있다.

Check Point

📝 **행동목표 구성 요소**

구성 요소	예시
학습자	–
행동	–
조건	• 환경적 상황: 예 급식시간에 • 사용될 자료: 예 식기가 주어질 때 • 도움의 정도: 예 보조교사의 도움 없이 • 구어적·문어적 지시: 예 식사를 시작하라는 구어적 지시를 하면
기준	• 빈도: 예 10개의 사물 명칭을 • 지속시간: 30분 동안 • 지연시간: 지시가 주어진 후 1분 이내에 • 비율(%): 주어진 기회의 90%를 정확히

37
2013 유아A-4

모범답안

1)	㉠ 관심 끌기 등 ㉡ 회피하기 등

2)	• ㉢ 대체행동(또는 대체기술, 대안행동)
	• 고려사항: 다음 중 택 2
	  – 새로운 행동은 문제행동보다 빠르고 쉽게 원하는 결과를 얻어야 한다(반응 효율성).
	  – 새로운 행동은 주변 환경 안에서 다른 사람들이 받아들여야 한다(반응 수용성).
	  – 새로운 행동은 친근한 사람이나 생소한 사람들이 쉽게 알아야 한다(반응 인식성).

해설

지문 돋보기

• 자신이 원하는 물건을 얻거나 활동을 하려 할 때: 물건/활동 획득
• 감각자극을 추구하고자 할 때: 자기조절

2) 대체행동 선택 시 고려사항에 대해 교체기술 선택의 기준(노력, 결과의 질, 결과의 즉각성, 결과의 일관성, 처벌 개연성)을 제시할 경우, 교체기술 선택 기준에 해당하는 요소들은 반응 효율성에 포함되는 만큼 대체행동 선택 기준과 교체기술 선택 기준을 각각 구분해서 학습할 필요가 있다.

38
2013 유아B-1

모범답안

1)	㉠ 조건 ㉡ (수락)기준 ㉢ 행동
2)	후진 행동연쇄법

해설

1) 일반적으로 행동목표의 구성 요소는 학습자, 조건, 기준, 행동의 네 가지를 포함한다.

39
2013 유아B-3

모범답안

1)	소거 폭발

해설

지문 돋보기

유아	수업 관찰 내용
승호	• 물감을 바닥에 뿌리면: 문제행동 • 이러한 행동이 교사의 관심을 받기 위한 것이라고 판단: 문제행동의 기능이 관심끌기에 있는 것으로 판단 • 승호가 물감 뿌리는 행동을 해도 흘린 물감을 더 이상 닦아 주지 않았다.: 소거

• 소거 절차에서 정적, 부적, 또는 자동적 강화제의 제거 후 반응의 빈도가 즉각적으로 증가하는 것을 볼 수 있다. 행동주의 문헌에서는 실시 초반의 반응빈도 증가를 소거 폭발이라고 한다.
• 소거가 적용되면 행동에 수반하여 주어졌던 강화요인이 제거되지만 이전에 받았던 강화요인이 다시 주어질 것으로 여기기 때문에 일시적으로 행동의 빈도 또는 강도가 증가하는 것이다.
• 소거 폭발은 문제행동을 지속시키는 강화를 성공적으로 발견했음을 시사하며, 이는 곧 효과적인 개입이 될 수 있는 좋은 기회임을 의미한다.
• 소거 폭발로 인해 중재를 중단하면 간헐 강화가 될 수 있으므로 중재계획을 중단하지 않고 일관되게 시행하여야 한다.

40

[모범답안]

4)	자기평가

41

[모범답안]

4)	행동계약

Check Point

📝 **행동계약**

① 개념

행동목표를 달성했을 때 주어지는 강화에 대해 아동과 교사가 동의한 내용을 문서로 작성하는 것(= 유관계약)

② 구성 요소

ㄱ 아동의 표적행동

ㄴ 표적행동의 조건과 준거

ㄷ 강화내용과 방법

ㄹ 계약기간

ㅁ 계약자와 피계약자의 서명

42

[정답] ②

[해설]

② 제시되는 자극이나 과제 매체를 다양화하는 것이 자극 일반화에 효과적이다.

③ 학교에서 배운 기술을 집에서 수행하고 있으므로 장소/상황에 대한 일반화에 해당한다.

④ 수업 시간에는 숟가락으로 밥 떠먹기를 배웠는데, 학습하지 않은 숟가락으로 국 떠먹기를 했으므로 반응일반화에 해당한다.

43

[정답] ②

[해설]

ㄱ. (가)는 강화포만으로 인해 생긴 문제이다.

ㄷ. (나)는 근원에 따라 강화제를 분류할 경우 일차 강화제(또는 무조건 강화제)를 이차 강화제(또는 조건 강화제, 학습된 강화제)로 수정한 것이다.

• 물리적 특성에 따른 강화제의 종류를 기준으로 할 경우 음식물 강화제를 사회적 강화제로 수정한 것이다.

ㄹ. (나)에서 학생이 인사할 때마다 칭찬을 하는 것은 연속 강화계획에 해당한다.

ㅁ. (다)의 문제 상황은 고정간격 강화 계획의 문제점인 고정간격 스캘럽(scallop) 현상으로 강화포만과는 무관하다.

• 수정한 강화 계획에서 3분 후, 5분 후, 2분 후, 10분 후, 4분 후, 6분 후란 평균 5분(30분 ÷ 6회)마다 점검하고 토큰을 제공하는 것으로 변동간격 강화계획을 의미한다.

44   2013추시 유아A-4

모범답안

1)	• 관찰 방법 : 행동분포관찰(또는 산점도) • 정보 : 문제행동이 자주 발생하는 시간과 자주 발생하지 않는 시간대(또는 보다 자세한 진단을 실시해야 할 시간대)
2)	간접평가
3)	두통
4)	(기능분석은 문제행동을 둘러싼 환경을 체계적으로 조작하여 행동과 환경 사이의 기능적 관계를 입증하는 것이므로) 환경과 자해행동과의 기능적 관계를 입증하기 위해 환경을 조작하는 것은 비윤리적이기 때문이다.

Check Point

📝 **기능분석의 제한점**

① 빈번하게 나타나는 문제행동에 한해 적용 : 기능분석은 빈번하게 나타나는 행동에만 주로 사용되고, 행동의 원인에 대한 타당한 결론을 찾기 위해 많은 자료와 시간을 요하는 문제행동에는 사용하기 어렵다.

② 위험한 행동에는 적용 불가능 : 기능분석은 심한 자해행동이나 자살과 같이 위험한 행동에는 적용할 수 없다.

③ 많은 시간적, 경제적 비용과 인력 요구 : 기능분석은 체계적인 여러 단계의 실행과정을 거쳐야 하기 때문에 많은 시간과 경비, 인력이 요구된다.

45   2013추시 유아A-6

모범답안

3)	㉢ 중재 충실도 ㉣ 사회적 타당도

Check Point

(1) 중재 충실도

절차적 신뢰도, 처치 진실도, 처치 충실도라고도 불리는 중재 충실도는 프로그램의 절차가 정확하게 실행되는 정도이다.

(2) 사회적 타당도

① 사회적 타당도는 중재를 하는 사람뿐 아니라 도움을 받고 있는 내담자(학생, 부모, 교사)가 중요한 문제가 다루어지고 있고, 중재 절차가 수용할 만하며, 중재의 결과가 만족스럽다는 것에 대해 확신한다는 것을 의미한다(Kauffman et al., 2020 : 442).

② 이와 같은 개념에 근거하여 사회적 타당도의 평가 기준은 다음과 같다.

㉠ 목표에 대한 사회적 중요성 : 중재목표가 사회적으로 얼마나 중요한가?

㉡ 중재 절차에 대한 사회적 수용성 : 중재 과정은 사회적으로 수용 가능하고 합리적인가?

㉢ 행동 변화에 대한 사회적 중요성 : 중재 효과는 개인의 삶을 개선할 수 있는가?

46   2013추시 유아A-7

모범답안

3)	신뢰도
4)	① 용암법의 종류 : 최대-최소 촉구법(또는 도움 감소법, 보조 줄이기) ② 학습 단계 : 습득

해설

3) 행동의 조작적 정의란 행동을 관찰 가능하고 측정 가능한 용어로 정의하는 것을 의미한다.

• 신뢰도란 동일한 검사도구를 반복 실시했을 때 개인의 점수가 일관성 있게 나타나는 정도, 즉 반복시행에 따른 검사도구의 일관성의 정도를 의미한다(이승희, 2019 : 103).

4) ② 학습 단계(또는 수행 수준의 위계)는 습득-숙달-유지-일반화의 단계로 이루어지며, 최대-최소 촉구법은 학습 초기에 발생할 수 있는 오류를 제거할 수 있으므로 오류로 인한 학습자의 좌절을 방지할 수 있다.

47

모범답안

2)	• ㉠: 시도와 시도 사이에 반응에 대해 생각할 얼마간의 시간을 갖거나 다른 학습자들이 반응하는 것을 관찰할 기회를 제공하는 방식이다. • ㉡: 목표행동을 한꺼번에 몰아서 연습하지 않고 하루 일과 내의 자연스러운 시기에 분산시켜 연습하는 방식이다.
3)	• 명칭: 과제분석

해설

3) 과제분석이란 복잡한 과제를 분석하여 가르칠 수 있는 작은 단계로 나누는 것을 의미한다. 즉, 가르치고자 하는 행동의 최종 목표를 찾아서 그 행동을 구성하는 단위행동을 분석하는 기법이다. 과제분석을 하는 이유는 과제를 완수하기 위해 아동의 수준에 맞게 과제 행동을 단계별로 작게 나누어 지도하기 위함이다(양명희, 2018: 391).

Check Point

📝 **시행 방식**

집중 시행 방식	• 집중 시행은 하나의 교수 시행이 다른 교수 시행 후에 그 시행들 사이에 어떠한 활동도 없이 연달아 발생할 때 일어난다. • 집중 시행은 목표 반응을 연습할 많은 기회를 제공하기 때문에 학습자들이 새로운 행동을 처음으로 배울 때 유익할 수 있다.
간격 시행 방식	• 간격 시행은 학습자가 반응할 기회를 갖고, 그러고 나서 동일한 기술에 대해 또 다른 시행을 받기 전에 반응에 대해 생각할 얼마간의 시간을 갖거나 다른 학습자들이 반응하는 것을 들을 기회를 얻게 될 때 발생한다. • 학습자들에게 차례와 차례 사이의 관찰을 통해 서로에게 기술을 습득할 기회도 제공할 수 있다.
분산 시행 방식	• 분산 시행은 하루 종일 자연스러운 시기에 활동들 전반에 걸쳐 발생한다. • 학습자는 교수 시행에 참여할 수도 있고, 그러고 나서 다른 교수 시행에 참여할 기회를 갖기 전에 다른 활동에 참가한다. • 분산 시행은 학생들이 자연스러운 상황 전반에 걸쳐 다양한 사람들이나 자료들에 대해 행동을 수행하는 것을 배우게 되는 일반화를 촉진할 수 있다는 이점이 있다.

출처 ▶ Collins(2019), 내용 요약정리

48

모범답안

2)	• 명칭: 고정 간격 타행동 차별강화
3)	• 지속시간 백분율: 35% • 평균지속시간 일치도: 85%
4)	• 해석: 철규의 손톱 깨무는 문제행동에 대해 자유 놀이 시간 제공 중재는 기능적(또는 효과적)이다.

해설

2) 고정 간격 타행동 차별강화 절차를 실행하기 위해서 임상가는 (a) 시간 간격을 정하고, (b) 그 기간 동안 문제행동이 발생하지 않았을 경우 그 시간이 끝날 때 강화를 주며, (c) 어떤 형식으로든 문제행동이 나타날 경우, 다시 타이머를 처음으로 되돌린다(Cooper et al., 2017: 329).

3) 지속시간 백분율은 주관찰자인 김 교사의 관찰 결과를 토대로 하며 다음과 같이 산출한다.

> 관찰시간: 40분
> 총 지속시간: 4 + 5 + 5 = 14분
> 지속시간 백분율 = (총 지속시간/관찰시간) × 100
> = (14/40) × 100
> = 35%

• 평균지속시간 일치도(홍준표, 2017: 592)와 평균 발생 당 지속시간 관찰자 일치도(이성봉 외, 2019: 82-83; Cooper et al., 2017: 148)는 동의어이다. 관찰 기록지의 관찰 결과를 토대로 평균지속시간 일치도를 구하면 다음과 같다.

발생 횟수	김 교사	최 교사	반응 당 지속시간 관찰자 일치도(%)	평균 지속시간 일치도(%)
1	4	3	3/4 × 100 = 75	(75+100+80)/3 =85
2	5	5	5/5 × 100 = 100	
3	5	4	4/5 × 100 = 80	

49 ［2014 유아A-4］

3)	행동수정 전략 : 정적 연습 과잉교정
4)	ⓒ 시각적 촉진 ⓔ 공간적 촉진

해설

3) 보라의 배변 실수에 대한 교사의 후속절차를 벌이 아닌 교육적 의도로 보는 입장에서는 정적 연습 과잉교정보다는 '정적 연습'으로 볼 수도 있을 것이다. 그러나 5번 정도를 시행했다는 것 자체가 교육적 의도에서의 시행이라고 하기에는 다소 무리가 있어 보이므로 정적 연습 과잉교정으로 보는 것이 적절하다.

4) ⓔ 물비누통을 세면대 위 눈에 잘 띄는 곳에 놓아두는 것과 같은 촉진의 유형을 공간적 촉진으로 처리하는 것은 해당 문제가 유아특수의 문제이기 때문이다. 초등 혹은 중등의 경우 유사한 문제에 대해 자극촉구 중 자극 내 촉구로 분류할 수 있다.

Check Point

⑴ 정적 연습과 정적 연습 과잉교정

① 정적 연습은 문제행동 발생에 수반하여 적절하고 정확한 행동을 수행(연습)하도록 하는 것이다. 예를 들어, 휴지통에 쓰레기를 던져서 휴지통 옆에 떨어지게 한 경우에, 아동에게 쓰레기를 집어서 휴지통으로 걸어가 휴지통에 버리고 자신의 자리로 가서 앉도록 연습을 시킨다. 또 다른 예로, 철자를 틀리게 쓴 경우에, 틀리게 쓴 단어를 정확하게 다시 쓰는 연습을 시킨다.

② 정적 연습이 벌 접근이라기보다는 교육적 의도로 시행되는 것이라면, 정적 연습 과잉교정은 문제행동에 대한 벌 접근으로 적절한 행동을 과도하게 반복적으로 수행하도록 하는 것이다. 앞선 예에서 정적 연습 과잉교정은 쓰레기를 들고 휴지통으로 걸어가서 휴지통에 버리고 자리로 돌아가는 행동을 10회 반복하는 것이다. 또한 철자가 틀린 단어를 100번 반복해서 쓰는 것이 정적 연습 과잉교정이다(이성봉 외, 2019 : 230).

⑵ 촉진의 종류에 따른 수행 방법(유아특수)

종류	방법
구어 촉진	주어진 과제를 수행하도록 직접적으로 또는 간접적으로 지원하는 단순한 지시 또는 설명
몸짓 촉진	과제를 수행하도록 안내해 주는 가리키기 등의 몸짓
시범 촉진	구어나 신체 촉진, 또는 두 가지를 함께 사용해서 과제의 일부 또는 전체를 수행하는 모습을 보여주는 방법
접촉 촉진	접촉을 활용하는 방법으로, 유아의 특정 신체 부위를 만지거나 유아가 특정 사물을 만지게 하는 두 가지 형태로 사용됨
신체 촉진	과제를 수행하도록 신체적으로 보조하는 방법
공간 촉진	행동 발생 가능성을 높이기 위해서 사물을 특정 위치(㉖ 과제 수행을 위해서 필요한 장소, 유아에게 더 가까운 장소)에 놓아 과제 수행을 상기시키는 방법
시각적 촉진	그림이나 사진, 색깔, 그래픽 등의 시각적인 단서를 사용해서 과제 수행의 주요 요소를 보여주는 방법
단서 촉진	과제 수행의 특정 측면에 대한 직접적인 관심을 유도하기 위한 방법

출처 ▶ 이소현(2020 : 443-444)

50 2014 유아A-6

모범답안

1)	• 기호 : ⓒ • 이유 : 장난감을 또래들에게 던지는 것은 또래들에게 해가 되거나 위협이 되는 파괴적 행동이기 때문이다.
2)	• 가설 : 진우는 활동을 마칠 시간이 되면 활동의 변화를 회피하기 위하여 울거나, 주저앉거나, 또래들에게 물건을 던진다.
3)	• 중재명 : 선호도 추가(또는 선호도 활용)
4)	ⓔ 반응대가

Check Point

☑ 선행사건 중재 전략

행동의 기능	중재 전략
관심 끌기	• 성인의 관심 시간 계획 • 또래의 관심 시간 계획 • 학생에 대한 접근성 증가 • 좋아하는 활동 제공
회피하기	• 과제의 난이도 조절 • 선택 기회 제공 • 학생의 선호도와 관심사를 활동에 추가 • 활동을 통하여 의미 있고 기능적인 성과를 얻게 함 • 과제의 길이 조절 • 과제 수행 양식 조절 • 행동적 모멘텀 및 과제 분산 사용 • 예측 가능성 향상 • 교수 전달방식 변경
물건/활동 획득	• 미리 알려줌 • 전이 활동 계획 • 접근성 증가시키기
자기조절	• 대안적 감각 강화 제공 • 풍부한 환경 제공

51 2014 유아B-2

모범답안

2)	• 교수전략 ① : 비디오 모델링 • 교수전략 ② : 자기관찰

해설

지문 돋보기

• 교사는 차례 지키기를 잘 하는 친구의 모습을 찍은 동영상을 은수와 함께 보면서 순서와 기다리기에 대한 이야기를 나누었다. : 비디오 모델링
• 교사는 은수에게 친구를 밀어버리는 자신의 모습을 촬영한 동영상을 관찰하게 한 후 고쳐야 할 행동을 찾게 하고, 친구의 바람직한 행동을 따라해 보게 하였다. : 자기관찰

Check Point

☑ 비디오 모델링

① 비디오 모델링은 가르칠 때 짧은 비디오 영상을 이용하는 증거기반 교수방법으로 유아부터 청소년기의 학생들에게까지 효과적임
  • 관찰학습의 잠재력을 이용하여 다양한 기술을 가르치는 데 시행될 수 있음
② 일반적인 비디오 모델링은 제3자의 모습을 관찰하고 모방하기 위한 방법인 데 반해 자신의 모습을 관찰하기 위한 방법에는 자기관찰과 자기모델링(비디오 자기모델링)의 방법이 있음

자기관찰	화면을 통해 자신의 바람직한 행동과 바람직하지 못한 행동을 모두 보여주는 경우
자기모델링	화면을 통해 자신의 적절한 행동만 보여주도록 편집된 비디오테이프를 관찰하는 경우 • 자기상 향상에 유리 • 자기 효능감 향상에 유리

52 2014 유아B-5

모범답안

1)	㉠ 차별강화 ㉡ 행동형성
2)	㉢ 활동강화제

53 | 2014 초등A-2

모범답안

1)	물건 획득
2)	다음 중 택 1 • 대체행동은 최소한 학생이 나타내고 있는 문제행동보다 더 어렵지 않아야 한다(노력). • 대체행동은 문제행동과 동일하거나 더 나은 결과를 가져와야 한다(결과의 질). • 대체행동을 했을 때 즉각적인 긍정적 반응을 받을 수 있어야 효과적이다(결과의 즉각성). • 학생이 대체행동을 했을 때, 주변 사람들이 일관되게 반응해 주는 것이 필요하다(결과의 일관성). • 문제행동에 대해서는 혐오적 결과가 주어지고, 대체행동에 대해서는 언제나 긍정적 경험이 주어지도록 해야 한다(처벌 개연성).
3)	• 번호와 이유 : ③, 정우의 밀치는 행동을 못 본 체하는 것은 문제행동을 유지시키는 변인으로 작용하기 때문(또는 문제행동을 통해서는 원하는 물건을 얻을 수 없도록 하는 것이 바람직하기 때문)이다.

4)	• ⓒ 집단강화
	• 문제점 : 다음 중 택 1
	  – 또래의 부당한 압력이 문제가 될 수 있다.
	  – 한 구성원이 집단의 노력을 고의로 방해할 수 있다.
	  – 집단의 수준을 높이기 위해 구성원 몇몇이 다른 사람들을 위해 목표행동을 대신할 수 있다.

해설

3) ③ 정우의 밀치는 행동을 못 본 체하는 것은 문제행동을 유지시키는 변인으로 작용할 수 있다. 따라서 문제행동을 하더라도 원하는 물건을 얻을 수 없도록 지도하는 것이 바람직하다.

4) 최 교사의 대화 내용을 살펴보면 다음과 같다.

지문 돋보기

• 이 기법은 정우가 속한 모둠이 다 같이 노력해서 목표에 도달하면 함께 강화를 받을 수 있고 : 상호 종속적 집단강화
• 정우가 목표에 도달하면 정우가 속한 모둠의 모든 학생들이 강화를 받을 수도 있어요. : 종속적 집단강화

따라서 ⓒ에는 '상호 종속적 집단강화'와 '종속적 집단강화'를 모두 포함하여 언급할 수 있는 용어인 '집단강화'가 들어가야 한다. 그리고 문제점에는 상호종속적 집단강화와 종속적 집단강화의 문제점을 기술하는 것이 바람직하다.

Check Point

(1) 대체행동 선택 시 고려사항

반응 효율성	대체행동은 문제행동을 하는 것보다 힘을 덜 들이고도 학생이 선호하는 결과를 즉각적으로 얻을 수 있어야 한다.
반응 수용성	대체행동은 그 학생의 주위에 있는 사람들로부터 사회적으로 수용될 수 있는 것이어야 한다.
반응 인식성	새로운 행동은 친근한 사람이나 생소한 사람들이 쉽게 알아야 한다.

(2) 교체기술 선택 기준

다음 기준들은 '반응 효율성'으로 통칭할 수 있는 것으로 대체기술을 가르칠 때 고려해야 하는 부분이다.

노력	아동이 습득해야 할 교체기술은 최소한 아동이 나타내고 있는 문제행동보다 더 어렵지 않아야 한다.
결과의 질	교체기술은 문제행동과 동일하거나 더 나은 결과를 가져와야 한다.
결과의 즉각성	초기에는 교체기술을 사용했을 때 즉각적인 긍정적 반응을 받을 수 있어야 효과적이다.
결과의 일관성	교체기술의 계속적 사용을 위해서는 아동이 교체기술을 사용했을 때 주변 사람들이 일관되게 적극적이며 즉각적으로 반응해 주는 것이 필요하다.
처벌 개연성	문제행동에 대해서는 혐오적 결과가 주어지고 교체기술에 대해서는 언제나 긍정적 경험이 주어지도록 해야 한다.

54 | 2014 초등B-3

모범답안

3)	• 정적 강화 기법 : 프리맥 원리 • 지도 내용 : 동호가 사진 찍기 활동에 참여한 이후에 트램펄린에서 뛰는 활동을 할 수 있도록 한다.

해설

3) 프리맥 원리는 비선호 활동의 발생률을 증가시키기 위해 활동 계획 시 선호하지 않는 활동 뒤에 선호하는 활동을 할 수 있게 계획하는 것이다.

55

모범답안 개요

㉠	'DRC＋과제 난이도 수정'이 'DRC'보다 효과적이기는 하지만 DRC＋과제 난이도 수정이 DRC 뒤에 적용되었기 때문에 발생한 순서 효과임을 배제할 수 없으며 이에 더 효과적이라고 단언하기도 어렵다. 따라서 DRC＋과제 난이도 수정과 자리 이탈 행동 간에 기능적 관계가 있다고 할 수 없다.
㉢	문제행동의 발생 빈도를 낮춰야 하는 상황에서 기초선이 증가하는 경향을 보이고 있으므로 안정적이라고 할 수 있으며 따라서 첫 번째 중재를 시작하는 데 적절하다.

해설

하나의 기초선을 가지는 조건변경설계는 교사가 학생 행동에 대한 여러 중재의 효과를 비교할 수 있게 해준다. 비록 기능적 관계가 확립되지는 못하지만 이 형식에 의한 자료 기록은 학생 행동에 대한 다양한 절차의 효과를 점검해 볼 수 있게 한다.

㉠ 그래프를 해석함에 있어 'DRC＋과제 난이도 수정'이 'DRC'보다 더 효과가 있는 것으로 나타났다 해도 반드시 DRC＋과제 난이도 수정이 DRC보다 효과적이라고 단언할 수 없다. 그 이유는 DRC＋과제 난이도 수정이 DRC 뒤에 적용되었기 때문에 순서효과를 배제할 수 없기 때문이다(양명희, 2018 : 265 수정 후 인용).

㉡ 조건변경설계는 특정 학생에게 어떤 중재가 성공적인지를 알기 전에 여러 가지 중재를 시도해 볼 필요가 있는 교사에게 유용하다. 교사는 학생이 행동을 수행할 조건(예 환경조건, 도구조건, 강화조건)을 변경해 보는 것이다.

㉢ 복수중재효과는 알 수 있으나 단독효과는 알 수 없음을 의미한다.

56

모범답안 개요

잘못된 것 2가지	• 교사의 지도 경험을 바탕으로 심각한 문제행동이 여전히 지속되고 있다고 생각되는 개별 학생을 중재 대상으로 선정한다. → 타당한 의사결정을 위해서는 교사의 지도 경험을 바탕으로 하는 것이 아니라 학생의 학업성취, 사회적 능력, 안전 등에 관한 다양한 자료에 근거하여 중재 대상을 선정하는 것이 바람직하다. • 심각한 문제행동을 지닌 개별 학생에게 교사의 개인적 경험에 비추어 효과가 있었던 중재를 실시한다. → 교사의 개인적 경험이 아닌 증거 기반의 중재와 전략을 적용해야 한다.
위기관리 계획의 목적	위기관리 계획의 일반적인 목적은 공격적이거나 난폭한 행동이 발생하는 환경에서 학생이나 다른 사람의 안전을 보호하는 데 있다.
㉤의 잘못된 점	학생 A를 다른 조용한 장소로 데리고 가는 것이 학생 A와 학급 학생 모두에게 보다 안전한 조치가 될 뿐 아니라 학급 학생들의 학업 방해도 최소화할 수 있다.

해설

㉤ 위기관리 계획이 필요하다고 정해지면, 먼저 위기를 유발하는 문제행동의 전조, 즉 위기를 예상할 수 있는 신호를 파악한다. 학생 및 타인의 안전을 위해 대상학생의 행동을 완화시킬 수 있는 절차 및 방법을 강구한다. 대상학생과 함께 산책하기, 심호흡하기, 음악실에 가서 음악 듣기 등이 그 예가 될 수 있다. 더불어 대상학생이 안정을 회복할 때까지 거할 수 있는 장소 확보, 도움을 줄 수 있는 실행 지원 인력 확보, 위기 상황이 끝났음을 확신할 수 있는 사인 점검, 빠른 회복을 위해 필요한 지원의 정도, 위기관리 절차 계획 및 실행에 관한 문서화 등이 고려되어야 한다. 무엇보다도 위기관리 실행으로 인해 유발될 수 있는 교실 내 방해 정도를 최소화하는 것이 중요하다. 교실에서 위기 발생 시 회복기까지 해당 교실에서 대상학생의 문제행동에 집중적으로 대처하고 다른 학생들은 교실에서 자습을 하게 하는 것은 교실에 있는 학생들의 안전에 해가 될 수 있으므로 적절하지 않다. 대상학생을 다른 조용한 장소로 데리고 가는 것이 대상학생과 학급 학생 모두에게 보다 안전한 조치가 될 뿐 아니라 학급 학생들의 학업 방해도 최소화할 수 있다(이성봉 외, 2022 : 264).

57

모범답안

4)	중재 충실도

Check Point

🖉 중재 충실도

① 프로그램의 절차가 정확하게 실행되는 정도
② 동의어 : 절차적 신뢰도, 처치 진실도, 처치 충실도
③ 관찰자 간 일치도와 매우 유사한 방식으로 계산

> 중재 충실도(%) = (프로그램 계획에 따른 교사 행동의 수 × 100) / 프로그램 계획에 따라 수행될 수 있었던 교사 행동의 총계

④ 중재 충실도 평가 시 고려할 사항
  ㉠ 교수계획은 계획한 대로 자주 실행되었는가?
  ㉡ 교사는 교수적 촉진을 알맞은 순서로 적절한 때에 사용했는가?
  ㉢ 교사는 적절한 후속결과를 전달했는가?
  ㉣ 교수적 단서는 프로그램 계획에서 결정되었던 방식으로 전달되었는가?
  ㉤ 필요한 모든 교수 자료가 제공되었는가?
  ㉥ 프로그램은 올바른 환경에서 실행되었는가?

58

모범답안

3)	① 전략 : 후진 행동연쇄법 ② 장점 : 다음 중 택 1 • 매 회기마다 마지막 단계까지 완수하게 되고 자연적 강화를 받게 된다(또는 매 회기마다 자연발생적인 강화가 제공된다). • 계속해서 그 과제를 끝까지 여러 차례 반복할 수 있는 기회가 주어진다. • 매 훈련 시행에서 과제의 전 과정이 처음부터 끝까지 반복되기 때문에 과제 완성의 만족감과 연습에 의한 학습전이 효과를 기대할 수 있다.

해설

3) 후진 행동연쇄법을 사용하면 학생의 입장에서는 매 회기에 마지막 단계까지 완수하게 되고 강화를 받게 된다는 장점이 있다. 또한 후진 행동연쇄법을 사용하는 동안 계속해서 그 과제를 끝까지 여러 차례 반복할 수 있는 기회가 학생에게 주어진다는 것도 장점이다.

59

모범답안

4)	① 다음 중 택 1 • 강화에 대한 강한 의존성을 보일 수 있다. • 습득된 행동을 유지하기 위해 계속해서 연속 강화계획을 실행하기가 어렵다. • 강화받는 민지도 곧 포만을 경험하게 되어 강화제가 효력을 잃게 될 수도 있다. ② 변동비율 강화계획

60 　　　　　　　　　　　　　2015 유아B-2

모범답안

1)	① 장면 번호: 2-1-3 ② 이유: 자신이나 다른 사람에게 해가 되거나 위협이 되는 파괴적 행동을 먼저 지도하고 이어서 방해하는 행동, 가벼운 방해 행동의 순으로 지도해야 하기 때문이다.
2)	• 바깥놀이 시간에 놀이터에 못 나가면 계속 우는 행동을 보인다. • 물컹거리는 느낌은 싫어하고 부드러운 느낌에 대해서는 집착하는 행동을 보인다.
3)	다음 중 택 1 • 대체행동은 학생이 나타내고 있는 문제행동보다 최소한 더 어렵지 않아야 한다(노력). • 대체행동은 문제행동과 동일하거나 더 나은 결과를 가져와야 한다(결과의 질). • 대체행동을 했을 때 즉각적인 긍정적 반응을 받을 수 있어야 효과적이다(결과의 즉각성). • 학생이 대체행동을 했을 때, 주변 사람들이 일관되게 반응해 주는 것이 필요하다(결과의 일관성). • 문제행동에 대해서는 혐오적 결과가 주어지고, 대체행동에 대해서는 언제나 긍정적 경험이 주어지도록 해야 한다(처벌 개연성).

Check Point

☑ 긍정적 행동지원 계획의 개발

① 종합적인 행동지원 계획은 네 가지 주요 요소들을 중심으로 수립된다. 각 요소는 서로 다른 목표를 가지며 모두가 합쳐져서 예방과 교수와 장기적 효과를 강조하게 된다. 이 요소들은 ㉠ 문제행동을 유발하는 사건을 변화시키기 위한 선행/배경사건 중재, ㉡ 문제행동을 대체하는 사회적으로 바람직한 행동을 교수하기 위한 대체기술 교수, ㉢ 문제행동에 대한 다른 사람의 반응을 효과적이고 교육적인 방법으로 변화시키기 위한 문제행동에 대한 반응, ㉣ 바람직한 성과를 지속적으로 지원하기 위한 광범위한 교육과정적, 사회적 또는 삶의 양식 변화를 만들기 위한 장기적인 지원이다.

② 일반적으로 단일 중재를 사용하는 전통적인 행동 관리 계획과는 달리 긍정적 행동지원 계획은 종합적이면서 다양한 중재 또는 지원 전략으로 구성된다. 이렇게 하는 데에는 몇 가지 이유가 있다.

　㉠ 첫째, 가설과 포괄적 진단 정보는 문제행동의 다양한 영향력과 기능을 제안한다. 지원 계획은 최대한으로 효과적이기 위해서 가능한 한 이러한 영향력을 많이 다룰 수 있어야 하며, 학생에게 서로 다른 상황에 대한 기술들을 교수해야 한다. 단일 중재는 이러한 효과를 내기가 거의 어렵다.

　㉡ 둘째, 긍정적 행동지원은 학생이 생활하고 놀이하고 일하고 학교에 가는 모든 상황에서의 성취에 목표를 둔다. 그렇게 함으로써 서로 다른 상황은 서로 다른 중재를 필요로 하기도 한다.

　㉢ 셋째, 긍정적 행동지원의 목표와 관련된다. 전통적인 행동 관리 계획이 문제행동을 멈추게 하는 데 초점을 맞추는 것과는 달리, 긍정적 행동지원 계획은 예방, 교수, 장기적인 효과에 초점을 맞춘다. 각각의 목표가 성취되기 위해서는 서로 다른 중재 접근이 요구되며 단일 전략으로 모두가 성취될 수는 없다.

　　　　　　　출처 ▶ Bambara et al.(2017 : 97-98)

61 　　　　　　　　　　　　　2015 유아B-7

모범답안

2)	① 명칭: 기준변경설계 ② 근거: 최소한 연속적으로 3개의 구간에서 단계 목표가 달성될 때이다.

해설

2) • 종속변인과 독립변인 간의 기능적 관계는 학생의 수행 수준이 지속적으로 변경되는 수행 및 강화 준거에 대등하게 맞을 때 입증된다. 기능적 관계를 평가하는 이러한 방법은 변경되는 준거에 반복적으로 맞추어지는 것이 복제를 의미하는 것이라는 견해에 근거한다. 중간준거를 갖는 각 하위 구간은 다음 하위 구간의 증가된(또는 감소된) 준거에 대한 기초선으로서의 역할을 한다. 일반적으로 기능적 관계를 인정하기 전에 학생은 최소한 연속적으로 3개 구간에서 준거를 충족시켜야 한다(Alberto et al., 2014 : 213).

• 최소한 연속적으로 세 개의 구간에서 단계 목표가 달성되면 기능적 인과관계가 입증된 것으로 본다(2010 중등1-27 기출).

62 | 2015 초등A-2

모범답안

1)	행동분포관찰
2)	교체기술 교수
3)	다음 중 택 1 • 표적행동이 아닌 다른 문제행동을 강화할 가능성이 있다. • 행동의 진공상태를 만들 가능성이 있다. • 교사가 주는 강화가 학생이 바람직하지 않은 행동을 통해 얻을 수 있는 강화보다 강력하지 않으면 효과가 없다.
4)	선행사건 중재
5)	ⓜ 지속시간 백분율 ⓗ 60%

해설

2) 민수의 교실 이탈 행동은 어려운 과제에 대하여 회피하기 임이 제시되어 있다. 그리고 이와 같은 문제행동의 기능을 대신하기 위하여 "쉬고 싶어요."라는 말을 하도록 지도하고 있기 때문에 대체기술 중 교체기술 교수에 해당한다.

5) 지속시간 백분율은 총 관찰시간 중 행동이 발생한 총 지속시간의 백분율을 의미한다. 따라서 전체 관찰시간(40분)에 대한 총 지속시간(24분)의 백분율을 산출하면 되므로 (24/40)×100=60%가 된다. 이때 단위(%)를 생략하지 않도록 유의한다.

Check Point

✎ 선행사건 중재와 배경사건 중재

① 선행사건 중재
  ㉠ 문제행동이 발생하기 전에 예방을 위해 문제행동의 유발요인이 되는 환경을 재구성하는 것을 선행사건(문제행동 직전에 발생하는 사건) 중재라 한다. 다시 말하면, 선행사건 중재란 문제행동의 발생 원인이 될 수 있는 선행사건들을 수정하거나 제거하여 더 이상 문제행동을 일으키는 요인으로 작용하지 않도록 하는 것을 의미한다.
  ㉡ 기대행동과 그에 대한 구체적인 사회적 행동을 결정하여 가르치고, 일과 시간표를 조정하고, 환경의 물리적 구조를 변경하고, 성인들의 관심과 감독을 증가시키고, 효율적 교수방법을 적용하는 것 등은 일반적으로 광범위하게 적용할 수 있는 선행사건 중재라고 볼 수 있다(양명희, 2016 : 303).

② 배경사건 중재
  ㉠ 배경사건은 선행사건이나 즉각적인 환경적 사건이 문제행동의 촉발요인으로 작용할 가능성에 영향을 미치는 사건을 의미한다. 다시 말하면 선행사건에 대한 반응 가치를 높임으로써 행동의 발생 가능성을 높여주는 환경적 사건이나 상태, 자극을 말한다.
  ㉡ 예를 들어 교실 밖에서 또래와 큰 싸움을 하고 교실에 들어왔는데 교사가 힘든 과제를 제시했다고 하자. 이때 큰 싸움은 학생에게 힘든 과제를 피하고 싶은 마음이 커지도록 작용하며, 평소처럼 주어지는 교사의 칭찬은 크게 효과를 거두지 못하도록 작용할 것이다. 따라서 학생은 교사의 힘든 과제 제시에 대해 소리를 지르고, 과제 재료를 바닥에 집어던지며, 교실 구석으로 가서 앉아 있을 것으로, 결국 힘든 과제를 피할 수 있게 된다. 여기서 친구와의 싸움이 과제를 거부하는 행동의 선행사건은 아니지만, 과제 거부 발생 가능성을 높여 준 것을 알 수 있다.
  ㉢ 배경사건은 평소의 강화나 벌의 가치를 일시적으로 바꾸어 버리고 문제행동의 촉발요인으로 작용하게 되어 평소와 똑같은 교사의 과제 제시에 대해 학생의 전혀 다른 반응을 가져오게 할 수 있다.
  ㉣ 배경사건이 될 수 있는 것으로는 피곤, 질병, 마약, 음식의 포만이나 박탈, 수면이나 월경 같은 생리적 주기, 온도나 소음 수준 같은 환경 특성, 한 가지 활동에서 다른 활동으로의 전이, 누가 함께 있는지에 따른 사회적 상호작용의 어려움 같은 사회문화적 상황, 약물 부작용, 물리적 배치 등 여러 가지가 될 수 있다.

출처 ▶ 양명희(2016 : 306-307)

63

모범답안

1)	최대-최소 촉진(또는 도움 감소법)

해설

1) <스위치 사용 지도 순서>에 사용한 촉구(촉진)의 종류는 다음과 같다.

지문 돋보기

- 교사가 민호의 손을 잡고 민호와 함께 스위치를 누르며 장난감 자동차가 움직이도록 한다. : 전반적 신체 촉진
- 교사가 두 손가락을 민호의 손등에 올려놓고 1초간 기다린다. : 부분적 신체 촉진
- 교사가 스위치를 누르는 모습을 보여 주고, "선생님처럼 해 봐."라고 말한 후 잠시 기다린다. : 시범(모델링)
- 교사가 "민호가 눌러 볼까?"라고 말한 뒤 잠시 기다린다. : 언어적 촉진
- 교사의 촉구 없이 민호 스스로 스위치를 누르도록 기다린다. : 독립적 반응

64

모범답안

1)	자극 내 촉진
4)	지폐 변별하기 과제가 주어졌을 때 연속 3회기 동안 10번의 시행 중 9번은 정확하게 지폐를 변별하여 짚을 수 있다.
5)	기준치 도달 기록법

해설

4) 행동목표의 구성 요소는 학습자(아동), 조건, 기준, 행동의 4가지를 포함하며, Mager의 행동적 목표 진술에 사용되는 요소는 조건, 기준, 행동의 3가지이다.

요소	조건	기준(준거)	행동
학습목표	지폐 변별하기 과제가 주어졌을 때	연속 3회기 동안 10번의 시행 중 9번은 정확하게	지폐를 변별하여 짚을 수 있다.

5) 기준치 도달 기록법과 빈도기록과의 차이는 행동의 기회가 통제되고 숙달준거가 설정된다는 점이다. Sugai와 Tindal은 기준치 도달 기록법을 빈도기록과 통제 제시 기록의 특수한 형태라고 하였는데, 이 경우 기본유형(빈도기록)과 수정유형(통제 제시 기록)이 결합된 하나의 결합유형으로 볼 수도 있다(이승희, 2021 : 173).

65

모범답안

이유	정확한 수를 반영하지 못할 만큼 행동이 높은 빈도로 발생하기 때문이다(또는 행동이 높은 비율로 나타날 때에 관찰자가 개별 발생을 정확하게 세기가 어렵기 때문이다).
관찰기록 방법	시간표집법(또는 시간 중심 관찰기록)

해설

관찰기록 방법) 행동 특성 중심 관찰기록이 행동 자체의 특성을 중심으로 관찰하고 측정하는 방법이라면, 시간 중심 관찰기록은 시간을 중심으로 행동이 발생하고 있느냐를 기록하고 측정하는 방법이다. 시간 중심 관찰기록은 간격기록법이라고도 하며, 행동 특성 중심 관찰기록이 어려운 경우에 사용될 수 있다. 행동 특성 중심 관찰기록이 어려운 경우란 많은 학생을 관찰하거나, 한 학생의 여러 행동을 관찰할 경우, 또는 행동의 빈도가 매우 높거나 지속시간의 변화가 심한 경우 등이다(양명희, 2018 : 180).

- 문제에서 '손바닥을 퍼덕이는 상동행동'의 구체적인 특성(비율, 지속시간 등)은 제시되어 있지 않기 때문에 시간표집법의 구체적인 하위 유형을 언급하는 것은 어렵다.

Check Point

(1) 사건기록법의 적용이 어려운 경우
다음의 경우는 사건기록법을 이용한 자료수집 절차가 적절하지 않다(Alberto et al., 2004 : 133).

① 수 기록이 정확한 수를 반영하지 못할 만큼 높은 빈도로 발생하는 행동. 달리기 하는 동안의 발걸음 수, 상동행동(중도장애 학생의 손뼉 치기 혹은 흔들기), 눈 깜빡이기 같은 행동은 정확하게 그 수를 세기 불가능할 정도로 자주 발생한다.

② 한 가지 행동이나 반응이 연장되어 발생할 수 있는 경우. 이러한 행동의 예로, 손가락 빨기 혹은 과제 집중하기 등이 있다. 예를 들어, 자리 이탈 행동을 기록할 때 점심시간까지 지속된 자리 이탈을 한 번으로 기록하는 것은 부정확한 표기가 될 수 있다.

(2) 시간표집법

전체 간격 기록법	• 관찰시간을 짧은 시간 간격으로 나누어 행동이 각 각의 시간 간격 동안 지속적으로 발생했는지를 관 찰하여 기록하는 방법이다. • 행동발생으로 인정되는 경우: 관찰한 시간 간격 동안 행동이 계속 지속된 경우
부분 간격 기록법	• 관찰시간을 짧은 시간 간격으로 나누어 각각의 시 간 간격 동안에 행동이 발생했는지를 관찰하여, 관찰한 시간 간격 동안에 행동이 최소한 1회 이상 발생하면 그 시간 간격에 행동이 발생한 것으로 기록하는 방법이다. • 행동발생으로 인정되는 경우: 하나의 시간 간격 동안 행동이 어느 순간에라도 발생한 경우
순간 표집 기록법	• 관찰시간을 짧은 시간 간격으로 나누고, 각각의 시간 간격이 끝나는 순간에 아동을 관찰하여 표적 행동의 발생 여부를 기록하는 방법이다. • 시간 간격 끝에 한 번 관찰하면 다음 시간 간격이 끝날 때까지는 관찰하지 않아도 된다. • 행동발생으로 인정되는 경우: 하나의 시간 간격 의 끝에 행동이 발생한 경우 • 장점: 다른 시간 중심 관찰기록에 비해 교사의 관 찰시간을 절약해 준다.

66   2015 중등A-서3

모범답안 개요

기법	자극 용암법
자극 용암법의 개념	변별자극 외에 부가적으로 주어지는 자극을 점진적으로 감소 또는 제거하여 궁극적으로 촉구 없이 변별자극만 주어져도 반응하도록 하는 절차이다.
행동형성법의 개념	현재에는 나타나지 않는 표적행동을 발생시 키기 위해서 표적행동에 점진적으로 가까운 행동을 체계적으로 차별강화하여 새로운 행 동을 형성시키는 것이다.
행동형성법이 아닌 이유	학생의 반응이 변하는 것이 아니라 선행자극 이 변하기 때문이다.

해설

자극 용암법의 개념) 촉구를 조절하여 점진적으로 변화시
키는 방법을 통틀어서 용암이라고 하기도 하고(Alberto
등), 그러한 자극통제의 전이 방법 중에서도 자극촉구를
점진적으로 변화시키는 방법만 용암이라고 하기도
(Cooper 등) 한다. 촉구의 용암이란 변별자극 외에 부가
적으로 주어지는 자극을 점진적으로 감소 또는 제거하
여 궁극적으로 촉구 없이 변별자극만 주어져도 반응하
도록 하는 절차를 의미하는 것이 맞다고 할 수 있다(양
명희, 2018: 383-384).

행동형성법이 아닌 이유) 행동형성법과 용암법은 서로 굉
장히 다른 방법이지만, 이들 모두 행동을 점진적으로 변
화시킨다는 공통점을 지닌다. 조형에서는 반응이 점차
더 차별화되지만 선행자극이 변하지 않는다. 용암법에
서는 그 반대의 현상이 일어난다. 학습자의 반응은 근본
적으로 변하지 않지만 선행자극이 점진적으로 변화한
다(Cooper et al., 2018: 230).

Check Point

(1) 반응촉진의 점진적 변화 방법

최대-최소
촉구법
	• 처음에는 아동이 바람직한 행동을 수행하기
	에 충분하다고 생각되는 만큼 최대한의 반
	응촉구를 제공하여 아동이 정반응을 보이면
	점차 그 양을 줄여 가는 것
	• 장점: 학습 초기 단계에 발생할 수 있는 오
	류를 제거할 수 있음(따라서 오류로 인한 좌
	절을 방지할 수 있음)
	  - 장점에 기반한 주된 대상: 중도, 최중도
	    장애
	• 적용 방법
	  - 혼합 사용 시: 강제성이 강한 것부터 차
	    례로 제거
	  - 단일 사용 시: 강도 또는 단계 줄이기

최소-최대 촉구법	• 아동에게 변별자극만 주는 것으로 시작했다 가 정반응이 없으면 점차 촉구의 양을 증가 시켜 가는 것 • 도움 증가법의 의도는 가능한 한 아동이 목 표행동을 하는 데 필요한 만큼의 촉구만 최 소한의 강도로 제공하는 것임
시간지연법	• 자극이 제시된 후에 촉구를 제시하기까지의 시간을 지연시킴으로써 촉구에서 변별자극 으로 자극통제를 전이하는 것 • 아동의 반응 전에 반응촉구가 주어짐
점진적 안내	• 점진적 안내는 신체적 촉구를 체계적으로 용암시키는 데 사용됨 • 점진적 안내에서는 '손 위에 손' 방법을 많이 사용. 전체 훈련을 통해 도움을 점진적으로 줄여나가고, 학습자가 과제를 완성할 때 학 습자의 손에 그림자를 만드는 것. 그림자 만 들기는 학습자가 과제를 완성할 때 교사의 손을 학습자의 손 위 가까이에 놓는 것을 의 미. 이렇게 하면 학습자가 행동의 어떤 단계 에서 실패할 때 교사가 즉각적으로 신체안 내를 해 줄 수 있음 • 점진적 안내를 제공할 때 교사는 손으로 대 상자의 신체 부위를 잡아서 특정 목표 동작 을 확실하게 일으키도록 안내하다가 점진적 으로 신체접촉이 일어나는 신체 부위와 신 체적으로 안내할 때 제공된 통제의 정도를 점진적으로 감소시킴

- 신체적 안내는 대상자에 따라 신체접촉을 꺼려 순응하지 않을 수도 있음을 고려해야 함. 따라서 대상자가 협조적일 때 시도하고 목표 반응을 일으키기 위해 필요한 최소한의 안내를 제공하다가 점진적으로 신체적 안내를 제거함
- 신체적 안내의 초기 단계에서는 목표 반응의 움직임이 일어나는 통제 부위인 신체 부위에서 안내를 시작. 그리고 조금씩 신체 부위에 가하는 힘을 약화시킴과 동시에 통제 부위에서부터 신체접촉 부위를 멀어지도록 함
  예 글씨 쓰기나 수저 사용하기는 손을 잡고 안내하다가 점점 안내하는 힘을 약화시킴과 동시에 신체접촉 부위도 손목에서 팔로 이동하여 표적행동을 조절하는 통제 부위인 손으로부터 거리를 증가시킨다.

(2) 행동형성법과 자극 용암법의 비교

기법	차이점	공통점
행동형성법	• 선행자극은 변하지 않음 • 반응이 점차 차별화됨	행동을 점진적으로 변화시킴
자극 용암법	• 선행자극이 점진적으로 변화함 • 학습자의 반응은 변하지 않음	

67

모범답안

연구 설계의 명칭	상황 간 중다기초선설계
연구에 나타난 오류	중재를 시작한 시점에 오류가 있다.
오류 이유	• 장소 A에서 제공한 중재의 효과가 기준에 도달하지 못했음(또는 안정된 상태로 개선되지 않았음)에도 두 번째 기초선에 중재를 시작하고 있기 때문이다. • 장소 B의 기초선 자료가 수용할 만한 안정세를 보이고 있지 않음에도 중재를 시작하고 있기 때문이다.
중다간헐 기초선설계	다음 중 택 1 • 간헐적인 기초선 설계는 기초선 기간이 길어지거나 문제행동이 고착되지 않도록 해준다. • 간헐적인 기초선 측정은 길어진 기초선 기간 동안에 빈번하게 나타나는 부적절한 행동(문제점)을 막아준다.

해설

- 장소 A에서의 중재 : 3회기까지 관찰 결과 모든 기초선 자료가 안정세를 보여 4회기 때 장소 A에 중재를 시작하였다. 따라서 중재 시점에는 문제가 없다.
- 장소 B에서의 중재
  - 장소 B에서의 중재는 장소 A에서 중재 효과가 기준에 도달했을 때 중재를 시작해야 한다. 그러나 장소 A에서의 중재 효과가 기준에 도달하지 못했음에도 중재를 시작하는 오류를 보이고 있다.
  - 장소 B에서의 기초선은 장소 A에서 중재가 투입된 이후 감소 추세(문제행동의 감소)를 보이고 있기 때문에 안정세를 보이고 있다고 할 수 없다. 따라서 기초선이 안정세를 보일 때까지 기다린 후 중재를 제공하는 것이 적절하지만 그러지 못하고 있다.

Check Point

(1) 중다기초선설계의 기본 가정
① 각각의 목표행동(또는 상황이나 대상자)은 기능적으로 독립적이어야 하며, 이로 인해서 중재가 적용될 때까지 종속변인이 안정된 상태로 남아 있어야 한다.
② 각각의 행동(또는 상황이나 대상자)은 기능적으로 유사해야 하며, 이로 인해서 동일한 중재에 반응해야 한다는 것이다. 만일 중재가 적용되었는데도 어떤 대상자에게서 행동의 변화가 일어나지 않는 경우에는 일관성 없는 중재의 효과가 나타난 것으로 가정할 수 있으며, 이로 인해서 실험통제를 입증할 수 없게 된다.

출처 ▶ 이소현(2016 : 95-97)

(2) 중다기초선설계의 내적 타당도를 높이기 위해 반드시 이루어져야 하는 특성
① 적어도 세 가지 이상의 행동, 상황, 대상자 간에 동시에 기초선 자료를 수집해야 한다.
② 모든 기초선 자료가 수용할 만한 안정세를 보일 때 첫 번째 기초선에 중재를 시작한다.
③ 첫 번째 기초선에서 중재의 효과가 기준에 도달했을 때 두 번째 기초선에 중재를 시작한다.
④ 동일한 절차를 설계에 적용되는 기초선의 수만큼 계속 진행한다. 즉 실험통제는 중재가 주어진 실험조건에서는 종속변인에 변화가 일어나고, 중재가 주어지지 않은 실험조건에서는 변화가 일어나지 않는다는 것으로 입증된다. 따라서 기초선별로 서로 다른 시점에 중재를 도입하고, 도입 즉시 행동의 변화가 나타나는 것이 중요하다.

출처 ▶ 이소현(2016 : 94-95)

68 · 2016 유아A-1

모범답안

| 2) | ⓒ 기능평가(또는 행동의 기능평가, 기능적 행동평가) |

해설

2) ABC평가와 같은 직접 관찰평가, 면접과 질문지와 같은 간접평가를 포함하는 체계적인 방법은 (행동의) 기능평가이다.

Check Point

📝 행동의 기능평가

① 정의

문제행동과 기능적 관계가 있는 선행사건이나 후속결과에 관한 정보를 수집하는 것이다.

② 목적

문제행동에 대한 기능평가의 목적은 문제행동을 유발 또는 유지하는 환경적 원인을 찾아 그에 대한 가장 효과적인 중재를 적용하는 데 있다.

③ 방법

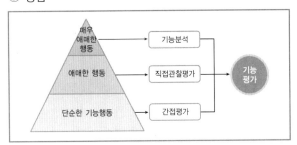

- ㉠ 간접평가: 생활기록부, 개별화교육계획 회의자료, 면담, 평가척도, 체크리스트 검사
- ㉡ 직접관찰평가: 행동분포관찰, 일화관찰기록, A-B-C 관찰기록, A-B-C 행동관찰검목표, 행동의 기능평가 관찰지
- ㉢ 기능분석: 문제행동을 둘러싼 환경을 체계적으로 조작하여 행동과 환경 사이의 기능적 관계를 입증하는 방법

69 · 2016 유아A-2

모범답안

| 1) | ① 기호와 이유 : ㉠, 신발벗기가 필요한 자연적인 상황과 활동을 통해서 가르쳐야 하기 때문이다.
② 기호와 이유 : ㉣, 손씻기가 필요한 자연적인 상황과 활동을 통해서 가르쳐야 하기 때문이다. |
| 2) | 최대-최소 촉진 |

해설

1) 자연적인 방법의 교수적 접근이란 고립된 인위적인 상황에서 개별 기술을 가르치는 대신에 기술이 발생하는 자연적인 상황과 활동을 통해서 교수해야 한다는 것이다(이소현, 2020 : 313).

70 · 2016 유아B-2

모범답안

| 1) | ① 대상자 간 중다기초선설계
② 오류
　ⓐ 민우의 기초선 자료가 수용할 만한 안정세를 보이지 않고 상승하고 있음에도 중재를 시작하였다.
　ⓑ 민우의 표적행동이 안정된 상태로 개선되지 않았음에도(또는 미리 정해 놓은 준거에 도달하지 못했음에도) 성미에게 중재를 시작하였다. |

Check Point

📝 중다기초선설계의 내적 타당도를 높이기 위해 반드시 이루어져야 하는 특성

① 적어도 세 가지 이상의 행동, 상황, 대상자 간에 동시에 기초선 자료를 수집해야 한다. 하나 혹은 두 개의 자료만으로는 실험통제를 입증하기가 충분하지 않다는 것이 연구자들의 합의된 의견이다.

② 모든 기초선 자료가 수용할 만한 안정세를 보일 때 첫 번째 표적행동에 중재를 시작한다. 이때 설계의 기본 논리상 중재가 주어진 조건에서는 행동의 변화가 관찰되는 반면 나머지 기초선에서는 계속 안정세로 남아 있게 된다.

③ 두 번째 표적행동에 대한 중재는 첫 번째 표적행동이 안정된 상태로 개선되거나 또는 미리 정해 놓은 준거에 도달했을 때 시작한다. 위에서와 마찬가지로 설계의 논리에 맞게 실험이 진행된다면 두 번째 중재 조건에서는 행동의 변화가 관찰되는 반면 나머지 기초선은 계속 안정세로 남게 된다.

④ 동일한 절차를 설계에 사용되는 기초선의 수만큼 계속 진행한다.

71 ⎯⎯⎯⎯⎯⎯⎯⎯⎯⎯⎯⎯ 2016 유아B-4

〔모범답안〕

4)	대체행동 차별강화

〔지문 돋보기〕

발달지체 유아 효주를 위한 행동 지원
- 자신의 요구를 표현하기 위해: 문제행동의 기능
- 책상 두드리기 행동: 문제행동
- 손을 들어 요청: 대체행동

72 ⎯⎯⎯⎯⎯⎯⎯⎯⎯⎯⎯⎯ 2016 초등A-3

〔모범답안〕

1)	비구조화면담은 특정한 지침 없이 면접자가 많은 재량을 가지고 융통성 있게 질문을 해 나가는 방법이며 반구조화면담은 미리 준비된 질문목록을 사용하되 응답 내용에 따라 면접자가 필요한 추가질문을 하거나 질문순서를 바꾸기도 하면서 질문을 해나가는 방법이다.
3)	다음 중 택 2 • 기초선 구간과 중재 구간 간 자료의 수준 차이가 크다. • 자료의 경향이 무변화에서 증가로 바뀌었다. • 기초선 구간과 중재 구간 간 자료의 중첩 부분이 없다. • 기초선 구간의 마지막 자료점과 중재 구간의 첫 자료점 사이의 차이가 크다.
4)	자극 일반화(또는 대상/사람에 대한 일반화)

〔해설〕

3) 자료의 수준 차이 비교

기초선 구간	1.7
중재 구준	10.8

Check Point

(1) 분류기준에 따른 면담의 종류

분류기준	유형
피면담자의 수	개인면담, 집단면담
면대면 접촉 여부	직접면담, 간접면담
질문의 구조화 정도	구조화된 면담, 반구조화된 면담, 비구조화된 면담
면담자와 피면담자의 역할	집중면담, 비지시적 면담
기능	진단적 면담, 처치적 면담, 연구를 위한 면담
응답의 기술	자유기술식 면담, 선택형식 면담
접촉시간	단시간 면담, 장시간 면담

(2) 구조화된 면담 − 반구조화된 면담 − 비구조화된 면담

① 구조화된 면담이란 면담자가 자신이 의도한 바에 따라 미리 작성한 조사지의 내용과 순서를 지키면서 진행하는 면담방법으로, '표준화 면담'이라고도 한다. 그러나 면담자가 체계적으로 계획한 대로 조사표를 작성하고, 이를 모든 피면담자들에게 일률적으로 적용시키는 것은 불가능하다는 단점을 갖고 있다.

② 반구조화된 면담이란 기본적으로 면담의 핵심을 이루는 몇몇 내용들에 대해서는 면담자가 미리 문항을 체계적으로 준비하되, 피면담자와의 면담과정에서 발생하는 다양한 상황, 예상치 못한 피면담자의 반응 등에 대해서는 면담자가 융통성 있게 진행하는 방법이다.

③ 비구조화된 면담은 연구의 목적, 즉 조사표의 전체적인 흐름만 정했을 뿐 구체적인 질문사항에 대해서는 면담자의 판단에 의해 이루어진다. 따라서 면담자의 면담에 관한 기술 및 관련 지식의 정도에 따라 면담에서 얻을 수 있는 정보의 양이 달라진다. 또한 조사표가 없이 면담이 이루어지는 과정 안에서 피면담자의 반응을 기록해야 하므로, 통계적 분석을 위해 나중에는 이를 다시 부호화해야 한다.

73 [2016 초등A-6]

모범답안

1)	① 점진적 시간 지연 ② 지원을 받기 전에 학생이 독립적으로 수행할 기회를 제공한다[또는 학생이 촉진에 덜 의존하게 하는 효과를 기대할 수 있다 / (점진적 시간 지연의 경우) 추측을 통해 범할 수 있는 오류들을 감소시킬 수 있다].

해설

1) ① "같은 얼굴 표정 상징카드끼리 짝지어 보세요."라고 말한 후 바로 촉진을 제공한다(동시촉진). → 3초간 학생의 반응을 기다린다. 학생이 반응을 보이지 않으면 그때 촉진을 제공한다. → 7초간 학생의 반응을 기다린다. 학생이 반응을 보이지 않으면 그때 촉진을 제공한다. : 동시촉진(0초)에서 시작하여 3초, 7초의 순으로 점진적으로 시간을 증가시키고 있다.

② • 시간 지연법은 자극이 제시된 후에 촉진을 제시하기까지의 시간을 지연시킴으로써 촉진에서 변별자극으로 자극통제를 전이하는 것이다(양명희, 2018 : 386).
• 시간 지연법은 자연적 변별자극을 제시한 후 따라올 촉진 사용을 일정 시간 동안 지연함으로써 촉진에 의존하지 않은 독립 반응이 일어날 기회를 제공한다(이성봉 외, 2019 : 261).
• 점진적 시간 지연 절차가 모든 학습자들에게 효과적일 수 있다 하더라도, 이 절차가 정반응을 하기 위한 지원을 받기 전에 더 긴 시간 간격을 기다리도록 천천히 가르치므로 추측을 통해 범할 수 있는 오류들을 감소시킬 수 있기 때문에 이 절차는 특히 나이가 어리거나 심한 지적장애를 지니고 있는, 혹은 충동적인 행동을 보이는 학습자들에게 도움이 될 것이다(Collins, 2019 : 54).

Check Point

✎ 시간 지연법의 종류

① 지속적 시간 지연

ㄱ 지속적 시간 지연(= 무변 시간 지연, 고정 시간 지연)은 대부분 0초 시간 지연으로 여러 시도가 제시된 후에 촉구 제시가 일정하게 지연된다. 즉 처음 여러 시도 혹은 첫 회기는 실수가 일어날 가능성을 낮춘 무오류 학습 시도를 제시하는데, 이를 위해 선행자극과 촉구가 0초 지연된다. 따라서 동시 촉구가 제공되어 목표반응과 관련된 강화 이력을 좀 더 확실하게 형성한다.

ㄴ 무오류 학습 시도를 통해 강화 이력을 형성한 후 자연적 선행자극 제시와 촉구 제시 사이의 시간 지연이 일정하게 유지되는데, 촉구 제시의 지연이 2초라면 대상 아동은 그 2초 동안 촉구 없이 독립적으로 자연적 자극에 의한 반응을 할 기회를 갖게 된다.

② 점진적 시간 지연

점진적 시간 지연에서는 지연된 시간이 개별 시도 혹은 단위 시도(회기)에 걸쳐 점진적 · 체계적으로 증가한다.

74 [2016 초등B-2]

모범답안

2)	① 1단계(또는 1차 예방, 보편적 중재) ② 학급규칙을 정하여 전체 학급 학생들이 공유하도록 하는 보편적 중재를 통해(또는 공동의 가치를 가르침으로써) 문제행동을 예방하고자 하는 것이기 때문이다.
3)	과제를 회피하고자 하는 영우의 행동을 교사의 후속 결과에 의해 부적 강화하고 있기 때문이다.
4)	① ㉮ → 행동 ② ㉯ → 후속 결과

해설

2) ② 이유를 기술함에 있어 보편적 중재의 특성이 잘 드러나도록 '전체', '예방'이라는 용어를 반드시 포함시킬 수 있도록 한다.

4) 관찰기록지의 행동란은 ABC 관찰기록의 대상인 아동(○영우)의 행동을 기록하는 곳이다. 따라서 영우의 행동을 나타내고 있는 ㉮를 행동에 위치시켜야 한다.

Check Point

(1) 긍정적 행동지원의 다단계 모형(긍정적 행동지원 3단계 예방 모델)

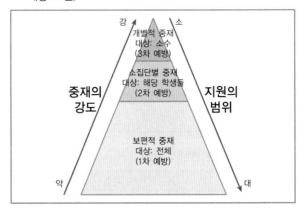

(2) 학교차원의 긍정적 행동지원 핵심 요소

요소	설명
시스템	정확하고 지속 가능한 실제의 실행과 자료의 효율적인 사용, 성과의 성취를 위해 필요한 지원
자료	성과와 실제와 시스템을 선택하고 점검 · 평가하기 위해 사용되는 정보
실제	제안된 성과를 성취하는 증거기반의 중재와 전략
성과	학업과 사회성에서 그 중요성 때문에 지적 · 승인 · 강조 · 검토된 학업과 사회성의 목표 또는 지표

75 | 2016 중등A-6

모범답안

명칭	중재교대설계
방법	다음 중 택 1 • 중재 시작 전에 균형 잡힌 시간표를 계획해야 한다. • 중재 간에 빠른 교대를 적용해야 한다.

해설

방법)

• 중재 횟수뿐 아니라 다른 변수(예 교사/치료사, 시기, 장소, 중재 제시 순서 등)도 균형을 이루어야 하는 어려움이 있다. 따라서 중재 시작 전에 중재를 제시할 균형잡힌 시간표를 계획하여야 한다는 것이다. 중재를 제시할 순서와 시간, 중재를 실시할 교사/치료사와 같은 변수들도 균형을 이루어야 한다(양명희, 2017: 262).

• 내적 타당도를 높이기 위해서는 가능하면 시간차가 별로 없는 빠른 교대(예 회기내 교대)가 바람직하지만, 아동이 너무 혼란스러워하거나 중재가 너무 비슷해서 혼동의 우려가 있을 경우에는 회기 간 교대를 계획하는 것이 바람직하다(이소현 외, 2016: 133-134).

76 | 2016 중등B-3

모범답안

중재 이유	• (나머지 토큰으로 교환 강화제와 교환할 수 있으므로) 반응대가로 차압된 토큰으로 인한 좌절과 실망감을 느끼지 않을 수 있기 때문이다. • 기본 권리나 인권침해 요소가 없어 법적 또는 윤리적 문제가 발생하지 않기 때문이다.
개선해야 할 점	㉢ 강화제를 모두 잃게 될 경우에 대비해야 한다. ㉣ 적은 양의 토큰으로도 교환할 수 있는 교환 강화제를 준비한다(또는 남은 토큰의 수에 따라 교환 강화제로 교환할 수 있도록 한다).

해설

중재 이유) 반응대가는 벌금제도, 보너스 반응대가, 정적 강화와 병용하는 반응대가, 집단수반과 병합하는 반응대가 등 다양한 방식으로 활용될 수 있다. 이 중 정적 강화와 병용하는 반응대가는 여러 가지 이점이 있다. 첫째로, 벌어들인 토큰을 반응대가(벌금)로 모두 잃는 것은 아니다. 나머지 토큰으로 차후에 교환 강화제와 교환할 수 있다. 따라서 반응대가로 차압된 토큰 때문에 큰 좌절과 실망감을 느끼지 않을 수 있다. 둘째로, 앞으로의 노력에 따라 바람직한 표적행동으로 토큰을 다시 벌어들일 수 있는 기회가 주어진다. 따라서 기본 권리나 인권침해 요소가 없기 때문에 법적 또는 윤리적 문제가 발생하지 않는다(홍준표, 2017: 298-300).

개선해야 할 점)

㉢ '수요일 오전에 0점'이라는 것은 더 이상 잃을 것이 없다는 것으로, 잃지 않기 위해 애쓸 필요가 없기 때문에 동기가 없어진다.

㉣ 현재 점수의 교환은 5점부터 가능하기 때문에 1점으로는 교환할 수 있는 것이 없는 상황이다.

Check Point

(1) 반응대가의 방법

벌금제도	• 반응대가로서의 벌금제도는 부적절한 행동에 대한 벌금조로, 일정량의 정적강화자극을 직접 회수 또는 차압하는 방식으로 집행될 수 있다. • 벌금제도에서 중요한 것은 회수 또는 차압되는 물건이나 권리는 당사자에게 소중한 것이어야 하고, 또 아동 자신이 그러한 정적강화자극을 이미 소유하고 있어 벌금조로 지불할 수 있는 능력이 있어야 한다는 점이다. • 반응대가로 회수되는 물건이나 권리가 개인의 기본권에 해당하는 것일 때는 법적 또는 윤리적 문제가 대두될 수도 있다.
보너스 반응대가	• 보너스 반응대가란 아동에게 비수반적으로 가외의 정적강화자극을 보너스로 미리 제공한 다음, 부적절한 반응에 수반하여 그 추가분의 한도 내에서 회수 또는 차압하는 방법을 말한다. • 보너스로 받은 추가분에 대해서만 대가를 지불하도록 하는 것이기 때문에 기본권을 침해할 우려가 없다.
정적 강화의 병용	• 정적 강화 예컨대, 토큰제도를 도입하여 학생들의 바람직한 학습활동을 강화하는 한편, 바람직하지 못한 행동을 할 때마다 일정량의 토큰을 벌금으로 징수하는 방법이다. • 정적 강화의 병용은 여러 가지 이점이 있다. – 벌어들인 토큰을 반응대가(벌금)로 모두 잃는 것은 아니다. 나머지 토큰으로 차후에 교환 강화제와 교환할 수 있다. 따라서 반응대가로 차압된 토큰 때문에 큰 좌절과 실망감을 느끼지 않을 수 있다. – 앞으로의 노력에 따라 바람직한 표적행동으로 토큰을 다시 벌어들일 수 있는 기회가 주어진다. 따라서 기본 권리나 인권침해 요소가 없기 때문에 법적 또는 윤리적 문제는 발생하지 않는다.
집단수반성의 병용	집단 구성원 중 누구라도 문제행동을 하면 이에 수반하여 집단 전체로서 일정량의 강화자극을 회수하도록 하는 방법이다.

출처 ▶ 홍준표(2017). 내용 요약정리

(2) 반응대가 사용 시 주의사항
① 강화제를 모두 잃게 되는 경우에 대비해야 한다.
• 대안: 문제행동의 대체행동에 대해 주어지는 강화의 양과 비슷하거나 좀 더 많은 것이 좋다.
② 반응대가가 일어나는 환경이나 그것을 사용하는 교사가 조건화된 혐오자극이 될 수 있다.
• 대안: 교사는 학생이 바람직한 행동을 할 경우에는 강화제를 제공하여 교사 자신이 조건화된 혐오자극이 되는 경우를 피해야 한다.
③ 강화제를 제거할 능력이 있어야 한다.

(3) 토큰제도 실행 시 고려사항
① 참여자들의 욕구를 충족시킬 수 있는 다양한 교환 상품과 활동을 준비하여야 한다.
② 사용될 토큰은 가시적인 유형의 것이 효과적이다.
③ 목표행동이 발생한 후 즉시, 또는 목표행동을 수행하고 있을 때 토큰을 제공한다.
④ 큰 보상을 한 번에 제공하는 것보다는 작은 보상을 자주 제공하는 방식으로 토큰제도를 구성한다.
⑤ 모아 둔 토큰으로 원하는 교환 상품이나 활동을 구매(교환)할 수 있는 시간과 장소를 마련한다.
⑥ 목표행동과 교환 강화제 메뉴를 설정하고, 토큰의 비율을 결정할 때 참여자의 의견을 적극적으로 반영한다.
⑦ 목표행동과 토큰의 비율, 교환 상품과 토큰의 비율을 수시로 개정할 필요가 있다.
⑧ 적은 양의 토큰으로도 교환 가능한 교환 강화제를 준비한다.

77
2017 유아A-4

모범답안

1) 자기기록(또는 자기점검)

해설

1) 자기기록은 자기 행동의 양이나 질을 측정하여 스스로 기록하도록 하는 방법이다.

78
2017 유아A-8

모범답안

1)	㉠ 증거 기반 실제 ㉡ 중재 충실도(또는 절차적 신뢰도, 독립변인 신뢰도)
2)	① 좋아하는 활동자료를 선택할 수 있게 한 것 ② 활동 중에 쉬는 시간을 자주 제공한 것

해설

1) ㉠ 증거 기반의 실제(또는 과학적으로 입증된 교수방법)란 과학적인 방법을 통하여 일정 기준을 만족시킴으로써 그 성과가 입증된 교수방법을 의미한다(이소현 외, 2011 : 244).
㉡ 중재 충실도는 중재를 계획대로 얼마나 충실하게 실행했는지를 의미하는 용어이다.
2) ① 회피의 기능을 갖는 문제행동에 대하여 선택의 기회를 제공하는 전략에 해당한다.
② 회피의 기능을 갖는 문제행동에 대하여 과제의 길이 조절에 해당하는 전략이다.

지문 돋보기

• 준서에게 도움을 요청하는 방법도 알려 주고 : 긍정적 행동지원의 요소 중 대체기술 교수
• 차별강화를 사용하기도 합니다. : 긍정적 행동지원의 요소 중 문제행동에 대한 반응

79
2017 유아B-1

모범답안

1)	① ㉠, '안 좋은지' 등과 같은 주관적인 편견은 배제되어야 하기 때문이다. ② ㉢, 선우의 행동이 편식으로 인한 것이라는 관찰자의 해석이나 평가를 실제 발생한 기록과 구분하여 기록하지 않았기 때문이다(또는 사건과 해석이 혼합되어 있기 때문이다).
2)	위기관리계획
3)	① 소거 폭발 ② 소거 전략을 일관되게 시행한다(또는 중재를 중단하지 않고 일관되게 시행한다).

해설

3) ① 소거 폭발이란 소거 적용 초반에 나타나는 행동의 증가를 의미하는데 조작적으로 정의하면 "치료 처음 세 번의 회기 중 어느 회기에서라도 반응이 기초선의 마지막 5회기나 전체 기초선에 비해 증가한 경우"(Cooper et al., 2017 : 312)라고 할 수 있다.
• 그래프에서 중재 초반에 나타난 변화를 보여주고 있으므로 소거 폭발이라고 할 수 있다.

• 소거 폭발의 이유 : 소거가 제거되면 행동에 수반하여 주어졌던 강화요인이 제거되지만 이전에 받았던 강화요인이 다시 주어질 것으로 여기기 때문에 일시적으로 행동의 빈도 또는 강도가 증가하는 것이다.

② 소거 폭발 상황에서 소거치료를 중단하면 간헐강화의 효과가 가중되어 소거저항은 더욱 높아진다(홍준표, 2017 : 227).

Check Point

(1) 긍정적 행동지원의 요소

배경/선행사건 중재	대체기술 교수	문제행동에 대한 반응	장기지원
• 문제를 유발하는 배경 및 선행사건을 수정 또는 제거 • 바람직한 행동을 유발할 수 있는 긍정적인 배경 및 선행사건 적용	• 문제 행동과 동일한 기능을 수행하는 교체기술 지도 • 어려운 상황에 대처할 수 있는 기술 및 인내심 지도 • 전반적인 능력 신장을 위한 일반적인 기술 지도	• 문제행동으로 인한 성과 감소 • 교육적 피드백 제공 또는 논리적인 후속결과 제시 • 위기관리 계획 개발	• 삶의 양식을 변화 • 지속적인 지원을 위한 전략 수행

(2) 위기관리 계획

① 문제행동에 대한 반응에 포함되는 위기관리는 문제행동을 감소시키는 것이 주목적이 아니고 문제행동이 대상아동과 다른 사람에게 심각한 해가 되는 위험한 상황에서 대상아동과 다른 사람을 보호하는 것에 주안점을 두는 것이다. 즉, 대상아동의 문제행동으로 인한 위기 및 응급 상황에 대비한 절차를 수립하는 것이다.

② 위기관리의 목적은 공격적이거나 난폭한 행동이 발생하는 환경에서 아동이나 다른 사람의 안전을 보호하는 데 있다(문제행동이 발생했을 때 누군가가 다칠 가능성을 줄이기 위한 것이다).

㉠ 가능한 한 위기 상황이 발생하지 않도록 앞서 언급한 다요소 중재를 시행하지만, 위기에 도달한 문제행동에 대해서는 위기관리가 실행되어야 한다.

㉡ 위기관리는 위기 상황을 통제하기 위해 사용되는 일시적인 절차일 뿐이다. 긍정적 행동지원이 체계적으로 적용된다면 이러한 위기관리 실행 상황은 점차 줄어들거나 없어지게 될 것이다.

80

모범답안

4)	과잉학습

해설

4) 과잉학습이란 아동이 표적행동을 습득한 후에도 계속해서 연습시키는 것을 의미한다. Alberto와 Troutman은 과잉학습이 유지의 효과를 보이기 위해서는 학생이 적절한 기준에 도달한 후 그 기준에 도달하기까지 필요했던 훈련의 50% 정도의 수준에 해당하는 만큼 더 연습시킬 것을 권하고 있다(양명희, 2018 : 459).

81

모범답안

1)	연속적 행동지원 체계(또는 긍정적 행동지원 3단계 예방 모델)
2)	① 행동 결과물 중심 관찰기록(또는 영속적 행동결과 기록, 수행결과물 기록) ② 다음 중 택 1 • 즉시 기록하지 않으면 다른 사람들이 행동의 결과를 치워 버릴 수 있다. • 같은 행동의 결과를 서로 비교하기 어렵다. • 아동 행동의 강도, 형태, 시간 등의 양상을 설명해 주지 못한다.
3)	① (중재교대설계는 교대하여 실시하는 중재끼리 효과를 비교하기 때문에) 중재 효과를 입증하기 위해 중재를 제거할 필요가 없다. ② ㉢ 자기점검 효과적인 것으로 나타난 처치를 적용(또는 복제)하여 문제행동에 대한 기능적 관계를 입증하기 위해서이다.

해설

1) 학교 차원의 긍정적 행동지원이 바르게 실행되려면 학교는 문제행동 예방을 위한 연속적 행동지원 체계를 갖추어야 한다.

3) ① 중재교대설계의 장점 중 기초선 자료 측정을 반드시 하지 않아도 된다는 내용은 제시된 [자료 2]에 기초선이 제시되어 있기 때문에 해당 사항이 없다.

Check Point

(1) 행동결과물 중심 관찰기록

① 개념

　㉠ 관찰할 행동과 그 행동의 결과가 무엇인지 정의한 다음, 행동이 결과를 일으키는 시간에 그 결과를 관찰하는 것이다.

　㉡ 행동의 결과가 반영구적으로 남는 것을 관찰할 때 사용할 수 있다.

② 장단점

장점	• 행동의 발생과정을 실시간으로 관찰할 필요가 없다. • 접근하기 어렵거나 부적절한 시간과 장소에서 일어나는 행동들도 쉽게 측정할 수 있다. 　예 CCTV 기록 이용 • 비디오 테이프나 오디오 테이프에 기록된 행동은 원하는 대로 반복 측정이 가능하기 때문에 관찰 일치도를 높일 수 있다. • 중재 효과를 정확히 평가할 수 있다.
단점	• 즉시 기록하지 않으면 다른 사람들이 행동의 결과를 치워 버릴 수 있다. • 같은 행동의 결과를 서로 비교하기 어렵다. • 아동 행동의 강도나 형태, 시간 등의 양상을 설명해 주지 못한다.

(2) 중재교대설계

정의	한 대상자에게 여러 중재를 교대로 실시하여 그 중재들 간의 효과를 비교하는 연구 방법
장점	• 한 대상에게 두 가지 중재를 빠르게 교체하여 실시하기 때문에 기초선 자료의 측정을 반드시 하지 않아도 된다(기초선 측정 없이 빠르게 중재에 들어갈 수 있다). • 교체하여 실시하는 중재끼리 비교하기 때문에 중재 효과를 입증하기 위해 중재를 제거할 필요가 없다. • 반전설계나 중다기초선설계는 중재 시작 전에 기초선 자료의 안정성이 요구되는 반면, 중재교대설계는 기초선 기간에 표적행동의 변화 정도에 상관없이 중재를 교체할 수 있다. • 중재 효과를 빨리 비교할 수 있다(회기별로 또는 한 회기 안에서 중재를 교체하기 때문).
단점	중재 방법이 자연스럽지 않고 다소 인위적일 수 있다. 실제 교육장면 혹은 임상장면에서는 동시에 두 가지 중재 방법을 전부 적용하는 경우는 매우 드물기 때문이다.
유의점	중재 시작 전에 중재를 제시할 균형 잡힌 시간표를 계획해야 한다. • 예를 들어, 같은 날 두 중재를 교대하여 실시한다면 한 가지 중재만 먼저 실시해서는 안 되고, 중재 제시 순서에 대한 균형을 유지하도록 미리 계획하여야 한다. • 중재를 제시할 순서와 시간, 중재를 실시할 교사와 같은 변인들도 균형을 이루어야 한다.

82　2017 초등B-6

모범답안

3)	① 다음 중 택 1 • <그림 자료 1>을 학생 가까이에 놓는다. • <그림 자료 1>의 크기를 크게 만든다. • <그림 자료 1>을 진하게 혹은 다른 색으로 칠하여 만든다. ② <그림 자료 1>에 스티커를 붙인다.

83　2017 중등A-6

모범답안

(가)	A-B-C 관찰기록
(나)	기준변경설계

Check Point

☑ 기준변경설계

적용	• 표적행동을 단계별로 변화시킬 수 있는 경우나 기준이 바뀔 때 새롭게 안정적인 수준의 행동을 기대할 수 있는 경우에 적용해야 한다. • 행동의 정확성, 빈도, 길이, 지연시간, 정도, 수준에서 단계별로 증가 또는 감소시키는 것이 목표인 경우에 유용하다.
기능적 관계	최소한 연속적으로 3개 구간에서 준거가 충족될 때 기능적 관계가 입증된 것으로 본다.
장점	• 반전설계에서 요구하는 반치료적 행동 변화를 요구하지 않는다. • 중다기초선설계에서 요구하는 기능적으로 독립적인 행동을 필요로 하지 않는다.
단점	• 매우 점진적인 행동변화를 수반하기 때문에 빠르게 수정되어야 하는 행동에는 적절하지 않다. • 기능적 관계를 입증하기 위해서는 정해진 기준만큼의 변화가 일어나야 한다는 점이 실제로 행동을 교수할 때 문제가 될 수 있다. 교사가 계획한 설계의 기준보다 월등한 속도로 아동의 진보가 이루어질 때, 교사는 단계적이고 점진적인 변화를 위해 진보를 늦출 수 있는가 하는 의문이 제기될 수 있다. • 기능적 관계를 입증하기 위한 기준이 주관적인 예측에 의존한다. 연구자가 중재 내의 하위 구간별로 특정 기준을 결정할 때마다 자신의 주관성이나 전문가적인 예측이 작용할 수밖에 없다.
유의점	• 처음 기초선 자료가 반드시 안정적이어야 중재를 시작할 수 있다. • 기준을 변경하기 위해서는 바로 앞 중재 기간에서 안정적인 자료 수준을 보여 주어야 한다.

84 　　　　　　　　　　　　　　　　2017 중등A-13

모범답안

A	점진적 안내(또는 점진적 안내 감소)
B	① 읽기 능력을 필요로 하지 않는다. ② (언어적 촉진은 순간적으로 제시되지만 시각적 촉진은) 개인이 필요로 하는 한 지속적으로 존재한다.
C	점심시간을 알리는 종소리

해설

A) 점진적 안내는 신체적 촉구를 용암시키는 데에 사용된다. 교사는 시작할 때 신체적 도움을 필요한 만큼 주다가 점진적으로 개입을 감소시키는 것이다. 안내는 신체의 관련 부위에서 촉구가 제거되거나(공간적 용암), 교사의 손이 학생에 닿지는 않지만 전체적으로 행동 수행을 따르는 그림자 절차로 대치될 수 있다(Alberto et al., 2014: 436).

B) 다음에 제시된 보기들 역시 시각적 촉진의 장점이 될 수 있다.
- 표준화된 상징을 사용하며 일관성을 유지할 수 있다.
- 일일이 말로 해야 하는 구어적 촉진 시간을 단축시켜 준다.
- 타인이 없어도 사용할 수 있다.
- 영구적인 촉진으로 사용하더라도 학생의 독립성을 증진할 수 있다.

Check Point

☑ 자연적 촉진/자연적 단서

① 자연적 촉진은 환경에 내재된 자연스러운 분위기에 의한 자극이다(국립특수교육원, 2018: 462).

② 자연적 단서는 우리가 교실이나 다른 환경에서 발생하는 것을 관찰하면서 얻은 정보로서 한 상황에서 무엇을 할지, 그리고 어떻게 행동할지를 알아내는 데 사용된다(곽승철 외, 2019: 442-443).

　㉠ 통합학급에서 자연적 단서는 미묘하고, 간단하지만, 상당히 많으며, 종종 전체 학습 학생들에게 동시에 그리고 불규칙적으로 제시된다. 예를 들어, 많은 중학교 교실에서 수업 시간의 시작 종소리는 모든 학생들에게 그들이 자리에 앉아야 하고 수업을 시작할 준비를 할 시간이라는 자연적 단서로 쓰인다. 이는 일반교육 환경에 배치된 학생들이 이해해야 하는 많은 자연적 단서 중 하나에 불과하다. 중도·중복장애 학생들은 종종 자연적 단서를 인식하고 이러한 상황에서 단서들의 의미를 이해하는 것에 어려움을 겪는다.

　㉡ 한 행동의 자연적인 결과는 주어진 행동이 적절한지에 대한 귀중한 정보를 제공한다. 수업 시작 종소리를 지키지 못한 학생은 교사의 출석기록에 지각이나 결석으로 기록되는 형태로 자연적 결과를 경험한다.

85 　　　　　　　　　　　　　　　　2017 중등B-2

모범답안

차별강화 유형	대체행동 차별강화
장점	대체행동을 강화함으로써 표적행동을 제거할 수 있다.

해설

지문 돋보기

- 교사의 주의를 끌기 위해: 문제행동의 기능
- 소리를 내면: 문제행동
- 손을 들도록 가르치고, 교제기술 교수
- 손드는 행동: 대체행동

Check Point

☑ 차별강화의 유형

저비율 행동 차별강화	행동 자체가 문제라기보다는 그 행동의 발생빈도가 지나치게 높아서 문제가 되는 경우에 그 행동의 빈도가 수용될 만큼의 기준치로 감소되었을 때 강화하는 것
다른 행동 차별강화	• 일정 시간 간격 동안에 표적행동이 발생하지 않으면, 그 시간 간격 동안에 어떤 행동이 발생하든지 상관없이 강화하는 것 • 단점 　- 표적행동이 아닌 다른 문제행동을 강화할 가능성이 있음. 따라서 여러 종류의 문제행동을 많이 보이는 아동에게 부적절함 　- '행동의 진공 상태'를 만들 가능성 존재 　- 교사가 주는 강화가 아동이 바람직하지 않은 행동을 통해 얻을 수 있는 강화보다 강력하지 않으면 효과 없음
대체행동 차별강화	• 아동이 문제행동을 할 때는 강화하지 않고 문제행동을 대신할 수 있는 바람직한 행동(대체행동)을 할 때는 강화를 하는 것 • 대체행동 선택 시 고려사항 　- 반응 효율성 　- 반응 수용성 　- 반응 인식성
상반행동 차별강화	• 문제행동의 상반행동에 대해서는 강화를, 문제행동에 대해서는 소거를 적용하는 것 • 상반행동 차별강화는 대체행동 차별강화의 일종 • 단점 　- 문제행동과 상반되는 바람직한 행동을 찾기가 쉽지 않음

86   2018 유아A-1

모범답안

2)	① 조건, 교사가 숟가락을 잡은 진수의 손을 잡고 입 주위까지 가져가 주면 ② 기준, 3일 연속으로 10회 중 8회 ③ 행동, 음식을 입에 넣을 수 있다.
3)	최대-최소 촉구법

87   2018 유아A-7

모범답안

1)	㉠ 조작적 정의 ㉡ 관찰자 간 일치도(또는 관찰자 간 신뢰도)
2)	관찰시간을 짧은 시간 간격으로 동일하게 나누고, 각각의 시간 간격 동안 행동이 지속적으로 발생하는 경우 행동 발생으로 기록하는 방법이다.
3)	① 순간표집기록법 ② 관찰시간을 짧은 시간 간격으로 동일하게 나누고, 각각의 시간 간격이 끝나는 순간에 아동을 관찰하여 표적행동의 발생 여부를 기록하는 방법이다.

해설

1) '행동을 조작적으로 정의한다'는 것은 행동을 관찰 가능하고 측정 가능한 용어로 정의하는 것으로, 행동의 관찰이 가능하다는 것은 한 행동의 시작과 끝이 분명하여 관찰자가 행동의 정도를 분별할 수 있다는 의미이다.

88   2018 유아B-5

모범답안

1)	① 시각적 촉진 ② 선아는 과제 수행 시 시각적 자료에 관심을 보이기 때문에 시각적 촉진을 통해 교사나 또래의 지원 없이 혼자서도 정리할 수 있도록 하기 위해서이다.
2)	① 다른 행동 차별강화는 표적행동 외의 모든 행동을 강화하고 대체행동 차별강화는 표적행동과 동일한 기능의 대체행동을 강화한다. ② 다른 행동 차별강화는 표적행동이 발생하지 않는 시간의 증가에, 그리고 대체행동 차별강화는 대체행동에 대한 강화를 통해 표적행동을 제거하는 데 목적이 있다. ③ 대체행동 차별강화를 시행하는 것이 효과적이다. 왜냐하면 대체행동 차별강화를 적용하면 지혜의 문제행동 기능을 사회적으로 수용 가능한 방법으로 충족시킴과 동시에 문제행동도 제거시킬 수 있기 때문이다.

해설

1) ① 시각적 촉진 방법과 실제로 적용된 예는 다음과 같다(이소현, 2020 : 444).

방법	그림이나 사진, 색깔, 그래픽 등의 시각적인 단서를 사용하여 과제 수행의 주요 요소를 보여 주는 방법으로, 정기적으로 수행되거나 순서대로 수행되는 활동을 보조하기 위하여 많이 사용된다.
적용의 예	• 교재 선반이나 보관함에 사진을 붙여 독립적으로 정리할 수 있도록 돕는다. • 화장실 개수대 위에 손 씻는 순서를 사진으로 붙여 적절한 방법으로 손을 씻도록 보조한다. • 사진 또는 그림으로 만든 시간표를 붙여 하루 일과와 활동의 진행을 알고 따르게 한다.

2) ① 다른 행동 차별강화는 일정 시간 간격 동안에 표적행동이 발생하지 않으면, 그 시간 간격 동안에 어떤 행동이 발생하든지 상관없이 강화하고, 대체행동 차별강화는 아동이 문제행동을 할 때는 강화하지 않고 문제행동을 대신할 수 있는 바람직한 행동(대체행동)을 할 때 강화한다.

③ 다른 행동 차별강화는 문제행동이 발생하지 않는 시간의 증가를 목적으로 하기 때문에 표적행동을 제거할 수도 없으며 대체행동을 지도할 수도 없다. 즉 지혜의 다른 행동에 대해 교사의 관심이 제공되는 경우 표적행동이 발생하지 않는 시간은 증가할 수 있지만 표적행동이 제거되는 것은 아니다.

Check Point

✍ 차별강화의 특성

종류	목적	강화받는 행동
저비율 행동 차별강화	표적행동 발생빈도의 감소	정해진 기준치 이하의 표적행동
타행동 차별강화	표적행동이 발생하지 않는 시간의 증가	표적행동 외의 모든 행동
대체행동 차별강화	대체행동 강화를 통한 표적행동의 제거	표적행동과 동일한 기능의 대체행동
상반행동 차별강화	상반행동 강화를 통한 표적행동의 제거	표적행동의 상반행동

PART **01**

89 　　　　　　　　　　　　　　2018 초등A-2

모범답안

2)	① 독립적 집단강화 ② 다른 구성원의 행동 수행에 영향을 받지 않는다.
3)	① 지연시간기록법 ② 다음 중 택 1 • 하위 구간의 회기수를 바꾸기 • 하위 구간에서 요구되는 수행의 감소량을 다양화 　하기 • 1개 이상의 구간에서 최종 목표에 반대되는 방향으로 　변화를 요구하기

해설

2) '시작종이 울리자마자 제자리에 앉는 학생은 누구나'는 일정한 기준을 달성하는 학생은 누구나 강화를 받을 수 있음을 의미한다.

3) ② 내적 타당도란, 종속변인, 즉 연구결과에서 나타나는 변화가 독립변인의 변화에 의한 것임을 확인할 수 있는 정도를 의미하는 것으로서 인과성에 대한 추론이 어느 정도 가능한지를 나타낸다.
　• 기준변경설계의 내적 타당도를 높이기 위한 방법 중 '안정된 비율이 확립될 때까지 하위 구간을 계속하기'는 모범답안으로 부적절하다. 하위 구간을 계속하는 것은 뒤따르는 하위 구간에 대한 기초선으로 작용하기 때문인데 문제의 [A]는 마지막 구간이기 때문에 의미가 없다.

Check Point

(1) 집단강화의 유형

독립적 집단강화	• 일정 기준을 달성한 학생에게만 강화가 주어지는 것 • 집단 전체에게 동일한 목표행동을 설정하고, 그 목표행동을 수행하는 사람은 누구나 강화를 받도록 하는 것
종속적 집단강화	• 문제행동을 하는 학생이 목표행동을 수행하면 집단 전체가 강화 받도록 하는 것 • 문제행동을 보이는 학생의 행동 수행에 따라 학급 전체가 강화를 받을 수도 있고 받지 못할 수도 있음
상호 종속적 집단강화	• 집단 전체가 기준을 달성해야 강화를 받는 것 • 집단 전체에게 동일한 목표행동을 설정하되, 집단 전체의 수행 수준에 따라 구성원 개인 또는 집단 단위로 강화 받을 수 있는지 결정됨

(2) 기준변경설계

내적 타당도를 높이기 위한 방법	• 안정된 비율이 확립될 때까지 하위 구간을 계속하기 　- 교실에서 사용할 때 다음 하위 구간으로 넘어가기 전에 행동을 2회기(또는 3회기 중 2회기) 동안 중간준거에 유지시키는 것은 충분히 통제를 입증하는 것이다. 왜냐하면 각 하위 구간은 뒤따르는 하위 구간에 대한 기초선으로 작용하고, 그 하위 구간은 다음 하위 구간이 시작되기 전에 안정적인 비율이 확립될 때까지 계속되기 때문이다. • 하위 구간의 회기 수를 바꾸기 　- 보통 3회기를 지속하지만 몇몇 하위 구간에서는 달리한다. • 하위 구간에서 요구되는 수행의 증가량(또는 감소)을 다양화하기 　- 준거 변화의 크기를 다양하게 하면 실험 통제에 대한 보다 설득력 있는 증거를 얻을 수 있다. • 1개 이상의 구간에서 최종 목표에 반대되는 방향으로 변화를 요구하기

90 　　　　　　　　　　　　　　2018 초등A-4

모범답안

1)	비디오 모델링

해설

1) 비디오 모델링은 아동이 수행해야 하는 바람직한 행동을 비디오를 통해 시범을 보이는 기법으로, 대상자는 비디오 시범을 보고 난 뒤 비디오에서 제시된 시범행동을 모방한다. 비디오 모델링의 시범자는 또래, 성인, 대상자 자신이 될 수 있다. 대상자 자신이 시범자인 모델이 되는 것을 비디오 자기모델링이라고 한다.

---

91 · 2018 초등B-5

모범답안

4)
① ⓑ-ⓐ-ⓒ
② 매 회기의 마지막 단계가 끝날 때마다 매번 자연적 강화제를 획득할 수 있다(또는 총 15회의 반응 기회 마다 모두 자연적 강화제를 획득할 수 있다).

해설

4) 후진 행동연쇄에서는 마지막 구성 요소를 먼저 가르치기 때문에 학습자가 모든 훈련에서 자연적 강화제를 받게 된다. 학생의 강화제 획득 빈도 측면에서 묻고 있으므로 문제에서 제시된 반응기회는 15회를 강화제의 특성과 함께 제시해주도록 한다.

Check Point

✎ 후진 행동연쇄법의 장단점

장점	• 후진 행동연쇄를 사용하면 학생의 입장에서는 매 회기에 마지막 단계까지 완수하게 되고 자연적 강화를 받게 된다.
	• 후진 행동연쇄를 사용하는 동안 계속해서 그 과제를 끝까지 여러 차례 반복할 수 있는 기회가 학생에게 주어진다.
	• 장애 정도가 심한 개인을 대상으로 훈련할 경우에는 후진형 행동연쇄법이 더 효과적인데 그 이유는 다음과 같다.
	  ─ 매 훈련 시행에서 과제의 전 과정이 처음부터 끝까지 반복되기 때문에 과제 완성의 만족감과 연습에 의한 학습전이 효과를 기대할 수 있다.
	  ─ 표적행동의 추가분에 대한 저항감이 적다.
	  ─ 하위과제들 간의 연결이 용이하다.

단점	• 한 시행에 소요되는 시간이 길어 초기부터 지루할 수 있다. • 한 회기에 많은 훈련을 시행할 수 없다.

92 · 2018 중등A-2

모범답안

ⓛ	80

해설

ⓛ 전체 관찰 기회에 대한 정반응 일치 횟수(5회)와 오반응 일치 횟수(3회)의 합의 백분율을 구하면 80%[(8/10) × 100 = 80]가 된다.

93 · 2018 중등A-11

모범답안

• 행동분포관찰
  문제행동이 자주 발생하는 시간과 자주 발생하지 않는 시간대를 파악하는 것이다(또는 보다 자세한 진단을 실시해야 할 시간대를 파악하는 것이다).
• ⓛ 행동분포관찰은 문제행동의 기능을 파악하는 데 필요한 구체적인 정보를 제공하지 않기 때문이다(또는 행동분포관찰은 문제행동과 관련된 선행/배경사건, 후속결과 등에 대한 구체적인 정보를 제공하지 않기 때문이다).

해설

ⓛ 직접 관찰 평가는 주관적 해석이나 순위 매기기나 행동에 대한 질적 지표가 아니라 학생 개인의 실제 수행에 대한 객관적 자료를 제공한다.

94 · 2018 중등B-5

모범답안

• 모든 단계를 매 회기마다 가르칠 수 있다.
  행동을 순서대로 학습하는 데 효과적이다.

해설

(나)의 이 닦기 지도 방법은 전체 과제 제시법을 적용한 경우이다. 전체 과제 제시법은 전체 과제 연쇄라고도 하며, 전진 연쇄법의 변형이라고 할 수 있다. 아동에게 과제분석을 통한 모든 단계를 시행하도록 하면서 아동이 독립적으로 수행하지 못하는 단계에 대해서는 훈련을 실시하는 방법이다. 그러므로 과제분석을 통한 모든 단계를 매 회기마다 가르칠 수 있다. 전체 과제 제시법은 아동이 행동연쇄에 있는 단위행동은 습득했는데 행동을 순서대로 수행하지 못할 때 사용하면 유용하다. 아동이 순서를 따를 수 있도록 촉구를 사용하면서 가르치고 잘 수행하게 될수록 촉구를 용암시킨다(양명희, 2016 : 395-396).

95

모범답안

3)	강화나 촉진에 대한 의존성이 생겨 강화나 촉진이 주어지지 않으면 놀이 활동에 독립적으로 참여하지 못한다.

96

모범답안

2)	긍정적 행동지원
3)	회피하기(또는 이야기 나누기 활동 회피하기)
4)	'힘들어요.'(또는 '쉬고 싶어요.')를 의미하는 그림카드를 이용하여 표현하도록 한다(또는 힘들 때는 조용히 손을 들어 '쉬고 싶어요.'라고 말하도록 한다).

97

모범답안

3)	시간지연

98

모범답안

3)	최소-최대 촉구법

해설

3) 제공된 촉진 전략은 다음과 같다.

지문 돋보기

1. 승우에게 간식을 보여 주고 3초를 기다린다. : 변별자극 제시
2. 정반응이 없으면, 승우에게 "주세요 해 봐"라고 말한다. : 언어적 촉진
3. 또 정반응이 없으면, 승우에게 "주세요 해 봐"라고 말하면서 간식을 달라고 손을 내미는 시범을 보인다. : 모방하기 촉진(시범)
4. 또다시 정반응이 없으면, 승우에게 "주세요 해 봐"라고 말하면서 승우의 손을 잡아 내밀게 한다. : 신체적 촉진

99

모범답안

2)	① 행동연쇄법 ② 사회적 강화제
3)	㉣ 다음 중 택 1 • 문제행동을 정의하고, 문제행동이 발생하거나 유지되는 요인을 찾는 데 도움이 된다. • 어떤 문제행동들이 함께 일어나는지, 언제, 어디서, 누구와 있을 때 가장 잘 발생하는지, 어떤 결과를 얻게 되는지에 대한 정보도 알 수 있다. ㉤ 다음 중 택 1 • 수업을 직접적으로 방해하지 않으며 기록할 수 있다. • 비교적 사용하기 쉽다. • 시간의 흐름에 따른 문제행동 발생 분포를 알 수 있다.

해설

2) ① '책상 근처로 가기, 책상에 가기, 의자를 꺼내기, 의자에 앉기, 의자에 앉아서 의자를 당기기'로 행동을 세분화는 과제분석을 의미한다.
　　• '단계별로'가 반드시 처음 단계부터임을 의미하는 것은 아니기 때문에 전진 행동연쇄라고 할 수 없다.
　　• 일반적으로 행동형성은 현재에는 나타나지 않는 표적행동, 시작행동, 목표행동에 가까운 행동, 차별강화, 새로운 행동의 형성 등을 단서로 한다.
　② ㉢을 '조건화된 정적 강화제'라고 생각할 수도 있으나 현재까지 임용시험은 세분화된 종류를 기준으로 출제하는 경향이 있다. 따라서 물리적 특성에 따른 강화제의 종류 중에서 선택, 기술하면 사회적 강화제라고 할 수 있다.

3) ㉣ ABC 서술식 사건표집법＝ABC 관찰기록
　 ㉤ 빈도 사건표집법＝빈도기록법

Check Point

(I) 행동연쇄법의 종류

전진 행동연쇄	과제분석을 통해 결정된 단계의 행동들을 처음 단계부터 순차적으로 가르치는 것
후진 행동연쇄	과제분석을 통해 나누어진 행동의 단계들을 마지막 단계부터 역순으로 가르치는 것
전체 과제 제시법	• 과제분석을 통한 모든 단계를 시행하도록 하면서 아동이 독립적으로 수행하지 못하는 단계에 대해서는 훈련을 실시하는 방법 　- 전체 연쇄가 숙련될 때까지 아동으로 하여금 모든 단계를 순서대로 수행하게 하는 방법(전진 행동연쇄의 변형) 　- 아동이 구성 요소의 일부 혹은 전체를 이미 숙련하고 있으나 순서대로 수행하지 못할 때 적절한 방법

• 전체 과제 제시법의 적용이 적절한 경우
  – 과제가 너무 길거나 복잡하지 않은 경우
  – 학습자의 장애 정도가 심하지 않고, 어느 정도의 모방 능력을 갖추고 있는 경우
  – 하위 과제의 수가 많지 않은 비교적 단순한 경우
  – 전체 과정에 걸쳐 교사의 안내가 가능한 경우
• 전체 과제 제시법과 함께 사용되는 신체 촉진이나 용암의 형태를 '점진적 안내'라고 함

(2) 강화제의 종류

① 근원에 따른 강화제

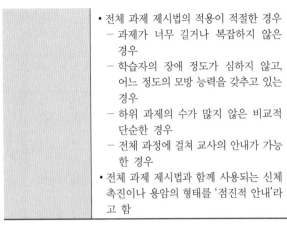

② 물리적 특성에 따른 강화제

강화제의 종류	설명
음식물 강화제	씹거나 빨아먹거나 마실 수 있는 것 예 과자 등
감각적 강화제	시각, 청각, 후각, 미각, 촉각에 대한 자극제 예 동영상 등
물질 강화제	학생이 좋아하는 물건들 예 장난감 등
활동 강화제	• 학생이 좋아하는 활동을 하도록 기회, 임무, 특권을 주는 것 • 아동들이 좋아하는 모든 활동은 활동 강화제가 될 수 있음 예 밖에 나가 놀기, 컴퓨터 게임하기, 외식하기, 함께 요리하기 등
사회적 강화제	여러 가지 방법으로 학생을 인정해 주는 것 예 긍정적 감정 표현, 신체적 접촉(악수하기, 손바닥 마주치기 등), 물리적 접근(아동 옆에 앉기, 함께 식사하기 등), 칭찬과 인정 등

(3) 빈도 기록법의 장단점

장점	• 수업을 직접적으로 방해하지 않으며, 비교적 사용하기 쉽다. • 시간 간격마다 행동 발생 빈도를 기록하였기 때문에 문제행동이 언제 가장 많이 발생하는지 시간 흐름에 따른 행동 발생 분포를 알 수 있다.
단점	• 행동 빈도만 가지고는 행동 양상이 어떤지를 설명해 주지 못한다. • 짧은 시간 간격으로 자주 또는 오랜 시간에 걸쳐 일어나는 행동에는 적용하기 어렵다.

100 ▮ 2019 유아B-3

모범답안

3) 모델링(또는 시범 보이기)

해설

3) 교사는 교사의 모델 행동을 관찰하도록 함으로써 태우의 행동변화를 유도하고 있기 때문에 관련 교수전략은 모델링이 된다. 관찰학습은 모델링 과정에서 모델을 관찰하면서 새로운 행동을 습득한 효과를 의미한다.

101 ▮ 2019 초등A-1

모범답안

1) ⓑ, 보편적 지원은 모든 학생을 대상으로 실시하기 때문이다(또는 문제행동이 심한 학생들에게 개별화된 집중교육을 실시하는 것은 3차 지원 단계의 활동이기 때문이다).

2) 사회적 타당도

해설

2) 사회적 타당도는 어떤 연구 목적이나 교수방법이 연구자나 개발자 개인뿐만 아니라 다른 사람들에게서 공감을 얻을 수 있는지 평가하여 객관화하는 것을 말한다. 따라서 장애아동에게 부과할 과제나 이들을 위한 지도 절차를 선정하고 결정하기 위해 교사 한 사람의 생각보다는 그의 가족이나 그가 속한 지역사회 일원의 의견이나 요구를 반영하여 결정함으로써 사회적 타당도를 높일 수 있고, 지도 효과를 극대화할 수 있다.

102 ───────────────── 2019 초등A-3

모범답안

3) 자극 내 촉진

103 ───────────────── 2019 초등A-4

모범답안

4) 50%

해설

4) 12회의 시간 간격 동안 총 6회(10~20초, 20~30초, 40
~50초, 60~70초, 70~80초, 80~90초대) 발생한 것으로
볼 수 있다. 따라서 행동발생률은 50%($\frac{6}{12} \times 100$)가 된다.

Check Point

☑ 행동 발생률

$$\frac{행동\ 발생\ 간격\ 수}{전체\ 간격\ 수} \times 100$$

104 ───────────────── 2019 초등B-2

모범답안

3)	동시촉진(또는 0초 시간 지연)
4)	문제행동이 자주 발생하는 시간과 자주 발생하지 않는 시간대를 파악하기 위해서이다(또는 보다 자세한 진단을 실시해야 할 시간대를 파악하기 위해서이다).
5)	ⓐ 교사가 관심을 주지 않으면 ⓑ 교사의 관심을 끌기 위해

해설

5) (나)에 제시된 개인 정보에 의하면 학생의 이름을 파악
할 수 있다. 교사가 다른 학생을 지도하는 동안 은지에
게 관심을 주지 않을 때 자주 발생한다(선행사건). 그러
나 교사가 은지의 이름을 부르면서 지적을 하면 자리에
앉는 것을 통해 은지의 행동은 교사의 관심을 받기 위
한 것임을 알 수 있다(추정되는 행동의 기능).

Check Point

(1) 동시촉진
① 촉진이란 변별자극에 바람직한 반응을 보이는 데 실패
했을 경우, 바람직한 반응을 보일 수 있도록 도와주는
부가적인 자극을 의미하는 데 반해 동시촉진은 변별자
극 제시와 함께 촉진(정반응을 이끌어 주는 것, 흔히 정
반응 자체)을 제공하고 아동은 즉시 정반응을 한다.
② 동시촉진 절차를 다른 형태의 촉진 절차와 비교했을 때
두드러진 차이는 나타나지 않았으나 동시촉구가 다른
형태의 촉진보다 더 나은 유지와 일반화 효과를 보이는
것으로 나타났다.

(2) 행동분포관찰
① 문제행동이 자주 발생하는 시간과 자주 발생하지 않는
시간대를 시각적으로 쉽게 알아볼 수 있도록 표로 작성
된 것이다.
② 한 학급과 같이 여러 명이 함께 있을 때 그 학급에서 문
제행동이 주로 발생하는 시간대를 알고자 하거나, 한 아
동의 일과 중에서 문제행동이 가장 빈번히 발생하는 시
간을 찾고자 할 때 사용 가능하다.

(3) 행동 가설
① 간접평가와 직접관찰평가를 통하여 행동과 환경의 관
계에 대한 가설, 즉 문제행동에 대한 검증 가능한 가설
을 만들 수 있다.
② 가설은 기능평가 과정에서 알게 된 행동발생 패턴을 정
확하게 요약해야 한다. 이 단계에서는 가설을 세우는 것
외에도 기능평가 과정 중에 수집한 개괄적인 정보를 요
약한다.
③ 가설은 기능평가에서 얻은 정보와 행동지원 계획 간의
관련성을 확인해 주어 행동지원 계획을 안내하는 역할
을 한다.
④ 가설 문장에는 다음과 같은 요소를 포함해야 한다.
  ㉠ 아동의 이름
  ㉡ 배경/선행사건(배경사건은 필요한 경우 포함)
  ㉢ 문제행동
  ㉣ 추정되는 문제행동의 기능

105   2019 중등A-14

모범답안

- ⊙ 교체기술은 문제행동과 동일한 기능을 지닌 대안적 행동이다.

  ⓛ 대처 및 인내기술
- ⓒ 기초선 상황(또는 구간)의 평균값과 중재선 상황의 평균값을 비교하여 평균값의 변화 정도를 파악한다.
- ⓔ 기초선 상황의 마지막 자료와 중재선 상황의 첫 자료 사이의 차이를 비교하여 차이가 크면 중재 효과가 빠르게 나타났다고 할 수 있다.

해설

ⓛ 대처하기는 불편하거나 어려운 상황에 접했을 때, 자기관리나 자기통제 전략을 사용하는 방법을 가르치는 것이다. 인내하기는 특정 상황을 회피하거나 물건 또는 관심 얻기를 원하지만 즉각적으로 제시되지 못하고 제시될 수 없을 때 '기다리거나' 강화 지연을 견딜 수 있도록 가르치는 방법이다(Bambara et al., 2017 : 345).

106   2019 중등B-7

모범답안

- ⊙ 반응기회기록법

  ⓛ 촉진 자체의 형태는 바뀌지 않고 촉진을 제시하기까지의 시간 길이가 점진적으로 지연된다.

해설

⊙ 사건(빈도) 기록법은 행동 특성 중심 관찰기록법에 해당하는 빈도 사건표집법, 지속시간 기록법, 지연시간 기록법, 반응기회 기록법, 기준치 도달 기록법을 통칭하는 용어이다. 반응기회 기록법은 행동의 기회가 주어졌을 때 표적행동의 발생 유무를 기록하는 방법으로 교사나 치료사에 의해 학생이 반응할 기회가 통제된다는 특징을 제외하면 빈도 사건표집법과 유사하다.

ⓛ 시간 지연법은 도움 감소법이나 도움 증가법과는 다른 점들이 있다. 먼저, 도움 감소법이나 도움 증가법은 촉구 자체의 형태가 바뀌는 것인데, 시간 지연법은 촉구를 제시하는 시간 길이를 지연시킴으로써 촉구에서 변별자극으로 자극통제를 전이하는 것이다. 또한 도움 감소법이나 도움 증가법은 아동의 반응 뒤에 반응촉구가 주어지지만, 시간 지연법은 아동의 반응 전에 반응촉구가 주어진다(양명희, 2018 : 386).

107   2020 유아A-4

모범답안

2)	① 과제분석
	② 전진 행동연쇄법, 후진 행동연쇄법

해설

2) ① 과제분석이란 복잡한 과제를 분석하여 가르칠 수 있는 작은 단계로 나누는 것을 의미한다. 즉, 가르치고자 하는 행동의 최종 목표를 찾아서 그 행동을 구성하는 단위행동을 분석하는 기법이다. 과제분석을 하는 이유는 과제를 완수하기 위해 아동의 수준에 맞게 과제 행동을 단계별로 작게 나누어 지도하기 위함이다(양명희, 2018 : 391).

108   2020 유아A-7

모범답안

1)	① 다음 중 택 1
	• 모든 유아들
	• (우리) 유치원 모든 유아들
	• 전체 유아들
	② 소집단으로 릴레이 게임을 연습시켜요.

해설

지문 돋보기

1차 교직원 협의회 내용	1차 예방 단계의 활동 내용
김 교사 : 우리 유치원에서 지켜야 할 약속을 정하는 거예요. 원장 선생님께서 말씀하신 '차례 지키기'가 해당되겠죠.	기대행동 수립
김 교사 : 네, 맞아요. 우리 유치원 모든 유아들에게 차례 지키기를 하자고 약속하고, 차례 지키는 행동을 구체적으로 가르쳐요. 예를 들어, 차례 지키기를 해야 하는 공간에 발자국 스티커 같은 단서를 제공해서 차례를 잘 지킬 수 있도록 해요.	기대행동 교수
신 교사 : 유아들이 차례를 잘 지켰을 때 강화를 해주어요. 이때 모든 교직원이 차례를 지킨 유아를 보면 칭찬을 해주는 거예요. 부모님도 함께 해야 해요.	감독 및 강화
김 교사 : 전체 유아들의 차례 지키기 행동의 변화를 유치원 차원의 긍정적 행동지원 실시 전후로 비교해서 그 다음 단계를 결정해요.	지속적인 관찰을 통한 평가

PART 01

✎ 연속적 행동지원 체계의 내용 비교

단계	목표	중재			
		대상범위	강도	성격	적용 방법
1차 예방	새로운 문제행동 발생 예방	학교 전체 학생	하	보편적	범단체적
2차 예방	기존 문제행동 빈도 감소시키기 (출현율 감소)	고위험 학생과 위험 가능 학생	중	목표 내용 중심적	소집단적
3차 예방	기존 문제행동 강도와 복잡성 경감시키기	고위험 학생	강	집중적	개별적

출처 ▶ 양명희(2018)

109

[모범답안]

1)	• 사전에 관찰 시간과 장소를 선정하지 않아도 된다(또는 사전 준비나 별도의 계획 없이도 진행될 수 있기 때문에 실시하기 편하다). • 관찰자가 관찰대상의 의미 있는 행동만을 선택하여 기록할 수 있다(또는 간결한 형태로 기록하므로 표본기록에 비해 많은 시간을 필요로 하지 않는다). • 시간을 정해놓지 않고 행동이 발생하는 자연스러운 장면에서 관찰이 이루어진다.
2)	• 가영이는 민수가 좋아하는 또래이기 때문이다. • 가영이는 난타를 잘하기 때문이다.
3)	자극일반화

[해설]

1) 표본기록과의 비교하에 장점을 기술하도록 하고 있는 만큼 일화기록과 중복되는 내용은 기술하지 않도록 한다.
2) 최적의 모델이 갖는 특성 중 가영이가 최적의 모델이 될 수 있는 이유는 민수가 좋아하는 또래라는 점(연령과 특성의 유사성), 그리고 난타를 잘한다(능력의 우월성)는 점이다.
3) 제시된 일반화의 종류는 다음과 같다.

[지문 돋보기]

• 친구들, 동네 친구들 : 대상/사람에 대한 일반화
• 다양한 도구 : 자료/사물에 대한 일반화
• 통합학급, 집이나 놀이터 : 장소/상황에 대한 일반화

(1) 표본기록

① 표본기록은 미리 정해 놓은 시간, 인물, 상황 등에 따라 관찰된 행동이나 사건내용을 기록하고, 그것이 일어나게 된 환경적 배경을 상세하게 이야기하는 식으로 서술하는 방법이다. 현장에서 일어나는 행동의 진행상황을 이야기식으로 기록하기 때문에 진행기록 또는 설화적 기술이라고도 한다. 표본기록은 수집된 정보들을 서로 비교할 수 있고, 진행상황을 도표화하거나 변화양상을 검토하고 평가할 수 있어 어떤 계획을 수립하고 문제를 해결하기 위한 정보를 수집하는 방법으로 가치가 있다.

② 표본기록은 일화기록 시 유의해야 할 사항 외에 피관찰자의 행동에 영향을 미치는 상황적 요인을 자세하게 기록하며, 관찰자의 의견이나 해석은 모두 괄호를 사용하며 직접 관찰한 내용과 구별되도록 한다. 이 기록법은 기록을 하고 평가하는 데 시간이 많이 소요되며, 주관적 해석이나 추론이 이루어질 수 있으며, 한번에 적은 수의 대상만을 관찰한다.

출처 ▶ 성태제 외(2006 : 253-254).

(2) 표본기록과 일화기록의 차이

① 일화기록과는 달리 표본기록은 사전에 관찰 시간과 관찰 장소를 선정한다.
② 관찰자가 관찰대상의 의미 있는 행동을 선택하여 기록하는 일화기록과는 달리 표본기록은 정해진 시간 내에 발생하는 관찰대상의 모든 행동과 주변 상황을 상세하게 서술한다.
③ 사건이 발생한 후에 기록되는 일화기록과는 달리 표본기록은 사건들이 진행되는 동안 기록되므로 현재형으로 서술된다.

(3) 최적의 모델이 갖는 특성

연령과 특성의 유사성	관찰자와 인종, 나이, 태도, 사회적 배경 등이 비슷한 정도
문제의 공유성	관찰자와 비슷한 관심과 문제를 나타내는 것
능력의 우월성	관찰자보다 더 많은 자신감을 보이는 것

110 | 2020 유아B-2

모범답안

1)	① 빈도 ② 너무 자주 "아" 하고 짧게 소리 질러요.
2)	상반행동 차별강화

해설

1) ② 준우의 소리 지르기 특성은 소리를 짧게, 자주 지른
   다는 것이다. 따라서 대화 내용 중 이에 해당하는 내
   용을 찾아 쓰도록 한다.

2) 대화 내용에 의하면 준우의 문제행동은 짧게 소리를 지
   르는 것일 뿐 문제행동의 기능은 명확히 제시되어 있지
   않다. 이와 같은 상황에서 소리 지르지 않고 친구와 이
   야기하거나 노래 부르기를 할 경우 관심 보이기, 칭찬하
   기 등의 강화를 제공할 것을 계획하고 있다. 소리 지르
   기의 문제행동 기능이 명확하지 않기 때문에 친구와 이
   야기하거나 노래 부르기가 기능적인 측면에서 짧게 소
   리 지르기를 대체하는 바람직한 행동이라고 할 수 없으
   며, 이에 대한 근거도 제시되어 있지 않다. 따라서 이 경
   우는 상반행동 차별강화라고 해석하는 것이 바람직하다.

111 | 2020 유아B-3

모범답안

1)	ⓓ, 동물의 움직임을 표현할 때, 촉진을 준 후 정우가 반응하기까지의 시간을 점차 줄인다.

해설

1) ⓓ 자발적으로 활동에 참여하려고 하지 않는 정우의 특
   성을 고려할 때, 빠른 시간 내에 활동에 참여할 수
   있도록 하기 위해서는 정우가 반응하기까지의 시간
   을 점차 줄여주는 것이 적절하다.

112 | 2020 유아B-4

모범답안

2)	다음 중 택 2 • 반응 효율성 • 반응 수용성 • 반응 인식성

Check Point

✎ 대체행동의 선택

① 선택 기준

기능의 동일성	대체행동은 문제행동과 동등한 기능을 가진 행동이어야 한다.
수행의 용이성	대체행동은 문제행동을 수행하는 것만큼 수행하기 쉬운 형태여야 한다.
동일한 반응노력	행동이 의미하는 바를 누구든지 이해할 수 있어서 중재자 이외의 다른 사람들에게서도 적절한 반응을 이끌어 내는 행동이어야 한다.
사회적 수용 가능성	사회적으로 다른 사람들에게 수용될 수 있는 행동이어야 한다.

출처 ▶ 이성봉 외(2019 : 203-204). 내용 요약정리

② 선택 시 고려사항

반응 효율성	대체행동은 문제행동을 하는 것보다 힘을 덜 들이고도 학생이 선호하는 결과를 즉각적으로 얻을 수 있어야 한다.
반응 수용성	대체행동은 그 학생의 주위에 있는 사람들로부터 사회적으로 수용될 수 있는 것이어야 한다.
반응 인식성	새로운 행동은 친근한 사람이나 생소한 사람들이 쉽게 알아야 한다.

113 | 2020 유아B-5

모범답안

2)	① 원하는 놀이 ② 활동 강화제

해설

2) 프리맥의 원리는 빈번히 일어나는 행동을 강화제로 사
   용해서 자주 일어나지 않는 행동을 증가시키는 방법이
   다(강성봉 외, 2019 : 41). 예를 들어, 숙제하기보다는
   TV를 보는 데 더 많은 시간을 보내는 학생에게 프리맥
   의 원리를 적용한다면, '숙제를 마친 후에 TV를 볼 수
   있다.'는 규칙을 설정하는 것이다. 즉, 발생빈도가 낮은
   행동(숙제)을 강화하기 위하여 발생빈도가 높은 행동
   (TV 보기)을 강화자극으로 후속시키는 것이다(홍준표,
   2017 : 146).

114   2020 초등A-4

모범답안

3)	① 간헐 강화계획 ② 자연적인 환경에서 자연적 강화를 사용하여 지도하는 것은 습득한 기술의 일반화에 효과적이기 때문이다.

해설

지문 돋보기

- 학습 단계 1
  - 민호가 정반응을 보일 때마다 칭찬으로 강화 : 연속 강화계획
- 유의 사항
  - 민호가 습득한 '지폐 변별하기' 기술을 시간이 지난 뒤에도 수행할 수 있도록 : 유지(또는 시간의 일반화)될 수 있도록
  - 다양한 실제 상황(편의점, 학교 매점, 문구점 등) : 자연적 환경
  - 민호가 좋아하는 과자를 구입 : 자연적 강화 제공

3) ① 시간이 지난 뒤에도 수행할 수 있도록 '학습 단계 1'의 강화 계획(스케줄)을 조정 : 유지를 위해 강화계획을 변경하고자 한다는 의미이므로 연속 강화계획에서 간헐 강화계획으로의 변경을 고려하면 된다. 이때 간헐 강화계획의 구체적인 유형은 알 수 없다.

Check Point

📝 유지를 위한 전략

전략	설명
과잉학습	학생이 적절한 수준으로 기술을 수행하는 것을 학습한 후에도 계속해서 연습한다.
분산연습	목표행동을 한꺼번에 몰아서 연습하지 않고 여러 차례 분산시켜 연습한다.
간헐강화	강화계획에 따라 강화를 간헐적으로 제공함으로써 강화와 강화 사이에 점점 더 많은 목표행동을 하거나(고정/변동비율 간헐강화) 더 많은 시간이 경과하도록 하는 것이다(고정/변동간격 간헐강화).
연습기회 삽입	새로운 기술을 교수할 때 학생이 이미 학습한 기술을 기초로 하여 교수하거나 새로운 기술의 학습 시 습득된 기술이 유지되도록 한다.
유지 스케줄	자주 사용되지 않거나 매우 불규칙하게 사용되는 기술에 대해 규칙적으로 연습할 기회를 제공하여 습득된 기술이 유지되도록 한다.

115   2020 초등B-1

모범답안

1)	① 기능분석 ② 중재교대설계
2)	수업 시간에 소리를 지르는 준수의 행동 발생 유무와 관계없이 정해진 시간 간격마다 준수에게 사회적 관심을 제공한다.
3)	표적행동을 할 때보다 더 적은 노력으로 사회적 관심을 얻을 수 있는 교체기술인가?

해설

2) [결과 그래프 및 내용]에 의하면 준수의 표적행동은 사회적 관심 획득 조건에서 많이 발생함을 알 수 있다. 따라서 비유관 강화를 전략적으로 사용할 때는 사회적 관심을 중재로 활용하는 것이 바람직하다.
   - 비유관 강화의 방법을 기술할 때는 반드시 준수의 행동, 결과 그래프 및 내용을 토대로 문장을 작성하여야 한다.

3) 반응 효율성 점검 내용 기술 시에는 반드시 효율성의 의미가 명확히 드러날 수 있도록('~보다 더 적은') 해야 한다.

Check Point

📝 기능분석

개념	• 문제행동의 기능을 검증하기 위해 선행사건과 후속 결과를 실험·조작하는 활동
	  – 문제행동을 둘러싼 환경을 체계적으로 조작하여 행동과 환경 사이의 기능적 관계를 입증하는 방법
	• 다음과 같은 경우에 실시
	  – 간접평가 혹은 직접 관찰 평가 등을 통해 정보를 수집해도 명확한 가설을 세우기 어려운 경우
	  – 간접평가 혹은 직접 관찰 평가에 근거한 중재가 효과적이지 않은 경우

장점	문제행동의 발생과 관련된 변인들을 명확히 보여줌
단점	• 많은 시간적, 경제적 비용과 인력 요구 • 빈번히 나타나는 문제행동에 한해 적용 • 위험한 행동에는 적용 불가능

116 | 2020 중등A-11

모범답안

- 다음 중 택 1
  - 요구에 대해 지나치게 느리게 반응하는 것과 과제를 완성하는 데 걸리는 시간을 줄여 준다.
  - 비혐오적 절차를 이용하여 문제행동을 감소시키고 순응을 높일 수 있다.
- 다음 중 택 2
  - 현재 레퍼토리에 포함되어 있는 것
  - 일정한 순응을 보이는 것
  - 짧은 시간 안에 순응하는 것
- 고확률 요구의 수를 점진적으로 줄여야 한다.

해설

고확률 요구 연속 방법의 장점) 고확률 요구 연속은 요구에 대해 지나치게 느리게 반응하는 것과 과제를 완성하는 데 걸리는 시간을 줄여 준다(Cooper et al., 2017 : 349).
- 고확률 요구 연속의 행동적인 효과는 (a) 저확률 요구에 대해 불순응으로 얻는 강화의 가치를 줄이고(즉, 요구로부터의 도피할 가치를 감소시킴), (b) 저확률 요구와 관련된 공격행동이나 자해행동을 감소시킴으로써 동기해지 조작의 제지효과를 갖기 때문이다(Cooper et al., 2017 : 348).

교사가 변경해야 할 사항) 고확률 요구 연속에서 참가자들이 지속적으로 저확률 요구에 순응하게 되면 훈련자는 고확률 요구의 수를 점진적으로 줄여야 한다(Cooper et al., 2017 : 351).

Check Point

(1) 고확률 요구 연속

① 고확률 요구 연속을 사용할 경우 교사는 학생이 이전에 순응했던 역사가 있는(즉, 고확률), 따르기 쉬운 일련의 요구들을 제시하고 학습자가 이러한 몇 개의 고확률 요구들에 순응을 할 경우 즉각적으로 목표요구(즉, 저확률)를 제시한다. 고확률 요구 연속의 행동적인 효과는 (a) 저확률 요구에 대해 불순응으로 얻는 강화의 가치를 줄이고, (b) 저확률 요구와 관련된 공격행동이나 자해행동을 감소시킴으로써 동기해지 조작의 제지효과를 갖기 때문이다(Cooper et al., 2017 : 348−351).

② 고확률 요구 연속을 위한 과제의 조건
  ㉠ 현재 레퍼토리에 포함되어 있는 것
  ㉡ 일정한 순응을 보이는 것
  ㉢ 짧은 시간 안에 순응하는 것

③ 고확률 요구 연속의 효과적인 활용법
  ㉠ 현재 래퍼토리 내에서 선택하기
  ㉡ 요구를 빠르게 제시하기
  ㉢ 순응을 강화하기
  ㉣ 강력한 강화제 사용하기

④ 고확률 요구 연속 사용 시 고려할 점
  ㉠ 문제행동의 발생 직후에는 고확률 요구 연속을 사용하지 말아야 한다. 저확률 요구에 대해 문제행동으로 반응하면 더 쉬운 요구가 뒤따른다는 것을 학생들이 학습할 수 있다.
  ㉡ 시작할 때, 그리고 지시하는 동안에 걸쳐 고확률 요구를 제시해 문제행동이 강화될 가능성을 줄여야 한다.
  ㉢ 교사들은 의식적 또는 무의식적으로 저확률 요구보다는 고확률 요구만을 하게 되고, 요구로부터 도피하려는 목적으로 공격행동이나 자해행동을 보이려는 학생의 도피 행동을 피하기 위해 쉬운 과제를 선택하게 될 수 있다.

(2) 동기설정 조작과 동기해지 조작

- 동기설정 조작(EO)
  - 가치변화 효과 : 어떤 자극, 사물, 사건이 강화제로서 가지는 효과를 증가시키는 것
  - 행동변화 효과 : 그 자극, 사물, 사건에 의해 강화된 모든 행동의 현재 빈도수를 증가시키는 것(즉, 유발효과 또는 동기유발효과)
- 동기해지 조작(AO)
  - 가치변화 효과 : 어떤 자극, 사물, 사건이 강화제로서 가지는 효과를 감소시키는 것
  - 행동변화 효과 : 그 자극, 사물, 사건에 의해 강화된 모든 행동의 현재 빈도수를 감소시키는 것(즉, 제지효과)

117   2020 중등B-3

모범답안

- ㉠ 행동형성법
- ㉡ 고정 지속시간 강화계획
- 관찰기록법의 유형: 지속시간 기록법
  이유: 수업 시간에 계속해서 의자에 앉아 있는 시간의 길이를 증가시키는 것이 목표이기 때문이다.

해설

지문 돋보기

- 목표 행동에 근접한 단기 목표(중간 행동) 결정: 현재에는 나타나지 않는 표적행동을 발생시키기 위해서 연속적 접근을 체계적으로 차별강화하여 새로운 행동을 형성시키는 것
- 1분 30초 동안, 2분 동안, 2분 30초 동안… 14분 동안
  - 표적행동에 점진적으로 가까워지는 연속적 행동의 제시
  - 표적행동의 특성: 지속시간
- 단기 목표에 도달하면 학생 C가 선호하는 활동을 할 수 있게 함: 체계적인 차별강화의 제공

지속시간 기록법이 적절한 이유) 지속시간 기록법은 학생이 특정한 행동을 하는 시간의 길이에 일차적인 관심이 있을 때 사용된다. 예를 들어, 학생의 자리 이탈 행동에 대해 알고자 할 때 사건기록법이나 지속시간 기록법 중 어느 것이라도 적절하다. 사건기록법은 학생이 자리에 남아 있는 횟수에 대한 정보를 제공할 것이다. 그러나 학생이 얼마나 오랫동안 자리에서 이탈해 있었는가에 일차적인 관심이 있다면 가장 적절한 자료수집 방법은 지속시간 기록법이다(Alberto et al., 2014: 154).

Check Point

📝 지속시간 강화계획

정한 시간이 고정인가 또는 변동인가에 따라 고정 지속시간과 변동 지속시간 강화계획으로 나뉜다.

고정 지속시간 강화계획	학생이 표적행동을 일정한 시간 동안 지속하였을 때 강화가 주어지는 것이다. 예 5분 이상 의자에 앉아 있지 못하는 길동이에게 5분의 고정 지속시간 강화계획을 적용하면, 길동이가 5분 이상 의자에 앉아 있을 때마다 강화가 주어져야 한다. 이 강화계획이 시작되고 난 후 길동이가 의자에서 일어나면, 다시 의자에 앉을 때부터 시간을 새로 측정하기 시작해야 한다.
변동 지속시간 강화계획	• 학생이 표적행동을 평균 지속시간 동안 하고 있으면 강화가 주어지는 것이다. • 강화가 주어지는 지속시간 간격이 일정하지 않고 평균 지속시간 간격을 기준으로 한다. 예 5분 이상 의자에 앉아 있지 못하는 길동이에게 5분의 변동 지속시간 강화계획을 적용하면, 지속시간을 3분, 6분, 5분, 4분, 7분으로 설정하여 강화한 경우 길동이는 평균 5분의 지속시간 강화계획에 의해 강화받은 것이다.

118   2020 중등B-6

모범답안

- 과제분석을 통해 결정된 단계의 행동들을 처음 단계에서부터 순차적으로 가르친다.

해설

- ㉢ 전진 행동연쇄 지도 방법을 기술할 때는 '과제분석', '처음 단계서부터 순차적'이라는 용어를 키워드로 활용한다.
- 전체과제 제시법의 지도 방법(2018 중등B-5 기출)과 혼동되지 않도록 주의해야 한다.

119   2020 중등B-9

모범답안

- 대상자 간 중다기초선설계
- 표적행동의 준거
- ㉡ 계약 초기에는 낮은 기준을 설정하여 목표가 달성되도록 한다.
- ㉣ 계약서는 공개적으로 보관한다.

해설

지문 돋보기

- 아동의 표적행동: 지시 따르기
- 표적행동의 조건과 준거
  - 조건: 수학 수업 시간
  - 준거: 제시되어 있지 않음
- 강화내용과 방법
  - 내용: 컴퓨터 게임하기
  - 방법: 점심시간에 5분 동안 하게 해준다.
- 계약기간: 2019. ○○. ○○. ~ 2019. ○○. ○○.
- 계약자와 피계약자의 서명: 각각의 서명란

Check Point

(1) 행동계약의 구성 요소
① 아동의 표적행동
② 표적행동의 조건과 준거
③ 강화내용과 방법
④ 계약기간
⑤ 계약자와 피계약자의 서명

(2) 행동계약 가이드라인 및 규칙

계약 가이드라인 및 규칙	설명
공평한 계약을 하라.	과제의 난이도와 보상의 관계는 공평해야 한다.
명확한 계약을 하라.	계약의 가장 큰 장점은 각 개인의 기대치를 확고히 한다는 것이다. 교사 또는 부모의 기대치가 확실하면 행동 개선 가능성이 높아진다. 행동계약에서는 있는 그대로를 설명해야 하며 설명한 대로 실행해야 한다.
정직한 계약을 하라.	과제 완성 시 협의된 보상을 지정된 시간 내에 제공할 때 그 계약은 정직하다고 볼 수 있다. 또한 정직한 계약에서는 과제가 정해 놓은 대로 실행되지 않았으면 보상을 주지 않는다.
보상을 여러 단계로 만들어라.	일일, 주간, 또는 매월 최고 기록을 갱신했을 때 주는 보너스 보상도 계약에 포함할 수 있다.
반응 대가 유관을 포함하라.	때로 합의된 과제가 완성되지 않을 경우에 대비해 '벌금', 즉 보상 제거를 포함할 수도 있다.
계약을 잘 보이는 곳에 붙여라.	계약을 공개적으로 붙임으로써 계약 목표를 향한 향상 정도를 쌍방이 볼 수 있게 한다.
한쪽이라도 계약에 대해 불만을 보인다면 다시 합의하여 이를 변경하라.	계약을 맺는 이들에게 긍정적인 경험을 제공하기 위해 설계된 것이므로 계약이 효과적이지 않다면 과제, 보상, 또는 이 둘 모두를 다시 고려해 볼 필요가 있다.
행동계약을 종결하라.	생략

출처 ▶ Cooper et al.(2018 : 311)

120 　　　　　　　　　　　　　　　 2021 유아A-1

모범답안

3) | ㉢ 언어적 촉진
ㄹ 몸짓 촉진

해설

3) ㉢ 직접적으로 "어흥"이라는 구어를 이용하고 있기 때문에 언어적 촉진에 해당한다.
　ㄹ 호랑이 동작을 통해 정반응을 유도하고 있기 때문에 몸짓 촉진에 해당한다.

Check Point

✎ 촉진의 종류에 따른 수행 방법

종류	방법
구어 촉진	주어진 과제를 수행하도록 직접적으로 또는 간접적으로 지원하는 단순한 지시 또는 설명으로, 이때 사용되는 말은 유아가 이해하기 쉽도록 짧고 간결해야 한다.
몸짓 촉진	과제를 수행하도록 안내해 주는 가리키기 등의 몸짓으로, 단독으로 사용되기도 하지만 주로 구어 촉진과 함께 사용된다.
시범 촉진	구어나 신체 촉진, 또는 두 가지를 함께 사용해서 과제의 일부 또는 전체를 수행하는 모습을 보여 주는 방법으로, 주로 유아가 기대하는 행동을 수행할 수 있을 때 사용된다.
접촉 촉진	접촉을 활용하는 방법으로, 유아의 특정 신체 부위를 만지거나 유아가 특정 사물을 만지게 하는 두 가지 형태로 사용된다. 사물을 만지게 하는 방법은 특히 시각장애 유아나 수용언어의 발달이 지체된 유아에게 유용하게 사용될 수 있다.
신체 촉진	과제를 수행하도록 신체적으로 보조하는 방법으로, 부분적이거나 완전한 보조의 형태로 주어진다.
공간 촉진	행동 발생 가능성을 높이기 위해서 사물을 특정 위치(예 과제 수행을 위해서 필요한 장소, 유아에게 더 가까운 장소)에 놓아 과제 수행을 상기시키는 방법이다.
시각적 촉진	그림이나 사진, 색깔, 그래픽 등의 시각적인 단서를 사용해서 과제 수행의 주요 요소를 보여 주는 방법으로, 정기적으로 수행되거나 순서대로 수행되는 활동을 보조하기 위하여 많이 사용된다.
단서 촉진	과제 수행의 특정 측면에 대한 직접적인 관심을 유도하기 위한 방법으로, 구어 또는 몸짓으로 단서를 제공한다. 이때 사용되는 단서는 과제를 가장 잘 대표할 수 있는 것이어야 한다.

출처 ▶ 이소현(2020 : 443-444)

121

모범답안

| 2) | 위치, 지속시간 |

해설

2) 대화 내용에 제시된 목표 중 '친구 옆에서'는 행동의 차원 중 위치를, '3분 이상'은 행동의 차원 중 지속시간을 의미한다.

Check Point

✎ 행동의 차원

① 행동의 관찰과 측정이 가능하기 위해 조작적 정의를 하려면, 행동을 여섯 가지 차원으로 설명할 수 있어야 한다.
② 행동은 어떤 차원을 가지고 조작적 정의를 하느냐에 따라서 다양한 방법으로 관찰되고 측정되며 요약된다.

차원	개념
빈도	일정 시간 동안 행동이나 사건이 일어난 횟수
지속시간	행동이 시작되는 시간부터 마치는 시간까지 걸리는 시간
지연시간	선행사건(또는 변별자극이 주어지는 시간)으로부터 그에 따르는 행동(또는 반응)이 시작되는 시간까지 걸리는 시간
위치	행동이 일어난 장소
형태	반응 행동의 모양
강도	행동의 세기, 에너지, 노력의 정도

122

모범답안

| 2) | ① 행동분포관찰
② 감각자극의 회피(또는 자기조절, 자동적 부적 강화) |

해설

2) ② 자동적 부적 강화의 기능은 고통, 가려움과 같이 내적이거나 감각적인 자극을 피하려는 것이다. 그런 경우, 문제행동은 고통스러운 내적 자극이 제거되는 부적 강화에 의해 유지된다. 그러한 행동에는 아동이 주변의 특정 소음이 듣기 싫어서 머리를 심하게 흔들거나 귀를 틀어막는 행동이나, 자폐 아동이 누군가가 껴안아 줄 때 안아 주는 압력의 정도를 피하기 위해 안아 주는 사람을 밀쳐 내는 행동 등을 예로 들 수 있다. 자동적 부적 강화의 기능을 지닌 행동은 외현상으로는 자동적 정적 강화의 기능을 지닌 행동과 같을 수 있다. 예를 들어, 한 아이가 두 눈을 꼭 감고 머리를 빙글빙글 돌리는 상동행동을 하는 경우, 그렇게 하면 전정감각이 자극되고 기분이 좋아지기 때문에 할 수도 있지만 주변의 소음과 너무 많은 시각적 자극을 피하고 싶어 그렇게 할 수도 있다. 자동적 부적 강화의 기능을 지닌 행동은 자동적 정적 강화와 마찬가지로 문제행동 뒤에 외부적인 후속결과가 관찰되지 않은 경우가 많기 때문에 그 기능을 파악하고 효과적인 강화제를 찾기까지 많은 시간과 노력이 요구된다(양명희, 2016 : 95-96).

Check Point

✎ 문제행동 기능의 분류

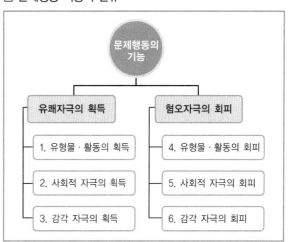

123 · 2021 유아A-5

모범답안

3)
① 교사는 민수의 자리이탈 행동의 발생 유무와 관계없이 매 3분이 되기 전에 민수에게 관심을 준다.
② 다음 중 택 1
- 문제행동에 대한 동기뿐 아니라 바람직한 행동에 대한 동기까지 감소될 수 있다.
- 행동이 체계적으로 강화되지는 않는다.
- 문제행동이 우연히 강화될 가능성이 있다.

해설

3) 문제행동이 일정한 시간 간격으로 발생한다는 점, 동기를 제거할 수 있는 전략이라는 점이 비유관 강화의 단서가 된다.

Check Point

✓ 비유관 강화의 장단점

장점	• 문제행동을 감소시키기 위한 방법으로서 다른 어떤 긍정적 치료기법보다 활용하기 쉽다. • 긍정적 학습 환경을 조성하는 데 큰 도움이 된다. • 문제행동을 소거하려 할 때 비유관 강화를 병행함으로써 소거 초기에 발생하는 소거 폭발 현상을 약화시킬 수 있다. • 어떤 바람직한 행동이 비유관 강화와 우연히 일치할 수 있는 기회가 많다. 따라서 기대하지 않았던 바람직한 행동들이 강화되어 유지될 수 있다.
단점	• 원하는 강화자극을 노력 없이 쉽게 얻을 수 있기 때문에, 문제행동에 대한 동기뿐 아니라 바람직한 행동에 대한 동기까지 감소될 수 있다. • 학생이 행한 것에 상관없이 강화가 주어지기 때문에 비유관 강화의 결과로 행동이 체계적으로 강화되지는 않는다. • 의도와는 달리 문제행동이 우연히 강화될 가능성이 있다.

124 · 2021 유아B-2

모범답안

3)
① 행동계약
② 반응대가

해설

3) ① 행동계약이란 행동목표를 달성했을 때 주어지는 강화에 대해 학생과 교사가 동의한 내용을 문서로 작성하는 것을 의미한다. 행동계약은 학생의 표적행동, 표적행동의 조건과 준거, 강화 내용과 방법, 계약 기간, 계약자와 피계약자의 서명으로 구성된다.
② 반응대가란 문제행동을 하였을 때 그 대가로 이미 지니고 있던 강화제('자동차 스티커')를 잃게 함으로써('선생님께 내야 합니다.') 문제행동의 발생률을 감소시키는 절차를 의미한다.

125 · 2021 유아B-6

모범답안

2) 신체적 촉진

해설

2) 대화 내용 중 박 교사가 "슬비는 협응과 힘 조절에 어려움이 있어서 과일을 꼬챙이에 끼울 때 많이 힘들어 할 것 같아요."라고 언급한 것을 고려할 때 신체적 촉진을 제공하는 것이 적절하다.

Check Point

✓ 촉진의 유형

유아특수교육 분야에서 다루는 촉진의 유형은 다음과 같다.

종류	방법
구어 촉진	주어진 과제를 수행하도록 직접적으로 또는 간접적으로 지원하는 단순한 지시 또는 설명으로, 이때 사용되는 말은 유아가 이해하기 쉽도록 짧고 간결해야 한다.
몸짓 촉진	과제를 수행하도록 안내해 주는 가리키기 등의 몸짓으로, 단독으로 사용되기도 하지만 주로 구어 촉진과 함께 사용된다.
시범 촉진	구어나 신체 촉진, 또는 두 가지를 함께 사용해서 과제의 일부 또는 전체를 수행하는 모습을 보여 주는 방법으로, 주로 유아가 기대하는 행동을 수행할 수 있을 때 사용된다.

접촉 촉진	접촉을 활용하는 방법으로, 유아의 특정 신체 부위를 만지거나 유아가 특정 사물을 만지게 하는 두 가지 형태로 사용된다. 사물을 만지게 하는 방법은 특히 시각장애 유아나 수용언어의 발달이 지체된 유아에게 유용하게 사용될 수 있다.
신체 촉진	과제를 수행하도록 신체적으로 보조하는 방법으로, 부분적이거나 완전한 보조의 형태로 주어진다.
공간 촉진	행동 발생 가능성을 높이기 위해서 사물을 특정 위치(예 과제 수행을 위해서 필요한 장소, 유아에게 더 가까운 장소)에 놓아 과제 수행을 상기시키는 방법이다.
시각적 촉진	그림이나 사진, 색깔, 그래픽 등의 시각적인 단서를 사용해서 과제 수행의 주요 요소를 보여주는 방법으로, 정기적으로 수행되거나 순서대로 수행되는 활동을 보조하기 위하여 많이 사용된다.
단서 촉진	과제 수행의 특정 측면에 대한 직접적인 관심을 유도하기 위한 방법으로, 구어 또는 몸짓으로 단서를 제공한다. 이때 사용되는 단서는 과제를 가장 잘 대표할 수 있는 것이어야 한다.

출처 ▶ 이소현(2020 : 443~444)

126

모범답안

2)	자기강화

해설

2) 자기관리란 순간의 욕구충족을 억제하여 만족을 지연시킴으로써 보다 장기적이고 상위의 목표를 달성하는 능력으로, 자신의 행동을 더 바람직하게 변화시키기 위한 의도를 가지고 자신에게 행동 원리를 적용하는 것으로 자기통제, 자기훈련이라고도 한다. 자기관리 기술에는 목표설정, 자기기록, 자기평가, 자기강화/자기처벌, 자기교수 등이 있다.

127

모범답안

3)	① 자신의 행동을 이전의 자기 행동 수준
	② 상황 간 중다기초선설계는 1명의 대상자를 선정하여 동일한 행동을 나타내는 3가지 상황에서 중재를 적용하고 대상자 간 중다기초선설계는 동일한 상황에서 동일한 행동을 보이는 3명 이상의 대상자를 선정하여 중재를 적용해야 한다.
	③ 다음 중 택 1
	  • 첫 번째 표적행동이 안정된 상태로 개선되었을 때
	  • 첫 번째 표적행동이 미리 정해 놓은 준거에 도달했을 때

Check Point

(1) 자기평가 적용 방법
① 목표행동을 선정하고 행동을 정의한다.
② 행동을 평가하는 기준을 선정하고 기준을 설명한다.
  ㉠ 교사에 의해 설정된 준거와 비교하기
  ㉡ 자신의 행동을 이전의 자기 행동 수준과 비교하기
  ㉢ 다른 학생들의 수준과 비교하기
③ 자기 행동을 기준에 따라 평가하는 방법을 시범 보이며 가르친다.
④ 자기 행동을 평가하는 방법을 연습하게 하고, 연습 과정을 감독하며 피드백을 준다.

(2) 중다기초선설계의 내적 타당도
중다기초선설계의 내적 타당도를 높이기 위해서는 반드시 다음과 같은 특성(조건)이 갖춰져야 한다.
① 적어도 세 가지 이상의 행동, 상황, 대상자 간에 동시에 기초선 자료를 수집해야 한다.
② 모든 기초선 자료가 수용할 만한 안정세를 보일 때 첫 번째 표적행동에 중재를 시작한다. 이때 설계의 기본 논리상 중재가 주어진 조건에서는 행동의 변화가 관찰되는 반면 나머지 기초선에서는 계속 안정세로 남아 있게 된다.
③ 두 번째 표적행동에 대한 중재는 첫 번째 표적행동이 안정된 상태로 개선되거나 또는 미리 정해 놓은 준거에 도달했을 때 시작한다. 위에서와 마찬가지로 설계의 논리에 맞게 실험이 진행된다면 두 번째 중재 조건에서는 행동의 변화가 관찰되는 반면 나머지 기초선은 계속 안정세로 남게 된다.
④ 동일한 절차를 설계에 사용되는 기초선의 수만큼 계속 진행한다.

128 | 2021 초등B-5

모범답안

3)	① 유형: 점진적 안내(또는 점진적 안내 감소)
	② 교사 행동: 그림자 방법으로 가까이에서 언제든 지원할 동작을 취한다.
	③ 학생 행동: 교사의 도움 없이 카트에 물건을 담는다.

Check Point

📝 **점진적 안내**

① 신체적 촉구를 체계적으로 용암시키는 데 사용
② '손 위에 손' 방법을 많이 사용
  ㉠ 손 위에 손: 전체 훈련을 통해 도움을 점진적으로 줄여나가고, 학습자가 과제를 완성할 때 학습자의 손에 그림자를 만드는 것
  ㉡ 학습자의 손에 그림자를 만들면 학습자가 행동의 어떤 단계에서 실패할 때 교사가 즉각적으로 신체 안내를 해 줄 수 있음
③ 점진적 안내를 제공할 때 교사는 손으로 대상자의 신체 부위를 잡아서 특정 목표 동작을 확실하게 하도록 안내하다가 신체접촉이 일어나는 신체 부위와 제공된 통제의 정도를 점진적으로 감소시킴
④ 신체적 안내는 대상자에 따라 신체접촉을 꺼려 순응하지 않을 수도 있음을 고려할 것
  • 대상자가 협조적일 때 시도하고 목표 반응을 일으키기 위해 필요한 최소한의 안내를 제공하다가 점진적으로 신체적 안내 제거
⑤ 신체적 안내의 초기 단계는 목표 반응의 움직임이 일어나는 통제 부위에서 안내 시작
  • 조금씩 신체 부위에 가하는 힘을 약화시킴과 동시에 통제 부위에서부터 신체접촉 부위를 멀어지도록 할 것

129 | 2021 중등A-2

모범답안

㉠	전체 과제 제시법(또는 전체 행동연쇄법)
㉡	변별자극

해설

지문 돋보기

박 교사: 네, 그런데 학생 A는 '책상 닦기'를 할 때, 하위 과제 대부분을 습득하여 새로 가르칠 내용이 없는데도 전체적인 업무 완성도가 다소 부족	연쇄 내의 여러 과제를 수행할 수 있음
김 교사: 그렇다면 과제 분석을 통해 하위 과제들을 일련의 순서대로 수행할 수 있게	순서를 배워야 함

Check Point

(1) 전체 과제 제시법 적용이 적절한 경우

전체 과제 제시법은 과제분석을 통한 모든 단계를 시행하도록 하면서 아동이 독립적으로 수행하지 못하는 단계에 대해서는 훈련을 실시하는 방법으로 다음의 경우에 적용한다.

① 연쇄 내의 여러 과제를 수행할 수 있으나 순서를 배워야 하는 경우
② 과제가 너무 길거나 복잡하지 않은 경우
  • 하위 과제의 수가 많지 않은 비교적 단순한 경우
③ 학습자의 장애 정도가 심하지 않고, 어느 정도의 모방 능력을 갖추고 있는 경우: 학습자의 능력이 매우 제한적이라면 후진 행동연쇄나 전진 행동연쇄가 더 적절하다.
④ 전체 과정에 걸쳐 교사의 안내가 가능한 경우: 전체 과제 제시법은 전체에 걸쳐 교사의 안내가 있어야 되는 만큼 실행이 가장 어려운 절차이므로 이와 같은 일련의 과정에 교사의 안내가 가능한 경우에 적용하는 것이 바람직하다.

(2) 변별자극

변별	어떤 자극과 다른 자극들의 차이를 구분할 수 있는 능력
변별자극	• 특정 자극이 주어졌을 때만 특정한 반응이나 행동을 하도록 알려주는 자극(행동이 발생할 가능성을 증가시키는 자극) • 기능: 행동에 대한 강화가 주어질 것을 알려줌 ※ 델타자극: 변별자극 이외의 자극
변별훈련	• 변별자극과 델타자극을 구별하여 변별자극에 대해서만 바른 반응을 하도록 하는 훈련 • 변별자극의 확립과정이라고 할 수 있음

130 _____ 2021 중등A-3

모범답안

⊙	전체 회기 저비율 행동 차별강화
ⓒ	반응시간 저비율 행동 차별강화

Check Point

✎ 저비율 행동 차별강화계획

전체 회기 저비율 행동 차별강화	전체 회기 동안 표적행동이 미리 정한 기준과 같거나 그 이하일 경우, 치료회기가 끝날 때 강화를 준다.
간격 저비율 행동 차별강화	전체 회기를 동일한 시간 간격으로 나누고, 각 간격에서 문제행동의 발생 수가 기준선과 동일하거나 적을 경우 간격이 끝날 때 강화를 준다.
반응시간 저비율 행동 차별강화	하나의 반응이 발생한 후 일정한 기준시간이 경과한 다음에 발생한 반응은 강화하고, 일정한 기준시간이 지나기 전에 발생하면 무시하는 방식으로 차별강화한다.

131 _____ 2021 중등A-10

모범답안

- ⊙ (교사의) 관심 끌기
- ⓒ 소거
  ⓒ 문제행동의 빈도 또는 강도를 증가시키면 이전에 받았던 강화요인이 다시 주어질 것으로 여기기 때문이다.
- ㉣ 비유관 강화

해설

ⓒ 표적 행동에 대해 소거를 적용하면 행동 감소가 바로 이루어지지 않는다. 소거가 적용되면 행동에 수반하여 주어졌던 강화요인이 제거되지만 이전에 받았던 강화요인이 다시 주어질 것으로 여겨 일시적으로 행동의 빈도 또는 강도의 증가를 보인다. 이렇듯 소거 적용 초반에 나타나는 행동의 증가를 소거 폭발이라고 한다.

㉣ 예방적 차원의 행동 중재 방법이란 선행중재 방법을 의미한다. 따라서 ㉣에 해당하는 중재 방법은 문제행동을 감소시키기 위하여 사용되는 선행중재의 한 방법으로, 학습자의 행동과는 무관하게 고정시간계획 또는 변동시간계획에 따라 지금까지 문제행동을 통해 얻을 수 있었던 강화를 제공하는 비유관 강화가 된다.

- 비유관 강화는 문제행동을 감소시키기 위하여 사용되는 선행중재의 한 방법으로, 학습자의 행동과는 무관하게 고정시간계획 또는 변동시간계획에 따라 강화자극을 제공하는 것을 말한다. 비유관 강화의 핵심은 이제까지 문제행동만으로 얻을 수 있었던 특정 강화자극을 앞으로는 문제행동과 상관없이 무조건적으로 자주 얻을 수 있는 환경을 조성함으로써 문제행동의 동기나 요구 자체를 제거하려는 전략이다. 문제행동을 수행하지 않고도 원하는 강화를 넘치게 얻을 수 있는 환경을 조성함으로써 문제행동의 동기 자체를 제거하려는 것이다. 즉, 원하는 강화자극들로 포화된 환경 자체가 동기해지조작으로서의 기능을 수행하도록 하려는 것이다. 비유관 강화는 기능성 평가를 통하여 문제행동을 유지시키고 있는 강화자극을 확인한 다음, 바로 그 강화자극을 학습자에게 비유관적으로 풍족히 제공함으로써 문제행동의 발생 동기를 사전에 제거하려는 전략이다(홍준표, 2017 : 348).
- 선행사건 중재란 문제행동의 발생 원인이 될 수 있는 선행사건들을 수정하거나 제거하여 더 이상 문제행동을 일으키는 요인으로 작용하지 않도록 하는 것을 의미한다(양명희, 2018 : 303).

132 | 2021 중등B-4

모범답안

- 수업 중 소리 지르기 행동이 발생하지 않으면, 수업 시간 동안에 어떤 행동이 발생하든지 상관없이 강화한다.
- ① A_1 구간에서 기초선에 대한 정보가 충분히 수집되지 않았다.

  ② B_1에서 중재 효과가 준거에 도달할 때까지 또는 행동의 바람직한 변화 경향이 나타날 때까지 중재가 계속되지 않았다.

해설

[(다)의 오류 2가지]

- 기초선 구간(A_1)에서는 3회기 이상의 안정적인 기초선 자료를 수집해야 한다.
- 중재 구간(B_1)에서 표적행동이 준거에 도달할 때까지 혹은 행동의 바람직한 변화 경향이 나타날 때까지 중재는 계속된다(Alberto et al., 2014 : 205).

Check Point

✍ ABAB 설계를 사용한 그래프

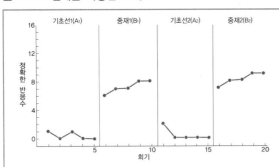

- 기초선1(A_1): 중재가 도입되기 전에 존재하던 조건하에서 표적행동에 대한 자료를 수집하는 최초의 기초선
- 중재1(B_1): 표적행동을 바꾸기 위해 최초 도입, 표적행동이 준거에 도달할 때까지 혹은 행동의 바람직한 변화 경향이 나타날 때까지 중재는 계속됨
- 기초선2(A_2): 중재를 철회하거나 종료함으로써 원래의 기초선 조건으로 복귀
- 중재2(B_2): 중재 절차의 재도입

133 | 2021 중등B-7

모범답안

- ㉠ 관찰자 표류(또는 관찰자 취지)

  ㉡ 다른 사람이 자신의 자료를 평가할 것이라는 것을 관찰자가 인식할 때 발생하는 측정 오류

- 총지연 시간 관찰자 일치도 = 96%

  평균 발생당 지연 시간 관찰자 일치도 = 90%

해설

관찰자	반응 지연 시간(분)			총지연 시간 관찰자 일치도
	11/1	11/2	11/3	
아버지	6	10	9	25
어머니	6	8	10	24
	6/6	8/10	9/10	24/25
%	100	80	90	96
평균 발생당 지연 시간 관찰자 일치도	(100 + 80 + 90)/3 = 90%			

Check Point

(1) 측정의 신뢰도를 훼손하는 요인

① 잘못 고안된 측정 체계

② 불충분한 관찰자 훈련

  ㉠ 관찰자 선정

  ㉡ 관찰자 훈련

  ㉢ 관찰자 표류

③ 의도하지 않은 관찰자 영향

  ㉠ 관찰자 기대

  ㉡ 관찰자 반응성

(2) 관찰자 표류

① 관찰자 표류란 자료 수집에서의 의도되지 않은 변화를 의미한다.

② 관찰자 표류는 대부분 훈련에서 사용된 목표행동의 정의에 대한 관찰자의 해석이 변화되어 발생한다. 또한 관찰자가 기존의 목표행동의 정의를 확대하거나 축소할 때 발생한다.

③ 연구 동안 관찰자 표류는 관찰자 재훈련 혹은 부스터 회기에 의해 최소화될 수 있다(Cooper et al., 2017 : 138).

④ 연구가 비교적 장기간 지속될 경우 관찰자 자신도 모르게 측정방법의 적용에 변화가 발생할 수 있다. 의도하지 않은 이러한 관찰방법의 변용을 관찰자 표류라고 하는데, 이는 측정 오차에 영향을 미치는 요인이 된다(홍준표, 2009 : 575).

(3) 관찰자 반응성

① 다른 사람이 자신의 자료를 평가할 것이라는 것을 관찰자가 인식할 때 발생하는 측정 오류를 관찰자 반응성이라고 부른다. 참가자가 자신의 행동이 관찰되고 있다는 것을 알 때 발생하는 반응성과 마찬가지로, 관찰자의 행동(즉, 기록하고 보고하는 자료)은 다른 사람이 자료를 평가할 것이라는 것을 알 때 영향을 받는다.

② 예상하지 못한 시기에 가능한 한 방해하지 않고 관찰자를 감독하는 것은 관찰자 반응성을 감소시키는 데 도움을 준다.

(4) 총 지속시간 관찰자 일치도

(짧은 지속시간 / 긴 지속시간) × 100 = 총 지속시간 IOA(%)

(5) 평균 발생당 지속시간 관찰자 일치도

{(행동 1 지속시간 IOA + 행동 2 지속시간 IOA+ ⋯ +행동 n 지속시간 IOA) / 지속시간 IOA의 행동 수) × 100 = 평균 발생당 지속시간 IOA(%)

134

2021 중등B-9

모범답안

• ⓒ 분산 시행(또는 분산시도, 분산연습, 분산시도 교수)

해설

ⓒ 분산 시행이란 습득된 표적행동을 하루 일과 속에 분산시켜 여러 차례 연습시키는 것이다. 한꺼번에 몰아서 연습하는 것보다, 서로 다른 시간에 나누어 연습하게 되면 초기 학습 후 유지될 가능성이 높아진다.

• 분산 시행은 Alberto 등이 제시한 '느슨하게 훈련하기' 개념과 비슷하다. 느슨하게 훈련하기란 지나친 구조화를 피하고 좀 더 느슨하게 훈련하는 것을 의미한다. 훈련 상황을 지나치게 구조화하면 구조화된 상황에 의존하게 되므로 오히려 일반화에 방해가 된다는 것이다. 반면에 느슨하게 훈련하면, 즉 덜 구조화된 곳에서, 최소한의 중재를 적용하여, 자연스러운 상황에서 가르치면 일반화에 더 효과적이라는 것이다. 분산시도나 느슨하게 훈련하기처럼 덜 구조화된 활동으로 가르치는 전략으로 알려진 것에는 우발교수, 자연적 교수, 비집중 교수, 최소 중재 등이 있다(양명희, 2018: 459-460).

Check Point

시행 방식

교수가 발생할 수 있는 기본적인 시행 방식은 집중 시행 방식, 간격 시행 방식(spaced trial format), 분산 시행 방식의 세 가지가 있다.

집중 시행 방식	• 집중 시행은 하나의 교수 시행이 다른 교수 시행 후에 그 시행들 사이에 어떠한 활동도 없이 연달아 발생할 때 일어난다. • 집중 시행은 목표 반응을 연습할 많은 기회를 제공하기 때문에 학습자들이 새로운 행동을 처음으로 배울 때 유익할 수 있다.
간격 시행 방식	• 간격 시행은 학습자가 반응할 기회를 갖고, 그리고 나서 동일한 기술에 대해 또 다른 시행을 받기 전에 반응에 대해 생각할 얼마간의 시간을 갖거나 다른 학습자들이 반응하는 것을 들을 기회를 얻게 될 때 발생한다. • 학습자는 시행과 시행 사이에 어떠한 활동에도 참여하지 않는다. • 간격 시행은 학습자들을 번갈아 가르침으로써 이들로 하여금 실생활을 준비할 수 있게 해준다. • 학습자들에게 차례와 차례 사이의 관찰을 통해 서로에게 기술을 습득할 기회도 제공할 수 있다.
분산 시행 방식	• 분산 시행은 하루 종일 자연스러운 시기에 활동들 전반에 걸쳐 발생한다. • 학습자는 교수 시행에 참여할 수도 있고, 그리고 나서 다른 교수 시행에 참여할 기회를 갖기 전에 다른 활동에 참가한다. • 분산 시행은 학생들이 자연스러운 상황 전반에 걸쳐 다양한 사람들이나 자료들에 대해 행동을 수행하는 것을 배우게 되는 일반화를 촉진할 수 있다는 이점이 있다. • 학습자가 교수를 위해 분산 시행을 활용할 때에는 어떤 기술을 완전히 습득하거나 어떤 행동을 습득하는 것은 더 오래 걸릴 수 있다.

출처 ▶ Collins(2019), 내용 요약정리

135

모범답안

2)	① 연속 강화계획 ② 습득한 기술을 시간이 지난 뒤에도 수행할 수 있도록 하기 위해서이다(또는 행동을 습득한 후, 그 행동을 유지하게 하는 데 효과적이기 때문이다).

해설

2) ① 수미가 정반응을 할 때마다 동물 스티커를 주세요. : 학생이 표적행동을 할 때마다 즉각 강화제를 제시하는 연속 강화계획을 의미한다.
　② ⓒ은 간헐 강화계획으로의 변경을 의미한다.

지문 돋보기

- 정반응이 세 번 나올 때: 고정비율 강화계획
- 평균 세 번 정반응이 나타날 때: 변동비율 강화계획

136

모범답안

1)	① 행동 간 중다기초선설계 ② 다음 중 택 1 　• 중재를 제거하기 위한 것이다. 　• 종속변인상의 변화가 독립변인이 제거된 후에도 비교적 영구적으로 지속된다는 것을 증명하는 것이다. ③ 도움 요청하기가 (인사하기, 장난감 요청하기에 대해) 기능적으로 독립적이지 않기 때문이다.
2)	① 경호에게 "스위치를 누르세요."라고 말하면 누를 수 있도록 한다. ② 친구들이 경호와 같이 놀아주는 것

해설

1) ① 다음과 같은 특성을 갖는 중다기초선설계이다.

지문 돋보기

대상	윤희
목표 행동	• 인사하기 • 장난감 요청하기 • 도움 요청하기

② 유지 구간은 중재가 성공적으로 적용되어 원하는 성과를 보였을 때 중재가 더 이상 제공되지 않아도 종속변인상의 변화가 유지되는지를 측정하는 것이다. 일반적으로 유지 구간을 두는 이유는 중재를 제거하기 위해서이며, 특히 중재가 누군가의 개입적인 노력을 필요로 할 때 그러한 노력이 더 이상 주어지지 않아도 그 효과가 유지된다는 것을 보여주기 위한 것이다. 다시 말해서, 종속변인상의 변화가 독립변인이 제거된 후에도 비교적 영구적으로 지속된다는 것을 증명하기 위해서 포함시키게 된다(이소현, 2016: 25).

③ 중다기초선설계를 사용하려면 두 가지 기본 가정이 성립되어야 하는데, 첫 번째 가정은 각각의 종속변수는 '기능적으로 독립적'이어서 중재가 적용될 때까지 종속변수(표적행동)가 안정된 상태로 남아 있어야 한다. 두 번째 가정은 각각의 종속변수는 '기능적으로 유사'해서 동일한 중재에 반응해야 한다는 것이다(양명희, 2018: 259). ⓒ은 첫 번째 가정을 충족시키지 못하기 때문에 발생한 것이다.

2) ② 인간의 생후 습득된 모든 행동은 그 행동의 선행 자극인 변별자극과 후속결과에 의해 형성되고 유지된다. 이와 같이 한 행동과 그리고 그 행동 전후의 환경적 요인(변별자극과 후속결과)은 기능적 관계를 갖게 되고, 이를 '선행자극-행동-후속결과 간의 3요인 유관'이라 한다(이성봉 외, 2019: 239).

137

모범답안

2)	① 자기기록(또는 자기점검) ② 성인이 지시 없이도 스스로(또는 독립적으로) 이 닦기를 할 수 있도록 하는 것이다.

해설

2) ① 자기점검은 전형적으로 학생이 자신의 행동을 관찰하도록 배우고 목표행동이 발생했는지를 주목하게 하는 자기기록 과정이다(Webber et al., 2013: 189).
　② 자기통제 기술을 지도하면 실생활에서의 독립 기능이 촉진될 수 있으므로 일반화에 도움이 된다(2013 중등1-2 기출).

138

모범답안

3) ① 신체활동에 참여하면 점토를 가지고 놀 수 있게 한다.
② 목표행동

해설

3) ① 프리맥 원리란 발생 가능성이 높은 활동을 발생 가능성이 낮은 활동 뒤에 오게 하여 발생 가능성이 낮은 행동의 발생률을 증가시키는 것이다. 대화 내용에서 발생 가능성이 낮은 활동은 김 교사가 계획하고 있는 신체활동이며 발생 가능성이 높은 활동은 연우가 좋아하는 점토를 가지고 노는 것이다.
② 토큰제도의 구성 요소는 목표행동, 토큰, 교환 강화제이다. 대화 내용 중 "토큰을 모았을 때 무엇으로 교환하고 싶은지"는 교환 강화제에 대한 내용에 해당한다.

139

모범답안

2) 공간 촉진

140

모범답안

3) 과제분석

해설

3) [B]는 '아래와 같이 도장 찍기 기술을 세분화하고'의 내용에 해당하는 것으로 도장 찍기 기술을 과제분석한 내용을 구체적으로 보여주고 있다. 과제분석이란 과제를 완수하기 위해 아동의 수준에 맞게 과제 행동을 단계별로 작게 나누어 지도하기 위한 과정이다.

• 이와 같은 과제분석 결과에 기초하여 각 단위행동들을 처음 단계부터 순차적으로 지도하였다는 내용이 있다면 전진형 행동연쇄, 지도 꺼내기에서부터 지도 넣기까지의 모든 단계를 순서대로 수행하였다면 전체과제 제시법이 된다. 그러나 제시문에서는 단순히 세분화하였음만 제시되어 있다.

• 예를 들어 다음에 제시된 2020 중등B-6 기출을 살펴보면 과제분석과 행동연쇄의 관계를 명확히 파악할 수 있다.

학습 주제	마트에서 물건 구입하기
지역사회 모의수업	• 과제분석하기
	필요한 물건 말하기 → 구입할 물건 정하기 → 메모하기 ··· (중략) ··· → 거스름 돈 확인하기 → 영수증과 구매 물건 비교하기 → 장바구니에 물건 담기
	• 과제분석에 따라 전진형 행동연쇄법으로 지도하기 • 교실에서 모의수업하기

141   2022 유아B-7

모범답안

2)	① 상호종속적 집단강화 ② 동그라미 모둠의 모든 친구들이 자신이 놀던 자리를 정리하면 터널놀이를 할 수 있다.

Check Point

✎ 집단강화의 종류

독립적 집단강화	집단 전체에게 동일한 목표행동을 설정하고, 그 목표행동을 수행하는 사람에게만 강화가 주어지는 것
종속적 집단강화	집단 내 한 학생 또는 일부 학생이 목표행동을 수행하면 집단 전체가 강화받도록 하는 것
상호종속적 집단강화	집단의 구성원 전체가 기준을 달성해야만 보상을 받는 것

142   2022 초등A-2

모범답안

2)	A는 미리 설정해 놓은 행동 목록 내에서 행동발생의 유무만 파악할 수 있지만 B는 행동발생 당시의 상황도 구체적으로 알 수 있다.

해설

2) [A]는 간접평가의 종류 중 검목표를 이용한 것이고 [B]는 직접 관찰 평가에 해당하는 일화기록을 적용한 것이다.

143   2022 초등A-5

모범답안

3)	① 물건(또는 스티커) 획득 ② 기술 습득을 위한 초기 단계에서는 결과에 대해 매번 즉각적, 일관적으로 반응해 주는 것이 효과적이기 때문이다(또는 변동간격강화를 사용하면 결과에 대해 매번 즉각적, 일관적으로 반응해 줄 수 없으므로 기술 습득에 효과적이지 않기 때문이다).

해설

3) ① 대체행동은 문제행동과 기능이 동일해야 한다(양명희, 2018 : 417). 따라서 ABC 분석에 근거한 성규의 문제행동 기능은 물건(또는 스티커) 획득이기 때문에 대체행동의 기능 역시 물건(또는 스티커) 획득이어야 한다.

- 기능분석 그래프에서 스티커가 제공되었을 때 소리 지르기 행동 발생률이 감소하고 스티커를 제공하지 않았을 때 소리 지르기 행동 발생률이 증가하는 현상이 반복적으로 나타나는 것을 통해 문제행동의 기능이 물건(또는 스티커) 획득임을 알 수 있다.
② 변동간격강화를 반응 효율성 측면에서 살펴보면 변동간격강화는 표적행동이 정해진 평균 시간 간격이 경과한 후, 처음 표적행동이 발생할 때 강화를 주는 강화계획이므로 바람직한 행동에 대해 즉각적으로 그리고 바람직한 행동을 했을 때마다 일관되게 적극적으로 강화를 제공하는 것이 어렵다. 따라서 대체행동 습득을 위한 교수 초기에는 부적절하다.
- 반응 효율성이란 새로운 행동은 문제행동보다 빠르고 쉽게 원하는 결과를 얻어야 한다는 개념으로 교체기술 선택 기준에 해당하는 노력, 결과의 질, 결과의 즉각성, 결과의 일관성, 처벌 개연성을 포함한다.

144   2022 초등B-3

모범답안

2)	ABAB 규칙에 맞춰 세 문항을 바르게 풀 때마다 스티커를 준다.
3)	자극 일반화

해설

2) 고정비율 강화계획은 표적행동이 발생한 횟수에 근거하여 강화를 제시할 비율을 정하고, 정해진 수만큼 표적행동을 보일 때마다 강화를 제시하는 것이다(양명희, 2018 : 347).

3) '수업 시간에 사용한 상황과 자료' 그리고 '다른 상황과 자료'를 종합적으로 포괄할 수 있어야 하기 때문에 일반화의 유형으로 '자극 일반화'를 제시하는 것이 적절하다.

지문 돋보기

- 수업 시간에 사용한 상황과 자료 : 장소/상황에 대한 일반화, 자료/사물에 대한 일반화
- 다른 상황과 자료에서 : 장소/상황에 대한 일반화, 자료/사물에 대한 일반화

Check Point

✏ 간헐 강화계획의 유형

강화계획		강화시기	장점	단점
간헐	비율	고정비율	표적행동이 정해진 수 만큼 발생할 때	표적행동 비율을 높일 수 있음	부적절한 유창성 문제나 강화 후 휴지 기간 현상이 나타남
		변동비율	표적행동이 정해진 평균 수 만큼 발생할 때	부정확한 반응이나 강화 후 휴지 기간을 방지할 수 있음	많은 아동에게 동시에 적용하기 어려움
	간격	고정간격	표적행동이 정해진 시간 간격이 경과한 후, 처음 표적행동이 발생할 때	여러 아동에게 1인 교사가 실행 가능함	• 표적행동 발생비율을 낮추게 됨 • 고정간격 스캘럽 현상이 나타남
		변동간격	표적행동이 정해진 평균 시간 간격이 경과한 후, 처음 표적행동이 발생할 때	낮아지는 행동 발생률이나 고정 간격 스캘럽 문제를 방지할 수 있음	간격의 길이가 다양도록 관리하는 어려움이 있음
	지속시간	고정지속시간	표적행동을 일정 시간 동안 지속하고 있을 때	비교적 실행이 쉬움	요구하는 지속시간이 길어지면 강화 후 휴지 기간도 길어질 수 있음
		변동지속시간	표적행동을 지정된 평균 시간만큼 지속하고 있을 때	강화 후 휴지 기간 예방 가능함	지속시간을 다양하게 관리하는 어려움이 있음

145

(모범답안)

㉠	후진 행동연쇄법
㉡	시각적 촉진

(해설)

㉠ 과제분석의 마지막 구성 요소인 5단계를 첫 번째로 가르치고 있으므로 행동연쇄법의 종류 중 후진 행동연쇄법에 해당한다.

146

(모범답안)

• 독립적 집단유관은 집단 전체에 동일한 성취기준이 제시되지만, 종속적 집단유관은 집단 내 한 학생 또는 일부 학생이 도달해야 될 성취기준이 제시된다.

Check Point

✏ 집단강화의 유형

유형	내용
독립적 집단강화	집단 전체에게 동일한 목표행동을 설정하고, 그 목표행동을 수행하는 사람에게만 강화가 주어지는 것
종속적 집단강화	집단 내 한 학생 또는 일부 학생이 목표행동을 수행하면 집단 전체가 강화 받도록 하는 것
상호 종속적 집단강화	집단의 구성원 전체가 기준을 달성해야만 보상을 받는 것

147

(모범답안)

• 파괴적 행동
• ㉡ 표적행동을 관찰 가능하고 측정 가능한 구체적인 형태로 명확히 정의하는 것이다.
 ㉢ 스스로 자신의 머리를 관찰자가(또는 주위의 또래들이) 들을 수 있을 만큼의 소리가 날 정도로 책상에 부딪치는 행동
• ㉣ 선행사건

(해설)

㉢ 행동의 양상을 이용하여 '책상에 머리를 부딪치는 행동'을 관찰 가능하고 측정 가능한 표현으로 제시한다.

㉣ 선행사건 중재란 문제행동의 발생 원인이 될 수 있는 선행사건들을 수정하거나 제거하여 더 이상 문제행동을 일으키는 요인으로 작용하지 않도록 하는 것을 말한다.
 • 배경사건(또는 상황사건)이란 선행사건이나 즉각적인 환경적 사건이 문제행동의 촉발요인으로 작용할 가능성에 영향을 미치는 사건을 의미한다. 배경사건은 선행사건의 다양한 요소들 중에서 신체적·내재적 요인에 의해서 행동이 야기될 경우에 한정적으로 사용되는 용어이다(이성봉 외, 2019: 152).

Check Point

(1) 표적행동의 선정 순위

1순위	파괴적 행동	자신이나 다른 사람에게 해가 되거나 위협이 되는 행동 **예** 자신이나 타인의 신체에 상처를 내는 행동
2순위	방해하는 행동	• 직접적으로 또는 즉각적으로 자신이나 다른 사람을 해롭게 하는 것은 아니지만 지속된다면 학습에 부정적 영향을 미치거나 다른 사람과 긍정적 상호작용을 하는 데 방해가 될 뿐만 아니라 파괴 행동으로 발전할 가능성이 있는 행동 • 방해가 되는 방법으로 물건을 망가뜨리는 것 포함 **예** 옷이나 책을 찢는 행동, 함께 사용할 물건을 나누어 쓰지 않는 것과 같이 규칙을 어기는 행동
3순위	가벼운 방해행동	• 학습이나 사회적 상호작용에 직접 방해가 되지는 않지만 다른 사람으로부터 사회적 수용을 어렵게 하거나 자신의 이미지에 부정적 영향을 주기 때문에 계속된다면 방해 행동으로 발전할 수 있는 행동 • 기물을 파괴하지는 않지만 물건에 손상을 입히는 행동 포함 **예** 이상한 옷차림을 하는 것, 자폐 아동들이 흥분을 하면 보이는 손동작이나 몸동작 등의 상동행동

(2) 긍정적 행동지원의 요소

배경/선행사건 중재	대체기술 교수	문제행동에 대한 반응	장기지원
• 문제를 유발하는 배경 및 선행사건을 수정 또는 제거 • 바람직한 행동을 유발할 수 있는 긍정적인 배경 및 선행사건 적용	• 문제행동과 동일한 기능을 수행하는 교체기술 지도 • 어려운 상황에 대처할 수 있는 기술 및 인내심 지도 • 전반적인 능력 신장을 위한 일반적인 기술 지도	• 문제행동으로 인한 성과 감소 • 교육적 피드백 제공 또는 논리적인 후속결과 제시 • 위기관리 계획 개발	• 삶의 양식을 변화 • 지속적인 지원을 위한 전략 수행

모범답안

• ㉠ 기준변경설계
• 기능적 관계를 증명하기 위해 반전설계는 중재를 제거해야 하지만 기준변경설계는 중재를 제거하지 않아도 된다(또는 기능적 관계를 증명하기 위해 반전설계는 중재를 제거해야 하지만 기준변경설계는 반전설계에서 요구하는 반치료적 행동 변화를 요구하지 않는다).
• 지속시간기록법
㉡ 10%

해설

지문 돋보기

> 경력 교사: 네, 맞아요. 성취수행 수준의 단계적 변화에 맞게 일관성 있게 표적행동이 변화한다면, 행동의 변화는 중재 때문이라고 볼 수 있겠지요. : 기준변경설계는 최소한 연속적으로 3개 구간에서 준거가 충족될 때 기능적 관계가 입증된 것으로 봄
> 초임 교사: 착석 행동을 보이기는 하지만, 자세의 정확도가 떨어지고 지속시간이 짧은 학생 E에게는 유용하겠네요. : 기준변경설계는 행동의 정확성, 빈도, 길이, 지연시간 또는 강도나 수준에서 단계별로 증가시키거나 감소시키는 것이 목표인 경우 유용

㉠ 기준변경설계는 중재를 적용하면서 행동의 기준을 계속 변화시켜 나가며 행동이 주어진 기준에 도달하는지 알아보고자 하는 설계이다.
• 윤리적 측면에서 ㉠의 장점: 일반적으로 반전설계는 ABAB 설계를 나타낸다. ABAB 설계의 가장 큰 제한점은 실험절차상의 약점보다는 윤리적인 문제와 관련된다. 즉 현장에서 장애아동과 일하는 모든 사람들은 지속적인 행동변화를 가져오기 위해서 교육 프로그램을 실시하게 되는데, 짧은 시간 동안이라도 효율적인 중재를 제거한다는 것은 윤리적인 문제를 야기할 수 있다.

㉡ 지속시간 백분율은 다음과 같은 과정에 따라 산출된다.

전체 관찰 시간	행동 발생		
	횟수	지속시간	지속시간 백분율
09:30 ~ 10:00 (30분)	1	50초	(전체 지속시간 / 전체 관찰시간) × 100 = (3분/30분) × 100 = 10%
	2	40초	
	3	45초	
	4	45초	
전체 지속시간		50 + 40 + 45 + 45 = 180초	

149 | 2023 유아A-2

모범답안

1)	서우는 교사가 다른 유아와 상호작용을 하고 있을 때 교사의 관심을 끌기 위하여 소리 내어 운다.
2)	① ABAB 설계(또는 반전설계) ② 교사의 관심
3)	① 문제행동에 대한 반응(또는 후속결과 중재, 반응 중재) ② 선생님을 부르고 싶을 때는 손을 들게 한다.

해설

1) 가설 설정의 구성 요소(학생의 이름, 배경/선행사건, 추정되는 문제행동의 기능, 문제행동)가 모두 포함되는 문장을 완성하도록 한다.

학생의 이름	서우는
배경/선행사건	교사가 다른 유아와 상호작용을 하고 있을 때
추정되는 문제행동의 기능	교사의 관심을 끌기 위하여
문제행동	소리 내어 운다.

2) ② ABC 관찰 및 문제행동 동기평가척도 결과 서우의 문제행동 이유는 교사의 관심을 끌기 위한 것임을 잠정적으로 확인할 수 있었다. 따라서 ABAB 설계를 통해 가설을 검증할 필요가 있었으며, 이때 중재는 서우의 문제행동을 유발하는 교사의 관심이 된다. 조건 1은 기초선 구간이 되며, 조건 2는 교사의 관심을 제공하는 중재 구간이 되는 것이다.

3) ① '행동지원계획 수립 시'란 긍정적 행동지원계획을 수립할 때 포함되어야 할 요소임을 언급하는 단서로 작용한다. 그리고 중재 과정 중 문제행동이 발생한 경우 문제행동에 대한 행동지원 방법의 예에는 간헐강화가 되지 않도록 소거 전략을 사용하거나 차별강화 등을 적용하는 것이 적절하다. 이뿐만 아니라 부적 체벌(타임아웃 등)이나 정적 체벌(꾸짖음 등) 등도 적용할 수 있다. 이상의 구체적인 방법은 모두 문제 행동에 대한 반응이라고 할 수 있다.
   • 문제행동에 대한 반응(또는 반응 중재)이란 문제행동에 대한 다른 사람들의 반응을 효과적이고 교육적인 방향으로 전환시키기 위한 전략을 말한다(Bambara et al., 2017 : 99). 즉, 문제행동에 대한 반응은 주로 대상학생의 문제행동을 유지 및 지속시킨 후속 결과로 작용한 타인의 반응을 조절하여 문제행동을 감소시키는 것이다.
   • 후속결과 중재라고도 하는 문제행동에 대한 반응은 주로 대상학생의 문제행동을 유지 및 지속시킨 후속결과로 작용한 타인(예 교사, 부모, 또래 등)의 반응을 조절하여 문제행동을 감소시키는 것이다(이성봉 외, 2022 : 264).
   ② 교체기술이란 문제행동의 기능과 동일한 기능을 지닌 대안적 행동임에 유의하여 교사의 관심을 끌 수 있는 행동을 제시한다.

Check Point

(1) 문제행동에 대한 반응 전략

전략	어떻게 작용하는가	예	주의사항
교수적 접근	대체기술을 가르친다.	• 촉진 • 토론 • 복원 • 문제해결 • 또래의 칭찬	• 문제행동에 관심 기울이기 • 대체기술은 아동의 행동 복록 내에 있는 것이어야 함
소거	부적절한 행동을 더 이상 강화하지 않는다.	계획된 무시	• 행동의 빈도 증가 • 행동의 강도 증가
차별강화	적절한 행동에 대한 강화를 제공한다.	일정에 따른 관심 제공	아동이 원할 때 강화가 제공되지 못할 수도 있음
부적 처벌	선호하는 활동이나 물건을 없앤다.	• 시간 차감 • 타임아웃 • 특권 또는 선호하는 활동 제거하기	행동의 강도 상승
정적 처벌	싫어하는 것을 제공한다.	• 피드백 • 꾸짖음 • 집으로 전화하기	• 역공격 • 행동의 강도 상승

출처 ▶ Bambara et al.(2017)

(2) 문제행동에 대한 반응의 주요 목표
① 문제행동과 관련된 긍정적인 결과를 감소시킨다.
② 문제행동의 증가를 예방한다.
③ 자연스럽고 합리적인 후속결과를 제공한다.
④ 대안적인 적절한 행동을 가르친다.

출처 ▶ Bambara et al.(2017 : 376)

150 | 2023 유아A-4

모범답안

1) ① 집중시행보다 학습한 것을 유지하는 데 효과적이다.
② 교환 강화제

해설

지문 돋보기

(가)
• 지수가 그림책을 읽을 때: 목표행동
• 공룡 스티커: 토큰
• 공룡 딱지: 교환 강화제

1) ① 학생이 분산 시행으로 반응을 학습하는 데 오래 걸릴지라도, 시행이 장면과 사람에 있어 분산되었다면, 학생이 학습한 반응은 시간이 지나도 유지되는 것이 장점이다. 분산 시행은 집중 시행보다 정보를 유지하는 데 효과가 있다(Heflin et al., 2014 : 234).
② 토큰제도의 구성 요소는 목표행동, 토큰, 교환 강화제이다. 교환 강화제란 토큰을 일정량 모았을 때 교환할 수 있는 강화제를 의미한다. 제시된 내용의 경우 공룡 스티커 5장을 모았을 때 교환할 수 있는 강화제는 공룡 딱지이다.

Check Point

📝 집중 시행과 분산 시행의 비교

집중 시 행	개념	교사는 같은 반응을 끌어내기 위해서 여러 번 같은 변별자극을 연속해서 사용한다.
	장점	기술을 빨리 가르치는 데 효과적이다.
	단점	• 정보를 빨리 잃어버리는 경향이 있다. • 연속해서 같은 반응을 여러 번 하라고 요구했을 때, 학생이 성질을 부릴 수 있다.
분 산 시 행	개념	행동 반응의 파지를 증진시키고 저항을 피하기 위하여, 시행을 집중하는 대신에 날짜를 건너뛰어서 혹은 시행을 훈련 회기 동안 분산시켜 하는 것이다.
	장점	집중 시행보다 정보를 유지시키는 데 효과가 있다.
	단점	반응을 학습하는 데 시간이 오래 걸린다.

출처 ▶ Heflin et al.(2014)

151 | 2023 유아A-7

모범답안

3) ① ©, 부적 강화는 행동 결과로 싫어하는 자극을 피하게 되어 행동이 증가하는 것을 말해요.
② @, 강화제를 제공할 때 유아가 박탈(또는 결핍) 상태이면 효과를 높일 수 있어요(또는 강화제를 제공할 때 유아가 포만 상태이면 효과를 높일 수 없어요).

해설

3) @ 개별 대상자에게 매우 가치 있고 유인력이 큰 강화제라 하더라도 대상자가 싫증을 느끼는 물림의 현상이 나타날 수 있는데 이를 '포만'이라고 한다.

Check Point

(1) 강화의 종류

구분	정적 강화	부적 강화
차이점	유쾌자극 제시(+)	혐오자극 제거(-)
공통점	미래의 행동 발생 가능성 증가	

(2) 강화제의 효과적인 사용을 위한 조건

강화의 즉각성	• 강화제는 행동/반응이 발생했을 때 즉각적으로 제시되어야 한다. • 강화를 지연하는 시간이 증가할수록 강화의 직접적인 효과는 급격히 떨어진다. • 행동을 습득하는 시기에는 행동 뒤에 즉시 강화제를 제공해야 한다.
강화의 유관성	• 강화제는 강화되는 그 행동 직전에 발생한 유관자극과 관련하여 주어져야 한다. • 강화제는 표적행동 발생과 관련 있는 선행자극 조건과 연관하여 주어져야 한다.
동기화	• 강화제가 효과가 있으려면 학생을 동기화시키는 힘이 있어야 한다. • 학생이 강화제에 대해 어느 정도 박탈 상태이어야 한다. • 학생은 강화제를 강화체계 내에서만 제한된 시간에 제한된 양밖에 얻을 수 없게 하는 것이 좋다.

152

모범답안

3)	행동형성법

해설

3) (다)의 내용에 내재되어 있는 행동형성법의 요소를 구체적으로 살펴보면 다음과 같다.

지문 돋보기

내용	요소
"주세요"라고 말하기	표적행동
교사가 들려주는 "주세요" 소리의 입 모양을 동호가 모방하면 강화하고, 양손을 내미는 행동만 할 때는 강화하지 않았더니	차별강화
점차 "주세요"를 '주'라는 한 음절로 표현하기 시작했어요. 차별강화를 통해 동호가 점차 "주세요"를 2음절을 거쳐	표적행동에 가까운 행동/차별강화
한 단어로 표현하게	표적행동 형성

153

모범답안

3)	① 조작적 정의 ② 관찰자 간 일치도(또는 관찰자 간 신뢰도)를 높이기 위해서이다.

해설

3) ① 행동의 조작적 정의는 명칭이나 특성에 대한 표현을 피하고, 행동을 관찰 가능하고 측정이 가능한 용어로 정의하는 것이다(양명희, 2018 : 134).

② 관찰을 할 때 목표행동을 조작적으로 정의하는 것은 유아의 행동을 일관성 있게 측정하였다는 것을 나타내는 지표인 신뢰도를 높이기 위한 것이다(2013추시 유아A-7 기출). 그러나 해당 문항의 경우 '(나)와 (다)에 근거하여'라는 조건이 있음에 유의해야 한다. (나)의 경우 김 교사의 발화 내용 중 "우리 둘의 관찰 결과에 차이가 있어요."라는 내용이 있으며, (다)에서도 김 교사와 원감의 관찰 결과가 서로 다름을 확인할 수 있다. 따라서 단순히 신뢰도를 높이기 위해라는 표현보다는 '관찰자 간 일치도를 높이기 위해'라는 표현이 더 적절하다.

• 행동은 관점이나 관찰자의 성향에 따라 서로 다르게 진술될 수 있으므로 행동 변화를 관찰하는 모든 사람이 동의할 수 있는 일반적인 진술, 즉 조작적 정의가 필요하다(특수교육학 용어사전, 2018 : 146).

• 행동의 조작적 정의는 행동에 대한 객관적이고 구체적인 정보를 제공해 주어 행동을 직접 관찰하고 측정하기 쉽게 해 준다. 또한 행동의 조작적 정의는 행동에 대한 개인의 주관적 편견을 최소화해 주고 관찰된 행동과 그 상황에 대한 관심이 모아지게 하는 장점이 있다(양명희, 2018 : 135).

Check Point

✎ 조작적 정의의 중요성

① 시각적으로 관찰 가능하게 해 주는 구체적인 용어로 행동을 정의하여 연구를 위한 객관성을 갖출 수 있게 된다.
② 객관적이고 시각적으로 관찰을 가능하게 해 주는 용어로 행동분석가나 연구자가 추가적인 설명이 없어도 동일하게 측정되도록 명료성을 갖추게 해 준다.
③ 연구자와 행동분석가가 특정 행동을 측정할 때 해당되는 행동과 해당되지 않는 행동의 범위를 제공해 줌으로써 완전성을 갖출 수 있게 된다.

출처 ▶ 이성봉 외(2019 : 57)

154

모범답안

3)	① 야외 테이블 위에 붙어 있는 접시 스티커 ② 점진적 안내

해설

3) ① 접시 스티커는 케이크(물모래 반죽)를 올려놓을 야외 테이블에 다른 자극을 추가한 것으로 가외자극 촉구에 해당한다.

② 강 교사가 설명한 지도 방법에 내포되어 있는 실행 절차는 다음과 같다.

지문 돋보기

• 처음에는 예지의 손을 힘주어 잡고 양말 신기를 지도해 주세요. : 신체적 촉진
• 예지가 혼자서 양말 신기를 시작하면, 점차적으로 손에 힘을 빼면서 손으로 제공하는 물리적 도움을 줄여 주세요. 다음으로는 예지 가까운 곳에서 가벼운 접촉으로 지도해 주다가 : 점진적 개입의 감소
• 마지막에는 예지 몸에서 손을 떼고 예지 가까이에서 지켜보면서 예지가 도움이 필요하면 언제든지 도움을 제공해 주는 방법을 사용해서 : 그림자 방법의 사용

155 2023 초등B-3

모범답안

| 2) | 다음 중 택 1
• 동호의 신발장 자리에 스티커를 붙여준다.
• 동호의 신발장 자리에 동호의 사진을 붙여준다. |

해설

2) 가외자극 촉구는 변별자극 외에 다른 자극을 추가하는 것이다. 예를 들어, 어느 수가 큰지 비교하는 경우에 각 숫자 밑에 숫자에 해당하는 만큼의 사물이나 사물의 그림을 제시했다면, 가외자극 촉구를 사용한 것이다. 이때 제시된 그림은 반응에 직접 영향을 주는 도움이라기보다는 변별자극(숫자)에 대한 추가자극이라고 볼 수 있으므로 시각적 촉구라기보다는 가외자극 촉구라고 볼 수 있다(양명희, 2018 : 383).

156 2023 초등B-4

모범답안

| 3) | 보상(또는 강화) |

해설

3) • 행동계약서에 있는 표적행동의 발생에 대한 정보를 수집하면서 계약서에 명시된 기한에 계약서 내용을 검토하고 그대로 이행한다. 계약 내용의 수행은 미루지 않고 계약서의 내용대로 즉각 이루어져야 한다(양명희, 2018 : 360-361).
• 강화의 원리에서 강조된 바와 같이 중요한 것은 강화자극(보상)은 항상 과제가 수행된 다음에 즉시 제공되어야 한다는 점이다. 그러나 많은 경우 여러 가지 이유로 과제가 수행된 후 즉시 보상을 제공하기 어렵다. 가능한 한 과제가 완수된 후 빠른 시간 내에 보상을 받을 수 있도록 사전에 계획하는 것이 필요하다(홍준표, 2017 : 186).

157 2023 중등A-2

모범답안

| ㉠ | 상반행동 차별강화 |
| ㉡ | 변동간격 강화계획 |

해설

㉠ '문제행동과 동시에 발생할 수 없는'은 단서로 활용한다.
• 지문에서 '책상을 긁는 행동'과 '무릎 위에 손을 가지런히 두고 있는 행동'은 상반행동이다.
㉡ 변동간격 강화계획은 강화의 기준이 되는 시간 간격의 평균을 미리 정한 후에 해당 간격이 지난 후에 처음 발생한 표적행동에 대해 강화를 하는 방법이다. 특수교사의 대화 내용에 내포되어 있는 강화계획은 다음과 같다.

지문 돋보기

대화 내용	비고
처음에는 '무릎 위에 손을 가지런히 두고 있는 행동'을 할 때마다 강화할 수 있어요.	연속 강화계획
점차 간헐적인 강화계획	간헐 강화계획으로의 전환
이후 평균 5분의 시간이 지난 후 학생 A가 '무릎 위에 손을 가지런히 두고 있는 행동'을 처음 했을 때 교사는 이 행동을 다시 강화	변동간격 강화계획

Check Point

(1) 간헐 강화계획의 구분

구분	고정	변동
비율	표적행동이 정해진 수, 즉 고정된 횟수만큼 발생했을 때 강화	표적행동이 평균 발생 횟수만큼 나타날 때 강화
간격	정해진 시간(간격)이 지난 후 표적행동이 처음 발생했을 때 강화	시간의 평균 간격에 따라 해당 시간(간격)이 지난 후 표적행동이 처음 발생했을 때 강화

(2) 간헐 강화계획 유형별 강화 방법

고정비율 강화계획	표적행동이 정해진 수, 즉 고정된 횟수만큼 발생했을 때 강화제가 주어진다.
변동비율 강화계획	표적행동이 정해진 평균 발생 횟수만큼 나타날 때 강화가 주어진다.
고정간격 강화계획	사전에 정해진 일정 시간 간격이 지난 후에 첫 번째로 발생한 표적행동을 강화한다.
변동간격 강화계획	강화의 기준이 되는 시간 간격의 평균을 미리 정한 후에 해당 간격이 지난 후에 처음 발생한 표적행동에 대해 강화를 한다.

158   2023 중등A-5

[모범답안]

- ㉠ 전체간격기록법은 실제 행동 발생 비율을 과소추정
  하고, 부분간격기록법은 실제 행동 발생 비율을 과대
  추정한다(또는 전체간격기록법은 일반적으로 관찰기
  간 동안 행동이 실제 발생한 비율을 과소추정하고, 부
  분간격기록법은 실제 행동이 나타난 전체 관찰기간
  의 총 백분율을 과대추정한다).

- 다음 중 택 1
  - 자료가 옳다는 것 혹은 신뢰할 수 있다는 것을 확신하
    기 위해서이다.
  - 새 관찰자의 능력을 평가하기 위해서이다.
  - 관찰자 표류를 감지하기 위해서이다.
  - 목표행동의 정의가 명백하며 모호하지 않고 측정 부
    호와 체계가 너무 어렵지 않다고 확실할 수 있기 때문
    이다.
  - 자료의 가변성이 주어진 회기에서 관찰자로 인하여
    발생한 것이 아니라는 확신을 주기 때문이다.

[해설]

㉠ 응용행동분석에서 사용되는 시간표집법의 세 가지 형
태는 전체간격기록법, 부분간격기록법, 순간표집기록법
이다. 전체간격기록법을 통해 얻은 자료는 일반적으로
관찰기간 동안 행동이 실제 발생한 비율을 과소추정한
다. 그리고 부분간격기록법을 통해 얻어진 자료는 종종
실제 행동이 나타난 전체 관찰기간(전체 지속시간)의
총 백분율을 과대 추정한다(Cooper et al., 2017).

[Check Point]

(1) 시간표집법 측정치의 가변성

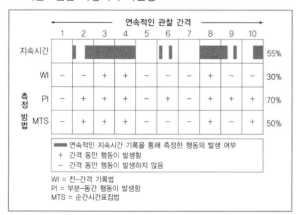

① 행동의 연속적 측정치는 관찰시간의 55%에서 행동이
발생하였다는 것을 보여 주고 있다.

② 같은 관찰기간 동안 같은 행동이 전체간격기록법으로
측정될 시 실제 행동의 발생을 매우 과소추정하며, 부분
간격기록법 측정치는 실제 발생을 매우 과대추정하고,
순간표집기록법은 실제 행동의 발생에 꽤 가까운 추정
치를 산출한다.

③ 순간표집기록법이 실제 행동에 가장 가까운 측정치를
산출한다는 사실은 이 방법이 항상 선호되는 방법이라
는 것을 의미하지는 않는다. 관찰기간 동안 행동의 분포
(시간적 위치)가 다르면 전반적인 빈도와 지속시간이
위의 그림에 나타난 회기와 같이 매우 다른 결과로 나
타날 수 있다.

출처 ▶ Cooper et al.(2017)

(2) 관찰자 일치도

① 자료가 옳다는 것 혹은 신뢰할 수 있다는 것을 확신하
기 위해서 주기적으로 제2관찰자가 동시에 그리고 독립
적으로 같은 행동을 기록하도록 하는 것이 현명하다. 이
렇게 하면 2개의 관찰이 비교될 수 있고, 관찰자 간 신
뢰도의 계수나 백분율 혹은 관찰자 간 일치도가 산출될
수 있다(Alberto et al., 2014).

② 관찰자 일치도를 구하고 보고하는 것에는 네 가지 목적
이 있다(Cooper et al., 2017).

ㄱ 새 관찰자의 능력을 평가하기 위해 일정 수준의 관
찰자 일치도를 사용할 수 있다.

ㄴ 연구 내내 체계적으로 관찰자 일치도를 측정하면 관
찰자 표류를 감지할 수 있다.

ㄷ 둘 혹은 그 이상의 관찰자가 일관되게 비슷한 자료
를 산출하면 목표행동의 정의가 명백하며 모호하지
않고 측정부호와 체계가 너무 어렵지 않다고 확신할
수 있다.

ㄹ 자료 수집에 복수의 관찰자를 사용하는 연구에서 높
은 수준의 관찰자 일치도는, 자료의 가변성이 주어
진 회기에서 관찰자로 인하여 발생한 것이 아니라는
확신을 주기 때문에, 자료의 변화는 행동의 실제 변
화를 반영한다고 볼 수 있다.

159 　　　　　　　　　　　　　　　2023 중등B-10

모범답안

- ㉢ 자극 용암법
- ㉣ 촉진 의존성

해설

㉢ 자극 용암법은 자연스럽게 목표 반응을 불러오는 선행 자극에 의한 자극통제로, 자극통제가 전이되도록 인공적이고 침윤적인 촉구가 체계적이고 점진적으로 제거되는 것을 말한다. 제거 과정에서 촉진으로 제공된 자극의 뚜렷함(예 색깔, 그림 단서 등)을 점진적으로 제거하게 된다. 용암은 한 개인이 성공적으로 목표 반응을 보이는 데 필요한 정도의 촉구(보조 선행자극)로 시작하여 곧 점진적으로 촉구가 제거됨과 동시에 본연의 선행자극(변별자극)이 부각된다(이성봉 외, 2019 : 253).

㉣ 최대-최소 촉구는 표적행동을 안정적으로 촉발하는 촉구를 사용하다가 점진적으로 덜 침윤적인 촉구로 이동하는 절차이다. 이 절차는 불필요한 촉구를 제공할 가능성이 있지만 초기 단계부터 표적행동을 좀 더 확실하게 볼 수 있다(이성봉 외, 2019 : 253).

160 　　　　　　　　　　　　　　　2024 유아A-1

모범답안

1)	최소-최대 촉구법
2)	다양한 사람들과의 상호작용을 일반화할 수 있다.
3)	비디오 자기 모델링(또는 자기 모델링)

해설

지문 돋보기

(나)
임 교사 : 동주야, 무당벌레 보여 드리자. : 언어적 촉진
임 교사 : (통을 든 동주의 팔꿈치를 살짝 밀어 주며) 보여 드리자.
　　　　 : 부분적 신체 촉진
임 교사 : (동주의 손을 겹쳐 잡아 통에 든 무당벌레를 배 교사에게 보여 주며) 보여 드리자. : 전반적 신체 촉진

2) 두 교사가 서로 역할을 바꿔 지도하면 동주에게 새로운 기술을 지도해 특정 교사 이외의 다른 사람에게도 그 기술을 사용할 수 있도록 해 준다. 즉, 대상/사람에 대한 일반화가 용이해진다.

3) 임 교사가 동영상 편집을 통해 동주가 독립적이고 성공적으로 수행하는 모습, 즉 동주가 곤충 그림책을 보면서 책장을 넘길 때마다 스스로 교사에게 "뭐예요?"라고 묻는 장면으로 구성하였다. 따라서 비디오 모델링의 방법 중 자기 모델링을 중재기법으로 사용하고자 한다는 것을 알 수 있다.

Check Point

✎ 비디오 모델링

자기관찰	화면을 통해 자신의 바람직한 행동과 바람직하지 못한 행동을 모두 보여 주는 경우를 말한다.
자기 모델링	• 화면을 통해 자신의 적절한 행동만 보여 주도록 편집된 비디오 테이프를 관찰하는 경우(비디오 자기 모델링)를 의미한다. • 비디오 자기 모델링은 성공적인 자신의 이미지를 만들어 보여 줌으로써 특정 기술을 발달시키는 방법으로 장애학생들에게 유용하고 효과적인 전략이다. 　- 자아상 향상에 효과적이다. 　- 자기 효능감 향상에 효과적이다.

161

모범답안

1)	전체 과제제시법
2)	자기평가
3)	또래나 어린 동생들의 사진이 제시되었을 때 '안녕'이라고 인사한 경우는 강화하고, 어른 사진이 제시되었을 때 '안녕'이라고 인사한 경우는 강화하지 않는다.

해설

지문 돋보기

- 전체 과제제시법의 적용이 적절한 경우에 대해 제시된 내용은 다음과 같음
  - 박 교사: 단계를 나누어서 관찰해 보니 각각의 단계는 잘 수행하지만 순서대로 수행하는 걸 계속 어려워해요.
  - 최 교사: 소윤이가 단계를 순서대로 수행하는 데만 어려움을 보이고 과제도 복잡하지 않으니
- 전체 과제제시법의 적용 절차에 대해 제시된 내용은 다음과 같음
  - 이 연쇄법은 매 회기마다 모든 단계를 수행하도록 하면서 어려움을 보이면 촉구를 제공하여 지도하는 방법
  - 모든 단계를 다 수행했을 때는 강화

1) 전체 과제제시법은 과제분석을 통한 모든 단계를 시행하도록 하면서 학생이 독립적으로 수행하지 못하는 단계에 대해서는 훈련을 실시하는 방법이다.

3) 또래나 어린 동생들의 사진을 변별자극으로, 어른 사진은 델타자극으로 활용한다. 따라서 변별자극에 대하여 기대되는 행동(또는 반응)을 보이면 강화를 제공하고 델타자극에 대해서는 동일한 행동일지라도 강화를 주지 않는 과정을 통하여 변별자극이 확립된다.

- 변별자극에 대해서는 바람직한 행동에 대해 강화를 주고 델타자극에 대해서는 동일한 행동일지라도 강화를 주지 않는 과정을 통하여 변별자극이 확립되며, 이런 변별자극의 확립과정을 변별훈련이라고 한다 (양명희, 2018: 374).

Check Point

✎ 전체 과제제시법의 적용이 적절한 경우

① 학생이 구성 요소의 일부 혹은 전체를 이미 숙련하고 있으나 순서대로 수행하지 못할 때 적절한 방법이다.

② 학습자의 장애 정도가 심하지 않고, 어느 정도의 모방 능력을 갖추고 있는 경우에 적절하다.

③ 과제가 너무 길거나 복잡하지 않은 경우 또는 하위 과제의 수가 많지 않은 비교적 단순한 경우에 적절하다.

④ 전체 과정에 걸쳐 교사의 안내가 가능한 경우에 적절하다.

162

모범답안

2)	일화기록법

Check Point

(1) 일화기록의 장단점

장점	• 학생들의 언어나 행동을 집중적으로 관찰함으로써 좀 더 명확하게 그때의 상황을 기록으로 남길 수 있다. • 사전 준비나 별도의 계획 없이도 진행될 수 있기 때문에 다른 관찰 기록방법에 비해 실시하기가 간편하다. • 아주 간결한 형태로 기록하므로 표본기록에 비해 시간을 많이 필요로 하지 않는다. • 여러 번에 걸쳐 관찰된 일화기록은 다른 관찰 기록들과 비교될 수 있으며 교사가 학생의 독특한 발달 패턴, 행동 변화, 흥미, 학생의 능력, 필요로 하는 것 등을 정확하게 이해할 수 있다.
단점	• 정확하고 객관적인 관찰 기록이 아닐 경우 오히려 학생에 대한 잘못된 인상을 심어줄 우려가 있다. • 시간이 지난 후에 기록하게 되는 경우에 관찰자의 편견이 들어가거나 그때의 상황을 잊어버리는 경우가 생길 수 있다. • 표본기록보다는 덜 하지만 일화기록은 기록하는 데 시간이 많이 소요되기 때문에 관찰자가 부담을 가질 수 있다. • 학생들의 행동 중 일부(한 가지 사건)만 기록하기 때문에 해석할 때 오류를 범할 가능성이 있다. 바람직하지 못한 행동이나 관찰자의 눈에 띄는 행동일 경우에 이와 같은 행동이 관찰대상 학생의 모든 것을 대표하는 것처럼 판단될 가능성이 있다. • 표본기록에 비해 상황 묘사가 적다.

(2) 표본기록과 일화기록의 차이

① 일화기록과는 달리 표본기록은 사전에 관찰시간과 관찰장소를 선정한다.

② 관찰자가 관찰대상의 의미 있는 행동을 선택하여 기록하는 일화기록과는 달리 표본기록은 정해진 시간 내에 발생하는 관찰대상의 모든 행동과 주변 상황을 상세하게 서술한다.

③ 사건이 발생한 후에 기록되는 일화기록과는 달리 표본기록은 사건들이 진행되는 동안 기록되므로 현재형으로 서술된다. 이때 사건의 발생 순서대로 기록하되 사건이 바뀔 때마다 시간을 기록하게 되는데, 관찰시간은 보통 10분 내외가 적당하며 30분을 초과하지 않도록 한다.

출처 ▶ 이승희(2021: 104)

163 　　　　　　　　　　　2024 유아B-2

모범답안

1)	① 작은 포클레인을 가지고 노는 활동이 자동차 타기에 대한 강화제로 작용하여 자동차 타기 활동의 발생률을 증가시킬 수 있기 때문이다. ② 자동차 타기 활동을 하는 모습의 그림(또는 사진)
2)	활동 강화제
3)	① 기준치 도달 기록법 ② 3일 연속으로 80% 이상을 독립적으로 수행하기(또는 3일 연속 80% 이상을 스스로 자동차를 선택하여 타고 놀기)

해설

1) ① 발생 가능성이 높은 활동을 발생 가능성이 낮은 활동 뒤에 오게 하여 발생 가능성이 낮은 행동의 발생률을 증가시키는 것을 프리맥 원리라고 한다.

3) ① 기준치 도달 기록법(또는 준거도달 시행 기록)은 사전에 설정된 준거에 도달할 때까지 행동의 기회를 제공하면서 행동의 발생여부를 기록하는 것이다. 기본유형 중 하나인 빈도기록을 수정한 형태라고 할 수 있는데, 빈도기록과의 차이는 행동의 기회가 통제되고 숙달준거가 설정된다는 점이다. Sugai와 Tindal은 기준치 도달 기록법을 빈도기록과 통제 제시 기록법의 특수형태라고 하였는데, 이 경우 기본유형(빈도기록)과 수정유형(통제 제시 기록법)이 결합된 하나의 결합유형으로 볼 수도 있다. 기준치 도달 기록법의 관찰결과는 숙달준거에 도달하기까지 제시된 반응기회(즉, 시행)의 횟수로 나타낸다(이승희, 2021 : 173).

Check Point

(1) 물리적 특성에 따른 강화제의 종류

강화제의 종류	설명
음식물 강화제	씹거나 빨아먹거나 마실 수 있는 것 예 과자 등
감각적 강화제	시각, 청각, 후각, 미각, 촉각에 대한 자극제 예 동영상 등
물질 강화제	학생이 좋아하는 물건들 예 장난감 등
활동 강화제	• 학생이 좋아하는 활동을 하도록 기회, 임무, 특권을 주는 것 • 학생들이 좋아하는 모든 활동은 활동 강화제가 될 수 있음 예 밖에 나가 놀기, 컴퓨터 게임하기, 외식하기, 함께 요리하기 등
사회적 강화제	여러 가지 방법으로 학생을 인정해 주는 것 예 긍정적 감정 표현, 신체적 접촉(악수하기, 손바닥 마주치기 등), 물리적 접근(학생 옆에 앉기, 함께 식사하기 등), 칭찬과 인정 등

(2) 기준치 도달 기록법의 기본 절차

① 제시될 행동의 기회를 정의한다. 행동의 기회를 반응기회 또는 시행이라고 한다.
② 관찰행동을 정의한다.
③ 숙달준거를 설정한다.
④ 반응기회(시행)를 제시할 시간을 선정한다.
⑤ 선정된 시간에 반응기회(시행)를 제시한다.
⑥ 설정된 숙달기준에 도달할 때까지 반응기회(시행)를 제시하고 관찰행동의 발생여부를 기록한다.

출처 ▶ 이승희(2021 : 173)

164 　　　　　　　　　　　2024 초등A-4

모범답안

3)	① 분산 시행(또는 분산 연습, 분산 시도) ② 습득한 기술의 일반화에 효과적이다.

해설

3) ① '낱말을 읽을 기회를 나누어 제시하는 것', '집중적으로 연습하기보다는 하루 동안 여러 번에 걸쳐'는 분산 시행에 대한 단서가 된다.
② (다)의 내용(다른 교과의 교과서 지문에 나온 동일한 낱말을 읽지 못함)을 고려할 때 장점은 일반화 측면에서 제시하는 것이 바람직하다.
　• 분산 시행은 학생들이 자연스러운 상황 전반에 걸쳐 다양한 사람들이나 자료들에 대해 행동을 수행하는 것을 배우게 되는 일반화를 촉진할 수 있다는 이점이 있다(Collins, 2019 : 8).

지문 돋보기

• 일대일 상황에서 낱말 읽기를 집중적으로 연습 : 집중 시행
• 낱말을 술술 읽었다. : 집중 시행은 습득에 효과적임
• 다른 교과의 교과서 지문에 나온 동일한 낱말을 읽지 못했다. : 일반화하지 못함
• 일과 내에서 낱말을 읽을 기회를 나누어 제시 : 분산 시행은 하루 종일 자연스러운 시기에 활동들 전반에 걸쳐 나뉘어서 시행됨

PART 01

Check Point

(1) 학습 단계

습득	• 교수목표 : 학생이 목표기술을 정확하게 수행하도록 돕는 것을 강조한다.
	• 습득을 위한 전략
	  − 빈번한 교수 제공하기
	  − 학생의 참여 기회 늘리기
	  − 정확한 수행을 위해 피드백을 집중적으로 제공하기
	  − 오류를 줄이기 위해 다양한 촉진 제공하기 등

숙달	• 교수목표 : 학생이 과제를 정확하고 빠르게 완수하도록 하는 것이다.
	• 숙달을 위한 전략
	  − 정해진 시간 내에 과제를 완성하도록 연습기회 늘리기
	  − 학생의 학습활동 시 교사의 참여 줄이기
	  − 완성된 과제에 한하여 피드백 제공하기 등

유지	• 교수목표 : 높은 수준의 수행을 유지하는 것이다.
	• 유지는 시간이 지나도 한번 습득한 행동을 지속적으로 할 수 있는 것을 뜻하기 때문에 '시간에 대한 일반화'라고 한다.
	• 유지를 위한 전략
	  − 간헐 강화계획
	  − 과잉학습
	  − 분산 시행
	  − 학습한 기술을 기초로 새 기술 교수하기 등

일반화		일반화는 자극 일반화와 반응 일반화로 구분할 수 있다.

	자극
	일반화
		• 자극 일반화란 어떤 자극이나 상황에서 어떤 행동이 강화된 결과, 그와는 다른 어떤 자극이나 상황에서도 그 행동이 일어날 가능성이 증가하는 것을 의미한다.
		• 자극 일반화를 위한 전략
		  − 자연스러운 상황에서 가르치기
		  − 훈련 상황을 일반화가 일어나야 할 상황과 비슷하게 조성하기
		  − 여러 다양한 상황을 이용하기
		  − 훈련 시 광범위한 관련 자극 통합하기 등

	반응
	일반화
		• 반응 일반화란 어떤 자극이나 상황에서 어떤 행동이 강화된 결과, 동일한 자극이나 상황에서 이와는 다른 (학습되지 않은) 행동이 일어날 가능성이 증가하는 것을 말한다.
		• 반응 일반화를 위한 전략
		  − 충분한 반응사례로 훈련하기
		  − 훈련 상황에서 의도적으로 학생이 다양한 반응을 하도록 만들어 주기 등

(2) 시행 방식

집중 시행	• 집중 시행은 하나의 교수 시행이 다른 교수 시행 후에 그 시행들 사이에 어떠한 활동도 없이 연달아 발생할 때 일어난다. • 집중 시행은 목표 반응을 연습할 많은 기회를 제공하기 때문에 학습자들이 새로운 행동을 처음으로 배울 때 유익할 수 있다.
간격 시행	• 간격 시행은 학습자가 반응할 기회를 갖고, 그러고 나서 동일한 기술에 대해 또 다른 시행을 받기 전에 반응에 대해 생각할 얼마간의 시간을 갖거나 다른 학습자들이 반응하는 것을 들을 기회를 얻게 될 때 발생한다. • 학습자들에게 차례와 차례 사이의 관찰을 통해 서로에게 기술을 습득할 기회도 제공할 수 있다.
분산 시행	• 분산 시행은 하루 종일 자연스러운 시기에 활동들 전반에 걸쳐 발생한다. • 분산 시행은 학생들이 자연스러운 상황 전반에 걸쳐 다양한 사람들이나 자료들에 대해 행동을 수행하는 것을 배우게 되는 일반화를 촉진할 수 있다는 이점이 있다.

출처 ▶ Collins(2019). 내용 요약정리

165 2024 초등B-1

모범답안

1)	① 위기관리 ② 기능분석
2)	① 행동 간 중다간헐기초선설계 ② 소거
3)	ⓐ, ⓑ는 기능적으로 유사한 행동이지만, ⓒ는 기능적으로 유사하지 않은 행동이기 때문이다.

해설

1) ① 학생의 행동은 때로 자신과 다른 사람에게 심각하게 해를 입히거나 귀한 재산에 손해를 입히거나 귀한 재산에 손해를 입힐 수 있는 위험한 상황을 초래할 수 있다. 이러한 상황에서는 여러 가지 위험이 있기 때문에 반응적 중재와는 다른 방법을 적용해야 한다. 이러한 경우에는 위기관리 계획을 세워야 한다. 이때 위기관리의 주요 목적은 사람들과 중요한 재산을 보호하는 것이라는 점을 염두에 두어야 한다. 따라서 위기관리는 행동지원 계획의 중요한 요소다. 반응적 중재와는 달리, 위기관리 계획은 문제행동의 미래 발생률의 감소를 예상하지 않는다. 이에 따라 위기관리 반응들은 바람직하지 않은 행동이 강화되는지에 대하여 관심을 기울이기보다는 학생과 다른 사람의 보호 가능성에 더욱 관심을 기울인다(Bambara et al., 2017 : 390).

② 기능분석은 기능평가에 대한 하위개념으로, 기능평가를 실행하는 한 가지 방법이다. 기능분석은 문제행동을 둘러싼 환경을 체계적으로 조작하여 행동과 환경 사이의 기능적 관계를 입증하는 방법이다. 즉, 기능평가를 통해 알게 된 문제행동의 원인을 설명하는 가설을 실험적으로 검증하는 것이다. 이를 위해서 문제행동이 발생했을 때 나타나는 후속결과를 조작할 수도 있고, 선행사건을 조작할 수도 있다. 이렇게 변수를 체계적으로 조작하여 새로 만들어진 환경에서 표적행동이 어떻게 변화하는지 관찰하는 것이 기능분석이다(양명희, 2018 : 120).

2) ② (나)의 ⓐ를 통해 소거 초기에 소거폭발 현상이 있음을 나타내고 있다.

3) ⓐ와 ⓑ는 중재에 대하여 반응을 보여 분당 반응 횟수가 감소하고 있으나 ⓒ의 경우는 동일한 중재에 대하여 오히려 분당 반응 횟수가 증가하고 있음을 알 수 있다. 이는 자리 이탈의 기능이 때리기와 침 뱉기의 기능과 서로 유사하지 않음을 의미한다.

• 중다기초선설계를 사용하려면 두 가지 기본 가정이 성립되어야 한다. 첫 번째 가정은, 각각의 종속변수는 기능적으로 독립적이어서 중재가 적용될 때까지 종속변수(표적행동)가 안정된 상태로 있어야 한다. 이는 하나의 표적행동에 중재가 적용되었을 때 중재가 적용되지 않은 다른 표적행동들이 따라서 자동적으로 영향을 받지 않아야 한다는 뜻이다. 두 번째 가정은, 각각의 종속변수는 기능적으로 유사해서 동일한 중재에 반응해야 한다는 것이다. 이는 각각의 종속변수(표적행동)가 같은 기능이어서 한 가지 중재를 적용했을 때 같은 반응을 기대할 수 있음을 뜻한다(양명희, 2018 : 259).

166 2024 초등B-5

모범답안

1)	후진 행동연쇄법

167 2024 초등B-6

모범답안

2)	실그림 기법으로 작품을 완성하면 물감을 손으로 만지는 활동을 할 수 있도록 한다.

해설

2) 프리맥 원리는 빈번히 일어나는 행동을 강화제로 사용해서 자주 일어나지 않는 행동을 증가시키는 방법이다(이성봉 외, 2019 : 41). 따라서 ⓒ 물감을 손으로 만지는 활동하기를 후속 강화제로 사용하고자 할 경우 ⓔ 실그림 기법으로 작품 완성하기를 우선적으로 하도록 지도한 후 이에 대한 강화제로 ⓒ을 제공함으로써 행동을 증가시켜야 한다.

168 {2024 중등A-12}

모범답안

- ⓒ 학생 A에 대한 중재 과정이 사회적으로 수용 가능하고 합리적인지를 점검한다.
  ⓔ 중재 결과의 의미성(또는 중재 결과의 사회적 중요성, 중재 효과의 사회적 중요성)

해설

ⓔ Wolf는 그의 고전적인 논문에서 응용행동분석 분야에 사회적 타당도 개념을 소개한 바 있다. 그는 사회적으로 중요한 성과를 올리기 위해서는 측정 가능한 행동에 대한 평가뿐 아니라 소비자의 주관적인 관점도 중요하게 생각해야 한다고 주장했다. 그는 추구하는 목표의 사회적 중요성, 사용하는 절차의 사회적 적절성, 효과의 사회적 중요성을 평가해야 한다고 했다(Brown et al., 2017 : 19).

Check Point

☑ 사회적 타당도의 평가 기준

중재 목표의 중요성	중재 목표가 사회적으로 얼마나 중요한가?
중재 절차의 적절성	중재 과정은 사회적으로 수용 가능하고 합리적인가?
중재 결과의 의미성	중재 효과는 개인의 삶을 개선할 수 있는가?

169 {2024 중등B-5}

모범답안

- ⓛ 중재 충실도
- ⓒ 장소/상황에 대한 일반화가 되지 않았기 때문에 다양한 장소/상황에서 지도한다.
  자료/사물에 대한 일반화가 되지 않았기 때문에 다양한 자료/사물을 이용하여 지도한다.
- ⓜ 다음 중 택 1
  – 자아상 향상에 효과적이다.
  – 자기 효능감 향상에 효과적이다.

해설

ⓛ 처치 진실도, 처치 충실도, 절차적 신뢰도라고도 불리는 중재 충실도는 프로그램의 절차가 정확하게 실행되는 정도이다(Brown et al., 2017 : 111).

ⓒ 동영상과 동일한 장소(교실)에서 동일한 자료(진공청소기)의 이용은 가능하지만 가정에서 집에서 사용하고 있는 진공청소기를 이용해서는 청소를 하지 못하는 자극 일반화의 문제를 제시하고 있다. 따라서 장소/상황에 대한 일반화, 자료/사물에 대한 일반화를 고려해야 한다.

지문 돋보기

자극의 변화를 살펴보면 다음과 같다.

구분	학교	집
대상/사람	교사	제시되지 않음
장소/상황	교실	집
자료/사물	교실에 있는 진공청소기	집에 있는 진공청소기

ⓜ 자신의 바람직한 행동과 바람직하지 않은 행동을 모두 보는 경우에는 아동이 자신의 바람직하지 않은 행동은 보지 않으려고 하는 등 중재 도중에 부정적인 정서를 표출하게 되는 단점을 보인다. 그러나 아동이 자신의 바람직한 행동만 관찰하게 되면 보다 나은 자기상을 갖게 되고 더 나은 자기 효력을 발휘하게 되어 아동 행동이 더 바람직한 방향으로 변화하기 때문에 자신의 바람직한 행동과 바람직하지 않은 행동을 모두 보는 것보다 자신의 바람직한 행동만 관찰하는 것이 더 효과적이다(양명희, 2018 : 405).

Check Point

☑ 자극 일반화

장소/상황에 대한 일반화	학생이 기술을 처음 배운 환경이나 상황이 아닌 다른 조건에서 그 기술을 수행할 수 있는 것 예 학교에서 인사하기를 배운 학생이 슈퍼마켓이나 교회에 가서도 인사를 할 수 있다.
대상/사람에 대한 일반화	학생에게 새로운 기술을 지도해 준 사람 이외의 다른 사람에게도 그 기술을 사용할 수 있게 되는 것 예 선생님께 인사하기를 배운 학생이 부모님이나 동네 어른들께도 인사를 할 수 있다.
자료/사물에 대한 일반화	학생이 처음 배울 때 사용했던 자료가 아닌 다른 자료를 가지고도 배운 기술을 수행할 수 있는 것 예 한 종류의 휴대 전화기 사용법을 배웠는데 다른 종류의 휴대 전화기를 사용할 수 있다.

170 〔　　　　〕 2024 중등B-10

〔모범답안〕

- ㉠ 빈도기록법(또는 간격 내 빈도기록법)
- ㉡ 지속시간 기록법
  지속시간을 측정하는 것이 문제행동의 특성을 이해하고 평가하는 데 더 적절한 정보를 제공하기 때문이다(또는 자리에 앉아 있는 지속시간을 측정하면 자리에 앉기 행동의 개선 여부를 더 잘 파악할 수 있기 때문이다).
- ㉢ 수업 시간에 수업 시간 내내(또는 40분 동안) 자리에 앉아 있을 수 있다.

〔해설〕

㉠ 빈도 관찰기록 방법의 기본 절차는 우선적으로 전체 관찰시간을 짧은 시간 간격으로 나누는 것이다. 그러나 시간 간격으로 나누지 않고 전체 관찰시간을 그대로 두고 관찰하는 경우도 있다(양명희, 2018: 166). ㉠의 경우는 전체 관찰시간(10:00~10:40)을 짧은 시간 간격(1, 2, 3, 4)으로 나눈 경우에 해당한다.
  - 일부 자료(예 연구논문)의 경우 전체 관찰시간을 짧은 시간 간격으로 나누어 빈도를 관찰하는 것을 간격 내 빈도기록법으로 구분하여 명명하기도 한다.
㉡ 시간적으로 비교적 오래 지속되는 행동을 측정할 때는 빈도보다 지속시간을 측정하는 것이 더 타당하다. 지속시간을 측정하는 것이 문제행동의 특성을 이해하고 평가하는 데 더 적절한 정보를 제공하기 때문이다(홍준표, 2017: 542).
  - 제시된 내용을 보면 지속적으로 자리에 앉아 있는 정도를 측정함으로써 자리 이탈 행동의 개선 정도를 파악하고자 함을 알 수 있다. 따라서 지속시간 기록법이 적절하다.
㉢ Mager의 행동목표 진술 방식에 따라 행동목표를 진술할 때는 조건, (수락)기준, 행동의 세 가지 요소를 포함한다.

조건	반복될 수 있는 상황
기준	행동목표 달성 여부를 측정할 수 있는 기준
행동	바람직한 변화가 이루어졌을 때의 행동 내용

171 〔　　　　〕 2024 중등B-11

〔모범답안〕

- 분산 시행

〔해설〕

제시된 내용 중 "정해진 점심시간 이외에도 자연스러운 환경 속에서 간식 시간 등을 이용하여 추가로 지도하는 것"은 분산 시행에 대한 단서가 된다.

172 〔　　　　〕 2025 유아A-2

〔모범답안〕

3) 원상회복 과잉교정

〔해설〕

3) 원상회복 과잉교정은 학생이 어지럽힌 환경을 원래의 상태로뿐만 아니라 그 이상으로 복구하거나 수정하는 것을 요구하는 절차다(Alberto et al., 2014: 407).

│Check Point│

☑ 원상회복 과잉교정
원상회복 과잉교정 기법은 다음과 같은 다양한 부류의 파괴적 행동을 감소시키는 데에 사용되었다(Alberto et al., 2014: 407-408).
① 사물이 어지럽혀졌거나 배치가 달라진 경우 어지럽혀진 사물뿐만 아니라 그 영역 내의 모든 사물(가구 같은)을 바로 해 놓는다.
② 누군가가 다른 사람을 괴롭혔거나 싸운 경우 괴롭혔거나 싸운 사람만이 아닌 그곳에 있었던 모든 사람에게 사과하게 한다.
③ 사람을 물거나 못 먹는 것을 씹는 것과 같은 비위생적 접촉으로 스스로 상처를 입혀서 구강 감염을 일으킨 경우 구강 소독제로 입을 완전히 씻어 내게 한다.
④ 비명 지르기 같은 소동으로 흥분한 경우 반드시 조용히 해야 하는 시간을 부과한다.

173　　　　　2025 유아B-2

모범답안

1)	간접평가
2)	① 친구뿐만 아니라 선생님을 때리는 행동 ② 파괴적 행동 - 방해하는 행동 - 가벼운 방해행동

해설

1) 동기평가척도 등과 같이 문제행동의 기능을 평가하기 위한 도구를 사용한다거나 면담의 방법을 사용하여 문제행동의 기능을 평가하는 방법은 간접평가에 해당한다.
2) ① 친구뿐만 아니라 선생님을 때리는 행동은 다른 사람에게 해가 되거나 위협이 되는 행동이기 때문에 가장 먼저 중재해야 한다.

174　　　　　2025 유아B-3

모범답안

3)	① 문제행동이 자주 발생하는 시간과 자주 발생하지 않는 시간대를 파악하는 것이다(또는 보다 자세한 진단을 실시해야 할 시간대를 파악하는 것이다). ② 행동분포 관찰은 문제행동과 관련한 객관적인 정보를 제공하지 않으므로 중재를 위해서는 다른 방식의 직접 관찰을 해야 할 필요가 있기 때문이다.

해설

3) ② 행동분포 관찰은 체크리스트와 마찬가지로 문제행동이 발생할 때 주변에 있었던 사람, 특정 활동, 구체적 교수 형태나 후속결과 등에 대한 자세한 정보를 제공하지는 않는다. 하지만 작성이 쉬울 뿐만 아니라 더 자세한 진단을 실시해야 할 시간대를 결정하는 시발점이 된다(Bambara et al., 2017 : 212).

175　　　　　2025 유아B-4

모범답안

3)	① 고확률 요구 연속 ② 대호야, 채로 실로폰을 쳐보자.

해설

지문 돋보기

- 제가 여러 번 채를 손에 쥐어 줬는데도 손가락으로만 치는 바람에 : 저확률 요구에 대한 불순응
- 대호가 평소에 쉽게 잘 따르는 몇 가지 행동 : 고확률 요구
- 대호가 하지 않으려 하던 행동 : 저확률 요구
- 하이파이브 하기, 곰 인형이랑 코 비비기, 윙크하기 : 고확률 요구

3) ① <중재 전략을 적용한 수업 장면>에는 고확률 요구들을 먼저 제시한 후에 즉시 계획된 저확률 요구를 제시하는 연속적인 과정이 기술되어 있다.
② 민 교사가 언급한 고확률 요구(하이파이브 하기, 곰 인형이랑 코 비비기, 윙크하기)가 모두 연속적으로 제시되었으므로 고확률 요구 연속의 실행 절차에 따라 ⓒ에는 저확률 요구를 제시할 순서이다.

176　　　　　2025 유아B-6

모범답안

1)	모델링 촉구(또는 시범 촉구)

177　　　　　2025 초등A-3

모범답안

3)	다음 중 택 1 • 사과, 수박, 딸기 단어 카드들 중 사과 단어 카드만 다른 크기로 만들기 • 사과, 수박, 딸기 단어 카드들 중 사과 단어 카드만 다른 색으로 만들기 • 사과, 수박, 딸기 단어 카드들 중 사과 단어 카드만 정우에게 가까이 두기

해설

3) 자극 내 촉진은 변별자극 자체(예 크기, 색깔) 혹은 그 위치를 변화시키는 것이다. 따라서 정우가 사과 단어 카드를 골라낼 수 있도록 크기, 색깔, 위치의 변화가 포함된 예를 제시한다.

178   2025 초등A-5

모범답안

| 3) | ① 50 |
| | ② 상반행동 차별강화 |

해설

3) ① 행동이 발생한 것으로 기록(+)되는 간격은 12~16, 16~20, 20~24, 24~28, 28~32이다. 따라서 행동발생률은 (5/10)×100=50%가 된다.

② 표적행동과 중재 계획의 기준 간 관계를 살펴보는 것이 필요하다. 표적행동은 '수업 중 책상에 엎드리기'이며 이에 대하여 '바른 자세로 앉아 있기' 행동에 대해 강화를 제공하고 있다. 따라서 표적행동과 중재 계획에서의 강화 기준을 비교하면 상반행동(책상에 엎드리기와 바른 자세로 앉기)의 발생에 대해 강화를 제공하고 있음을 알 수 있다.
   • 대체행동 차별강화의 경우 후속 결과는 교사의 관심을 제공하는 것이 적절하다.
   • 타행동 차별강화의 경우 중재 계획의 기준은 수업 중 책상에 엎드리기 행동을 제외한 행동으로 설정하는 것이 적절하다.
   • 표적 행동이 오랫동안 자리에 앉아 있지 못하는 행동이고, 중재 계획의 기준을 5분 이상 바른 자세로 앉아 있기로 설정하여 강화한 경우는 간헐강화 중 고정지속시간강화계획에 해당한다.

179   2025 초등B-1

모범답안

1)	과제 회피
2)	① 피관찰자의 반응성을 예방하기 위해서이다(또는 자신이 관찰되고 있다는 것을 알면 학생은 좋게 반응하거나 평소대로 보이지 않을 수 있기 때문이다).
	② 자발적 회복
3)	① 과제분석
	② ⓐ − ⓑ − ⓒ − d − e

해설

1) 과제 수행 요구 조건은 지수가 과제를 수행할 것이 요구되는 조건으로 설정하였고 이때 문제행동이 가장 많이 발생하였다. 따라서 문제행동은 과제 회피라고 할 수 있다.

2) ① 관찰자의 출현은 관찰되는 학생과 교사의 행동에 영향을 줄 수 있는데, 이와 같은 영향을 반응성이라고 한다. 관찰되고 있다는 것을 아는 학생은 '좋게' 반응하거나 평소대로 보이지 않을 수도 있어서 표적행동에 대한 잘못된 관찰이 되게 한다. 어떤 교사는 관찰자가 있을 때 학생에게 더 많은 촉구를 주고, 어떤 경우는 더 많이 가르치고자 하며 긍정적 피드백을 더 주곤 한다. 두 경우 모두 일반적인 행동 발생에 영향을 미칠 수 있다(Alberto et al., 2014: 165).

3) ① 과제분석이란 가르치고자 하는 행동의 최종 목표를 찾아서 그 행동을 구성하는 단위 행동을 분석하는 것이다(양명희, 2018: 149).

180   2025 초등B-6

모범답안

| 1) | 언어적 촉진을 제공하여 선 따라 걷기를 촉구한다(또는 "선을 따라 걸어야 해요."와 같은 언어적 촉진을 제공하면서 선 따라 걷기를 촉구한다). |

해설

1) 제시된 최대−최소 촉진법의 내용은 다음과 같다.

지문 돋보기

내용	촉진의 종류
교사가 학생의 몸과 팔을 잡고 설명하면서 선을 따라 걷는 동작을 도와준다.	전반적 촉진
학생이 스스로 조금씩 걷기 시작하면 교사가 조금씩 자신의 손에 힘을 뺀다.	전반적 촉진의 약화
교사가 선을 따라 걷는 동작을 보여 준다.	모델링 촉진
손짓이나 몸짓으로 걷는 방향과 위치를 가리키면서 선 따라 걷기를 촉구한다.	몸짓 촉진
㉠	
촉구 없이 독립적으로 걷도록 한다.	독립적 수행

181 〔2025 중등A-8〕

〔모범답안〕
- ⓒ 학습된 언어능력은 반전될 수 없는 특성을 갖기 때문이다.
  ⓒ 대상자 간 중다기초선 설계

〔해설〕
ⓒ A-B-A-B 설계와 같이 반전설계가 적절하지 않은 경우가 있는데 그중 하나는 표적행동 자체가 기초선 상태로 되돌리기 어려운 경우이다.

〔Check Point〕

✏️ **중재제거 설계를 사용하는 것이 적절하지 않은 경우**

다음의 두 가지 경우와 같이 중재제거 설계를 사용하기 어려운 표적행동은 개별대상연구의 다른 설계를 적용해야 한다.

① 표적행동이 위험한 행동일 경우이다. 표적행동이 공격적 행동과 같이 직접적으로 다른 사람을 해치거나 심한 자해행동으로 자신을 해치는 행동인 경우는 제2 기초선 기간을 두어 중재를 제거하는 것은 윤리적으로 문제가 되기 때문이다.

② 표적행동 자체를 기초선 상태로 되돌리기 어려운 경우이다. 예를 들어, 문자 해독이나 구구단 암기와 같이 이미 획득한 학습행동은 중재제거를 통해 습득이나 암기하기 이전 상태로 되돌리기 어렵기 때문이다.

출처 ▶ 양명희(2018 : 253)

182 〔2025 중등A-11〕

〔모범답안〕
- 과제 회피
- ⓐ 대체행동(또는 대체기술, 대안행동)
- 상호 종속적 집단강화
  ⓑ 다음 중 택 1
  - 또래의 부당한 압력이 있을 수 있다.
  - 한 구성원이 집단의 노력을 고의로 방해할 수 있다.

〔해설〕
ⓑ 종속적 집단강화와 상호 종속적 집단강화는 또래의 부당한 압력이 있을 수 있으며, 한 구성원이 집단의 노력을 고의로 방해할 수 있고, 집단의 수준을 높이기 위해 몇 명이 다른 사람들을 위해 목표행동을 대신할 수도 있는 단점이 있다. 이 중 집단의 수준을 높이기 위해 몇 명이 다른 사람들을 위해 목표행동을 대신할 수도 있는 단점은 대화내용("모둠 학생이 강화를 받기 위해 학생 K의 역할을 다른 학생이 대신해 주지 않도록 해야 해요.")에 제시되어 있기 때문에 제외한다.

183 〔2025 중등B-4〕

〔모범답안〕
- ⓐ 순간표집기록법
  전체 간격 수에 대하여 +표시된 시간 간격의 총수를 백분율로 구하여 보고한다.

〔해설〕
ⓐ 시간 간격의 끝을 알리는 소리가 들릴 때만 학생 A를 관찰하고 상동 행동의 유무를 확인하는 순간표집기록법이다.
- 순간표집기록법을 이용하여 관찰한 후 +가 표시된 시간 간격의 총수를 기록하고 전체 시간 간격에 대한 백분율을 구하여 행동발생률을 보고한다. 행동 발생 횟수(또는 빈도)가 보고되는 것이 아님에 유의해야 한다.
- 전체 간격 기록법, 부분 간격 기록법, 순간표집기록법에서는 행동 발생 횟수가 아닌 행동이 발생한 간격의 수가 보고된다. 이 방법으로 수집된 자료에서는 행동 발생 수에 대한 정보는 알 수 없다(Alberto et al., 2014 : 149).

184 〔2025 중등 B-9〕

〔모범답안〕
- 고확률 요구 연속

PART 02

통합교육

01 　 2009 유아1-5

정답 ③

해설

① 정서·행동장애 아동의 경우 문제행동에 대해서는 일차적으로 문제행동의 기능을 파악한다.

② 정신지체 아동의 경우 우선 독립적으로 수행할 수 있도록 기회를 제공하고 필요에 따라 또래교수를 통해 보충설명과 피드백을 받도록 한다.

④ 말을 더듬어도 괜찮다는 허용적 분위기를 조성해 준다. 또한 대신 나머지 말을 해주지 않는다.

⑤ 청각장애 아동을 위해 수화통역자를 활용할 경우 질문을 아동에게 직접 한다.

02 　 2009 유아1-27

정답 ③

해설

ㄱ. 민주의 수준에 맞춰 학습목표를 제시함으로써 통합학급으로부터 분리되지 않도록 하는 교수내용의 수정에 해당한다.

ㄹ. 제시된 학습목표는 분류하기와 수 세기이며 장기목표는 1~5까지 수 세기이다. 학습목표는 분류하기이므로 단순히 블록을 쌓을 수 있는지를 평가하는 것은 부적절하며 민주가 관심을 많이 갖는 블록을 이용하여 크기, 색, 모양에 맞춰 분류할 수 있는지를 평가하여야 한다. 또한 장기목표를 고려할 때 1~3까지 수를 셀 수 있는지를 평가하는 것은 장기목표와 맞지 않는다.

Check Point

✎ 교수적 수정의 유형

수정 유형		수정 내용
교수 환경	물리적 환경	조명, 소음, 교수자료의 위치, 접근성
	사회적 환경	사회적 분위기, 소속감, 평등감, 존중감, 장애이해 교육
교수 집단		대집단, 소집단, 협동학습, 또래교수, 일대일 교수, 자습
교수 방법	교수 활동	난이도, 양
	교수 전략	수업형태, 교육공학, 행동강화 전략, 정보제시 및 반응양식 등
	교수 자료	대안적 교수자료
교수 내용		교육과정 내용을 보충 혹은 단순화, 변화시키는 방법 - 동일한 활동과 교수목표, 동일한 자료 - 동일한 활동의 쉬운 단계, 수정된 교수목표, 동일한 교수자료 - 동일한 활동, 수정된 목표와 자료 - 동일 주제, 다른 과제와 수정된 목표 - 수정된 주제와 활동
평가 방법		• 시험시간의 융통성 • 시험방법의 수정 • 대안적 평가: 교사 공동평가, IEP 수행평가

출처 ▶ 송준만 외(2022 : 258)

03   2009 초등1-27

정답 ③

해설

교수적 수정 절차에 따라 (가)에서는 'ㄴ. 주호의 개별화교육계획 교수목표의 검토'가, (다)에서는 'ㄷ. 일반학급에서 주호의 학업수행 관련 특성 분석' 활동이 이루어진다.

Check Point

✎ 교수적 수정 적용 절차

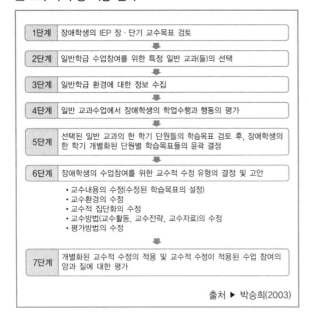

1단계	장애학생의 IEP 장·단기 교수목표 검토
2단계	일반학급 수업참여를 위한 특정 일반 교과(들)의 선택
3단계	일반학급 환경에 대한 정보 수집
4단계	일반 교과수업에서 장애학생의 학업수행과 행동의 평가
5단계	선택된 일반 교과의 한 학기 단원들의 학습목표 검토 후, 장애학생의 한 학기 개별화된 단원별 학습목표들의 윤곽 결정
6단계	장애학생의 수업참여를 위한 교수적 수정 유형의 결정 및 고안 • 교수내용의 수정(수정된 학습목표의 설정) • 교수환경의 수정 • 교수적 집단화의 수정 • 교수방법(교수활동, 교수전략, 교수자료)의 수정 • 평가방법의 수정
7단계	개별화된 교수적 수정의 적용 및 교수적 수정이 적용된 수업 참여의 양과 질에 대한 평가

출처 ▶ 박승희(2003)

04   2009 초등1-30

정답 ④

해설

(가) 동일한 공간에서 다른 교육과정 영역, 다른 교수목표(동물의 한살이 VS 친구의 이름알기)를 선정하여 활동이 이루어지고 있으므로 교육과정 중복(또는 중복 교육과정)이라고 할 수 있다.

(나) 영미가 할 수 있는 활동에 대해서는 부분적으로 영미가 참여할 수 있도록 하고 있다.

(다) 동일한 공간에서 동일한 교과수업에 참여하되 다른 친구들의 일반적인 목표(실제 온도계로 교실 안 여러 곳의 온도 재기)보다 낮은 수준의 목표(모형 온도계 눈금 읽기)를 수행하도록 하고 있으므로 중다수준 교육과정이라고 할 수 있다.

Check Point

(1) 중다수준 교육과정과 중복 교육과정의 구분

구분	차이점	공통점
중다수준 교육과정	학습목표와 학습 결과들은 동일한 교과목(예 사회, 과학, 수학) 안에 있고, 학생들은 학습량과 난이도를 감당해야 한다.	• 동일한 연령의 다양한 학습 수준을 가진 학생들이 수업을 한다. • 정규학급 활동 안에서 학습이 일어난다. • 각각의 학습자들이 적절한 수준의 난이도로 개별화된 교수 학습목표를 가진다.
중복 교육과정	같은 교실 안의 일반학생들이 교과(예 과학, 수학, 역사 등)에 목표를 둔다면 장애 학생들의 학습목표는 다른 영역, 예를 들어 의사소통, 사회화 또는 자기관리 능력 등이 될 수 있다.	

(2) 삽입교수

① 개념

삽입교수는 목표 기술을 자연스러운 일과 활동 내에서 수행할 수 있도록 활동 속에 삽입하는 것을 말한다.

② 특징

㉠ 각 학생의 학습 성과는 중재의 효과성을 판단하기 위한 목적과 준거를 포함해 분명히 정의된다.

㉡ 교수 기회는 통합 환경의 활동과 일상에서의 교수를 위해 자연적으로 발생하는 기회의 존재나 부재를 조정하기 위해 설계된다.

㉢ 교수의 시도는 일반교육 교실의 전형적인 일상이나 활동의 일부 또는 전체에 배부된다.

㉣ 삽입교수 시도는 전달을 위한 횟수와 대략적인 시기가 계획된다.

㉤ 교수는 경험적으로 타당한 교수 절차에 기초한다.

㉥ 교수의 결정은 학생의 수행자료와 직접적으로 연결된다.

05

정답 ④

해설

대화에서 다루어지고 있는 협력교수의 유형은 스테이션교수이다.

ㄱ. 심화학습 기회를 제공한다. : 대안교수

ㄷ. 스테이션교수는 소그룹을 전제하므로 학생들의 주의집중을 증가시킬 수 있으며, 학생들 간의 모둠 활동을 통한 사회적 상호작용의 기회가 증가된다.

ㅁ. 모델링과 역할놀이 기술을 필요로 한다. : 팀티칭(팀교수)

ㅂ. 결석한 학생에게 보충학습 기회를 제공한다. : 대안교수

Check Point

📝 **스테이션교수**

① 교사가 각 스테이션에서 다른 활동을 가르치고, 학생들이 모둠을 지어 스테이션을 이동하면서 수업을 받는 형태

② 학생이 바뀌어도 교사는 각자의 교수 반복

③ 학생 집단을 3집단으로 할 경우 두 집단이 각각의 스테이션에서 교사의 지도를 받는 동안 나머지 한 집단은 자기들 스스로 독립적인 학습활동 수행

④ 스테이션교수의 장단점

장점	단점
• 능동적 학습 환경 제시 • 주의집중을 증가시킬 수 있음 • 협동과 독립성 증진 • 사회적 상호작용의 기회 증가 • 집단의 전략적 구성 가능	• 많은 계획과 준비 필요 • 넓은 공간의 교실 필요 • 이동 시 교실이 시끄러워질 수 있음 • 집단으로 일하는 기술과 독립적인 학습 기술 필요 • 감독의 어려움

06

정답 ②

해설

특수교사가 자신이 알고 있는 전문적 지식 등을 다른 팀원들에게 전달하는 역할방출(또는 역할양도)에 해당한다.

Check Point

(1) 초학문적 접근의 주요 원리

초학문적 접근은 원형진단, 역할방출, 통합된 치료를 주요 원리로 한다.

원형진단	• 다양한 영역의 전문가가 동시에 대상 아동을 진단하는 방법 • 원형 진단을 적용하게 되면 전문가가 각자 일하는 대신 아동을 동시에 진단함으로써 동일한 행동에 대해서 함께 평가하고 즉시 각자의 전문성에 따른 정보를 교환할 수 있음
역할방출	• 팀 구성원인 다양한 전문가가 자신의 전문 영역에 대한 기술과 정보를 팀의 다른 전문가에게 알려주어 이를 수행하는 것 • 초학문적 접근의 핵심적인 개념
통합된 치료	아동이 의미 있고 기능적인 활동을 수행하는 장소에 치료사가 와서 서비스를 제공하거나 아동에게 의미 있고 기능적인 활동을 가르치는 교사에게 상담을 제공하는 방법

(2) 비계와 비계교수

① 비계

아동이나 초보자가 주어진 과제를 잘 수행하도록 부모나 교사를 비롯한 성인이나 또래가 도움을 주는 지원의 기준 또는 수준을 의미한다. Wood, Bruner, Ross, Vygotsky의 이론을 효과적으로 적용하기 위해 제시한 개념이다. 원래 비계는 건축에서 높은 곳에서 일할 수 있도록 임시로 설치하는 발판이나 가설물을 의미하나, 교육에서는 학생 스스로 문제를 해결하도록 유도하려고 교사가 학생에게 제공하는 힌트나 암시와 같은 도움을 의미한다(특수교육학 용어사전, 2018 : 224).

② 비계교수

아동의 학습을 촉진하려고 성인이나 더 유능한 또래가 체계적으로 지원을 제공하는 교육활동이다. 아동은 성인이나 자신보다 더 유능한 또래의 도움을 받으며 상호작용하는 과정에서 지식을 배우고 내면화해 나간다. 아동이 과제를 수행할 때 지원이 너무 부족하면 과제를 완수하지 못하는 반면, 너무 많은 지원을 제공하면 독립적인 과제 수행에 방해가 될 수 있다. 따라서 아동에게 제공되는 지원의 정도는 아동의 근접 발달 영역을 고려하여 현재 과제 수행 수준보다 약간 높은 수준에서 설정하는 것이 바람직하다. 아동에게 제공되는 비계는 아동이 과제를 숙달되면 즉시 철회되어야 한다(특수교육학 용어사전, 2018 : 224-225).

(3) 역량강화

개인 또는 가족·지역사회와 같은 집단이 정치·사회·경제적 환경의 차원에서 강점을 향상시키고, 스스로 의사결정하고 선택하는 환경으로 재구성할 수 있도록 돕는 과정이다. 특히 전통적으로 차별, 소외, 거부, 배제, 억압을 받아왔던 장애인·노인 등의 소외계층에 대한 사회복지와 장애인복지서비스의 모형으로 제시되고 있다(특수교육학 용어사전, 2018 : 321-322).

07 2009 중등2B-3

모범답안 개요

협동학습	〈이론적 특성〉 ① 서로 가까이에 앉아서 얼굴을 마주 대하며 같이 학습하다 보면 긍정적이고 서로를 북돋우는 상호작용이 많이 일어날 수 있다. ② 자신은 물론 팀 내 다른 또래도 공동의 목표를 달성하도록 해야 하기 때문에 긍정적인 상호의존 분위기가 형성된다. ③ 협동학습은 어떻게 조직하느냐에 따라서 팀 단위 책임뿐만 아니라 팀 내 구성원 단위의 책임의식을 향상시키는 데도 효과적이다. ④ 상호 간에 사회적 기술이 향상된다. ⑤ 혼자 학습할 때와 달리 학생들은 자신들이 무엇을 어떻게 학습했고, 공동의 목표를 달성하는 데 어떤 기술과 능력이 필요한지 서로 협의하고 피드백을 받으며 반성할 기회를 가질 수 있다. 〈기대 효과〉 ① 교사에게 다양한 수업전략을 제공한다. ② 아동이 수업 중에도 신체를 많이 움직일 수 있게 한다. ③ 아동에게 타인을 배려하는 태도를 길러 준다. ④ 문제해결이나 의사결정능력을 길러 준다. ⑤ 아동에게 많은 사회적 상호작용을 경험하게 한다. 등 〈교사의 역할〉 학습 촉진자나 보조자의 역할을 담당한다.
자기교수	〈이론적 특성〉 ① 자신이 행하고 있는 생각과 행동을 언어화시킨다. ② 충동적인 학생들을 위한 좋은 중재이다. 〈기대 효과〉 ① 아동이 마음속으로 과제 수행을 계속 반복하기 때문에 자신감이 증가하게 된다. ② 계속되는 사고 과정을 스스로 통제할 수 있기 때문에 적극적인 점검을 할 수 있게 된다. ③ 이해 과정을 통해 아동의 수동적 행동을 적극적 행동으로 바꿀 수 있게 된다. ④ 훈련 방법을 오랫동안 유지하고 일반화할 수 있다. 〈교사의 역할〉 시범, 외현적 지도, 학생의 수행을 관찰하고 피드백을 제공한다.

08 2010 유아1-30

정답 ②

해설

① 조정(coordination)은 협력의 가장 단순한 형태로, 계획된 시간에 체계적인 방법으로 서비스가 제공되는지를 점검하기 위해 구성원들이 지속적으로 대화하고 협력하는 것을 의미한다. 예를 들어, 일반교사와 특수교사가 장애아동의 통합시간 변경을 위해 서로 대화하고 협력하거나 평가방식에 대해 서로 논의하고 바꿔나가는 것 등이 이에 해당한다.
- 조정(coordination)은 일반교사와 특수교사가 통합수업의 목표와 수업구성에 대해 직접적으로 이야기하고 지원방법에 대해 역할을 분담하는 등의 적극적인 논의가 함께 이루어지는 것을 의미한다. 협력(cooperation)보다는 서로 공유하는 부분이 많지만, 상호 독립적 조직임과 동시에 각자의 이익을 위해 함께 협동하는 개념이다(고은, 2021 : 456－457).
- 교수 적합화의 조정(accommodation)과 국문 표기는 동일하지만 원어에 있어 차이가 있다.
② 직접적으로 학생(은주)과 상호작용하지 않고 민 교사에게 전문적인 정보를 제공하여 학생을 돕고 있으므로 협력 방법은 자문(또는 협력적 자문)에 해당한다.

09 2010 초등1-29

정답 ④

해설

구분	교수적 수정 유형	교육과정 유형
①	앉아서 길이를 재게 함 : 교수방법의 수정	동일수준
②	－	중복
③	손잡이가 있는 비커 : 교수자료의 수정	동일수준
④	－	중다수준
⑤	평가방법의 수정	－

Check Point

📝 **중다수준 교육과정과 중복 교육과정 비교**

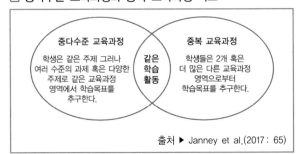

출처 ▶ Janney et al.(2017 : 65)

10 `2010 초등2B-1`

모범답안 개요

1) 교수적 수정의 필요성	① 학습동기를 향상시켜 흥미 있게 수업에 참여할 수 있다. ② 학습활동에 의미 있게 참여할 수 있다. ③ 학습자가 성취할 수 있는 학습목표를 설정하여 목표를 이룰 수 있도록 한다.		
2)	교수내용	목표 : 기호를 사용하여 그림 지도 그리고 설명하기	→	• 원인 : 기호에 대한 이해력이 부족하기 때문 • 방안 : 다양한 방법을 사용하여 그림 지도 그리고 설명하기
	교수방법	그림 지도 그리는 방법을 시범을 통해 보여줌	→	• 원인 : 학습내용을 기억하는 데 심각한 어려움이 있기 때문 • 방안 : 그림 지도 그리는 과정을 수시로 확인할 수 있도록 시각화하여 게시
	평가	기호 사용	→	• 원인 : 기호에 대한 이해력이 부족하기 때문 • 방안 : 다양한 방법을 사용하여 그림 지도를 완성하였는지 평가

Check Point

📝 장애학생을 위한 평가조정 전략

구분	영역	조정 방법
평가환경	평가공간	독립된 방 제공
	평가시간	시간 연장, 회기 연장, 휴식시간 연장
평가도구	평가자료	시험지 확대, 점역, 녹음
	보조인력	수화통역사, 대필자, 점역사, 속기사 제공
평가방법	제시방법	지시 해석해 주기, 소리 내어 읽어주기, 핵심어 강조하기
	응답방법	손으로 답 지적하기, 보기 이용하기, 구술하기, 수화로 답하기, 컴퓨터로 답하기, 시험지에 답 쓰기

출처 ▶ 정동영(2017)

11 `2010 중등1-11`

정답 ③

해설

지문 돋보기

(가) 팀티칭
(나) 평행교수
(다) 교수-지원

ㄱ. 팀티칭은 역할(개념 교수, 시범, 역할놀이, 모니터링)과 교수내용의 공유를 돕는다. 팀티칭은 협력교사 간의 상호 신뢰와 협력이 많이 요구되는 형태이다.

ㄹ. (나)에서 교사는 학생들의 학습 수준을 고려하여 모둠을 이질적으로 구성한다. 평행교수는 두 개의 이질집단으로 나누어 두 교사가 각 집단을 따로 교수하는 협력교수 형태이다.

ㅁ. 협력교수의 유형 중 교수-지원은 하나의 대집단을 대상으로 일반교사가 교수활동 전반을 주도하고, 특수교사는 순회하면서 개별적으로 학생에게 지원을 제공하는 형태이다.

ㅂ. 개별 학생에 대한 적절한 지원을 통해 학생의 학습 수행에 대한 자료를 수집할 수 있다.

Check Point

📝 교수-지원 유형의 장단점

장점	단점
• 일대일 직접 지도 가능 • 지원을 담당하는 교사가 학생들을 개별적으로 지원하거나 행동 문제를 관리하므로, 전체 교수를 담당하는 교사는 수업에 더 집중할 수 있음 • 협력을 계획하는 데 있어 다른 모형보다 상대적으로 적은 시간과 노력이 소요 • 모든 주제 활동에 적용 가능 • 다른 모형에 비해 상대적으로 시간과 노력이 적게 듦	• 각 교사의 역할이 수시로 바뀔 때 수업의 흐름이 부자유스러울 수 있음 • 교수 역할이 고정되어 있는 경우 교사의 역할에 대한 불만족이 있을 수 있음 • 지원하는 교사가 보조원처럼 보이거나 학생의 주의를 산만하게 할 수 있음 • 학생이 지원교사에게 의존적이 될 수 있음

12   2011 유아1-28

정답 ④

해설

ㄱ. 노랑 조 민이에게 스펀지가 달린 막대를 이용하도록 한 것은 교수방법의 수정에 해당한다.

ㄴ. 구겨 붙이기 활동 중 구기기를 하도록 한 것은 부분 참여 전략이라고 할 수 있다.

ㄷ. 도입 단계에서는 교수−지원 방법을 사용하였다.

ㄹ. 다수준 포함 교수는 동일한 학급에 소속되어 있는 수준이 다양한 학생 각자에게 유의미한 학습 경험을 제시하려는 노력의 한 가지이다(이대식 외, 2018 : 315).

13   2011 초등1-5

정답 ③

해설

① 스테이션교수 실행 시 학급 구성원은 모둠을 이루기 때문에 좌석을 앞에 배치하는 것은 크게 관련이 없다.

② ㄴ에서 은지에게 적용한 전략 : 행동계약

④ 일반 수업의 목표에 비해 난이도를 낮춘 중다수준 교육과정으로 교수목표의 적합화에 해당한다. 그러나 도시와 촌락의 생활모습을 구별하는 것은 기능적 기술에 해당하지 않는다.

• 기능적 기술은 일상생활을 살아가는 데 있어 반드시 필요한 기술로 옷입기, 용변보기 등과 같은 기술을 포함한다.

⑤ ㅁ은 또래교수에 해당한다.

Check Point

📝 **준거참조−교육과정중심사정(CR−CBA)**

① 준거참조검사(특히, 교사제작 준거참조검사)의 대안적인 방법으로, 학급수행으로부터 추출된 목표에 대한 아동의 숙달 정도 측정에 초점을 두고 있다.

㉠ 아동의 교육과정을 반영하여 교사가 제작한 검사를 통해 실시된다.

㉡ 준거참조−교육과정중심사정을 실시하는 단계에 대한 지침들은 여러 문헌에서 다소 다양하게 제시되고 있다.

② 준거참조−교육과정중심사정의 타당도와 신뢰도

㉠ 적절한 타당도와 신뢰도를 갖추지 못할 수도 있다.

㉡ 내용타당도를 갖출 것이 강조된다. 아동에게 가르치는 교육과정에 근거하여 작성된 충분한 수량의 문항들로 구성된다.

14   2011 초등1-23

정답 ④

해설

① ㉠은 인터넷을 활용한 개별학습이다.

② ㉡은 자기관리기술을 활용한 지도이다.

③ 지역사회 참조 교수는 지역사회 중심 교수의 이점을 학교현장에서 구현하는 전략이라고 할 수 있다. 따라서 견학활동은 지역사회 참조 교수법을 활용한 수업이라고 할 수 없을 뿐만 아니라 지역사회 중심 교수라고도 할 수 없다. 왜냐하면 지역사회 중심 교수는 지역사회라는 의미 있는 자연적 맥락에서 기능적 기술을 가르치는 교수적 실제로(2013 중등1−24 기출) 교사가 다양한 역할을 하고, 계획을 세우며, 학습 기회를 제공하는 교육과정적 접근이라는 점에서 현장학습(문제의 경우 견학활동)과는 다르기 때문이다(송준만 외, 2019 : 230).

• 지역사회 중심 교수는 학교 현장 실습과는 달리 기술을 배우기 위해 지속적으로 지역사회에 나가는 것이 필요하다(Gargiulo et al., 2021 : 381).

⑤ 제시문에서는 생태학적 목록을 사용했다는 단서를 찾기 어렵다.

Check Point

(1) Jigsaw I의 절차

집단 구성

⇩

개인별 전문과제 부과

⇩

전문과제별 모임 및 전문가 집단에서의 협동학습

⇩

원소속 집단에서의 협동학습

⇩

개별 평가

⇩

개인 점수 산출

(2) Jigsaw Ⅳ의 절차

집단 구성
⇩
★도입(수업내용에 대한 소개)
⇩
개인별 전문과제 부과
⇩
전문과제별 모임 및 전문가 집단에서의 협동학습
⇩
★퀴즈Ⅰ(전문과제에 대한 평가)
⇩
원소속 집단에서의 협동학습
⇩
★퀴즈Ⅱ(전체 학습과제에 대한 평가)
⇩
개별 평가
⇩
개별 점수, 향상 점수, 집단 점수 산출
⇩
개별 보상 및 집단 보상
⇩
★재교수(※ 선택활동)

★은 Jigsaw Ⅲ와 비교했을 때 새롭게 추가된 과정

---

15 2011 중등1-7

정답 ③

해설

(나) '학업 수준이 비슷한'을 '학업 수준이 이질적인'으로 수정할 경우 제시된 내용은 집단조사모형(GI)에 해당한다.

(다) '두 교사가 동등한 책임과 역할을 분담하여'를 '두 교사가 동등한 책임과 역할을 공유하여'로 수정할 경우 제시된 내용은 팀티칭(팀교수)에 해당한다.

Check Point

(1) 모둠성취분담모형(STAD)

① 교사가 아동들에게 제공하는 보상(예 칭찬, 스티커, 간단한 선물) 중심의 협동학습 모형으로, 향상 점수와 보상이 모형의 핵심

② 실행절차

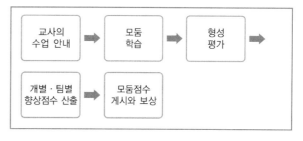

(2) 중복 교육과정

① 두 가지 이상의 교육과정이 공통분모를 중심으로 설계된 교육과정

② 아동들은 동일한 학습활동을 하지만 서로 다른 교과의 교육목표 추구

③ 중다수준보다 개인차가 큰 집단을 대상으로 적용

---

16 2012 유아1-1

정답 ③

해설

지문 돋보기

(가) 제가 청각장애인에 대해 설명하면 선생님께서 시범을 보이시고, 선생님께서 지체장애인에 대해 설명하시면 제가 시범을 보일게요. : 팀티칭에서의 교수 역할 공유

(나) 두 집단으로 모둠을 나누어 선생님과 제가 각각 한 모둠씩 맡아서 같은 내용으로 : 두 집단으로 나눈 후 같은 내용을 동시에 각 집단에서 교수하는 평행교수의 수업 운영 형태

(다) 선생님께서 마무리 평가를 진행해 주세요. 저는 그동안 정신지체 아동인 경수도 평가에 참여할 수 있도록 경수 옆에서 개별적으로 도울게요. : 두 교사의 역할이 전체수업과 개별지원으로 구분되는 협력

17 ⠀⠀⠀⠀⠀⠀2012 초등1-2

정답 ①

해설

박 교사가 적용한 전략은 상보적 또래교수의 유형 중 또래지원 학습전략(PALS)에 해당한다.
① 발견학습에 대한 설명이다.

Check Point

(1) 또래지원 학습전략(PALS)
① 읽기 분야에서 많이 적용되는 또래지도전략 중 하나
② 또래지원 학습전략의 공통적인 특징
　　㉠ 또래교사와 또래학습자 간의 고도로 구조화된 활동
　　㉡ 높은 비율의 구두 응답과 약간의 필기 응답
　　㉢ 역할의 상보성
③ 파트너 읽기, 단락(문단) 요약, 예측 릴레이 등 세 가지의 구조화된 활동으로 구성

파트너 읽기	• 성취 수준이 높은 학생이 먼저 소리내어 큰 소리로 읽고, 이어서 성취 수준이 낮은 학생이 동일한 부분을 다시 읽는다. 읽기 수준이 높은 학생이 듣고 발음, 내용, 어휘 등에 대해 질문하고 필요하면 설명과 시범을 보인다. • 활동 내용 구체화 　– 또래교사가 먼저 읽고 또래학습자가 다시 읽기 　– 또래학습자가 읽을 때 또래교사는 오류 교정해 주기 　– 또래학습자가 읽은 내용을 다시 말하기
단락 (문단) 요약	• 성취 수준이 높은 학생은 책을 읽은 학생들에게 단락이 누구 혹은 무엇에 관한 것인지, 그리고 그 누구와 무엇에 있어 가장 주요한 것이 무엇인지 물어봄으로써 주제를 확인하게 유도한다. 요약에 대해서 오류가 있을 경우 이를 수정해 준다. • 활동 내용 구체화 　– 또래교사가 단락을 먼저 읽고 또래학습자가 다시 읽기 　– 단락이 끝날 때 또래학습자가 단락 요약하기 　– 또래학습자의 단락 요약하기에 대해 또래교사는 오류 교정해 주기
예측 릴레이	• 글을 읽은 학생에게 다음에 읽을 내용이 무엇인지 예상하게 한다. • 활동 내용 구체화 　– 또래교사와 또래학습자는 다음에 읽을 내용에 대해 예측하기 　– 또래교사와 또래학습자는 예측한 내용이 옳은지 확인하기

(2) 차별화교수
① 아동의 준비도, 흥미 및 요구 등의 다양성을 인식하고, 교수내용, 교수과정 및 교수성과를 아동의 차이에 부합하도록 계획하여 시행하는 교수
② 차별화교수의 목적 : 개별 아동의 학습 잠재력 극대화
③ 차별화에 관한 교사들의 의사결정에 중요한 영향을 미치는 학습자의 세 가지 특성 : 준비도, 흥미, 프로파일

18 ⠀⠀⠀⠀⠀⠀2012 초등1-36

정답 ②

해설

② 수지가 '학생 2'의 역할을 할 경우, 대사의 어휘 수준을 수지에게 맞춘다면 교수내용을 수정하는 것이다.
③ 수지가 '학생 3'의 역할을 할 경우, 보완·대체의사소통 기구로 대사를 표현하도록 한다면 학생의 과제수행방법을 수정하는 것으로 보조공학의 활용, 반응양식의 수정을 의미한다.

19 ⠀⠀⠀⠀⠀⠀2012 중등1-12

정답 ③

해설

① 수업 중 자주 주의가 흐트러진다는 점과 관련하여 과제를 나누어 제시하는 과제 제시 수정 방법을 고려할 수 있다.
　• 교수방법의 수정 중 교수활동의 수정을 적용한 것이다.
② 그림을 보고 그리는 데 어려움이 있고 또래 일반학생들에 비해 필기 속도가 느린 점과 관련하여 교사가 판서한 내용을 유인물로 제작하여 학생에게 제공한다.
　• 교수방법의 수정 중 교수자료의 수정을 적용한 것이다.
③ 교수적 수정은 조정의 과정을 거쳐 수정 단계를 적용해야 한다. 즉 우선적으로 교수방법을 먼저 수정한 후, 교육과정 내용의 수정을 고려해야 한다.
④ 또래 일반학생들에 비해 필기 속도가 느리기 때문에 지필 고사 시 시험 시간을 연장하는 평가조정 방법을 고려하는 것은 타당하다.
　• 평가방법의 수정 중 검사 시간의 조정(평가시간의 수정)과 관련되는 내용이다.
⑤ 수업 중 자주 주의가 흐트러지기 때문에 학습 자료를 제시할 때 주요 내용에 밑줄을 그어주는 등 시각적 단서를 제공하는 것은 유용한 방법이다.
　• 교수방법의 수정 중 교수자료의 수정을 적용한 것이다.

Check Point

(1) 장애학생을 위한 평가조정 전략 1

제시형태	반응형태	검사시간/스케줄	검사환경/기타
① 점자로 된 시험지	① 점자 응답	① 시간연장	① 독립공간
② 확대 인쇄	② 구두 응답 (대필)	② 잦은 휴식	② 조명시설
③ 확대경(또는 확대독서기)	③ 문제지에 응답(또는 별도의 답안지)	③ 긴 휴식	③ 증폭/방음시설
④ 대독자(읽어주기)	④ 수화 응답	④ 분할 실시	④ 장애인용 책상
⑤ 녹음테이프	⑤ 의사소통판 이용	⑤ 스케줄(요일, 시간대 등) 조정	⑤ 장애인 편의시설
⑥ 비디오녹화테이프	⑥ 컴퓨터 장비		⑥ 주의산만 시각 자극 제거
⑦ 의사소통판 이용			⑦ 재택(또는 병원) 실시
⑧ 청각보조기			
⑨ 세심한 시험지 편집(줄 간격, 여백 등)			

출처 ▶ 김동일(2002)

(2) 장애학생을 위한 평가조정 전략 2

구분	영역	조정 방법
평가환경	평가공간	독립된 방 제공
	평가시간	시간 연장, 회기 연장, 휴식시간 연장
평가도구	평가자료	시험지 확대, 점역, 녹음
	보조인력	수화통역사, 대필자, 점역사, 속기사 제공
평가방법	제시방법	지시 해석해 주기, 소리 내어 읽어주기, 핵심어 강조하기
	응답방법	손으로 답 지적하기, 보기 이용하기, 구술하기, 수화로 답하기, 컴퓨터로 답하기, 시험지에 답 쓰기

출처 ▶ 정동영(2017)

20

정답 ④

해설
(가) 협동학습에서의 학습 집단은 이질적 집단으로 구성한다.
(나) 개별전문과제 부과에 대한 내용이다.
(다) 전문가 집단에 대한 내용이다.
(라) 원소속 집단에서의 협동학습 관련 내용이다.
(마) 기본점수와 비교한 개인별 향상점수를 산출하며, 팀원의 개별 향상점수 총합의 평균 점수가 집단 점수가 된다.

Check Point

(1) 직소 II 모형의 특징
직소 I 모형의 개별보상에 집단보상이 추가된 것으로, 직소 I 과 비교했을 때 과제 상호의존성을 낮추고 보상 의존성을 높인 것이다.

(2) 직소 II 모형의 과정
① 수업 안내
 • 교사는 학생 네 명으로 구성된 학습 팀을 만들어 학습지도를 하고, 학생 개개인은 하나의 주제를 받아서 같은 주제를 가진 학생들과 모여서 해당 내용에 대해 토론하고 공부해서 그 결과를 자신의 팀 구성원에게 가르쳐야 한다는 것을 안내한다. 또한 개인별로 등급이 매겨지고, 팀 점수도 계산되며, 가장 높은 점수를 받은 팀에게 보상을 제공한다는 것도 미리 안내한다.
② 원집단 구성 및 개인별 전문 과제 부여
 • 교사는 학생의 능력이나 성, 민족, 그리고 다른 주요 요인을 고려하여 이질적으로 집단을 구성한다. 팀이 정해지고 모임을 갖게 되면 팀 이름과 구성원의 이름을 게시판에 적는다.
 • 집단 구성원들은 전문가 집단에서 학습할 각자의 과제를 부여받는다. 이러한 각자의 과제는 전체 학습과제를 팀원 수만큼 나눈 것 중의 하나이다. 학습할 단원을 집단 구성원 수에 맞춰 각 구성원에게 한 부분씩 할당한다.
③ 전문가 집단에서 협동학습
 • 학생들은 전문가 집단에서 같은 주제를 가지고 협동학습을 한다. 이때 각 팀원은 최상의 답을 도출하고, 원집단에 돌아가서 다른 팀원을 가르칠 전략도 계획한다.
 • 한 학급은 여러 과제분담 학습 집단으로 나누어지므로 각 집단에서 같은 부분을 담당한 학생들이 따로 모여 전문가 집단을 형성하여 분담된 내용을 토의하고 학습한다.

④ 원집단에서 팀원과의 협동학습
  • 전문가 집단에서 학습한 내용을 원집단에 돌아와 다른 구성원들에게 가르친다.
⑤ 개인별·팀별 점수 계산
  • 개인 점수는 초기에 정해진 각 학생의 기본점수보다 향상된 점수를 말한다.
  • 팀 점수는 팀원의 개별 향상점수 총합의 평균 점수이다.
⑥ 팀 점수 게시와 보상
  • 수업이 끝나면 즉시 팀 점수와 개인점수를 게시하고 우수한 개인이나 소집단을 보상한다.

21 　2012 중등1-34

정답 ⑤

해설

ㄴ. 역할 양도(role release): "정기적인 모임을 통해 언어재활사는 특수교사가 지도할 때 필요한 구체적인 언어중재 전략에 관한 정보를 제공하기로 하였고, 부모는 가정에서의 언어능력 향상 정도를 특수교사에게 알려주기로 하였다."
ㄷ. 원형 평가(arena assessment): "특수교사, 언어재활사(치료사), 부모는 학생 A의 의사표현이 가장 활발히 나타나는 사회 시간에 함께 모여 학생 A의 활동을 관찰하면서 언어평가를 실시하였다."
ㅁ. 초학문 접근(trans-disciplinary approach): "평가 후에 특수교사, 언어재활사, 부모는 평가 결과를 바탕으로 장·단기 목표 및 지원 방법에 대해 함께 논의하였다."

22 　2013 유아B-2

모범답안

1)	원형진단
3)	ⓒ 초학문적 ⓔ 간학문적

해설

지문 돋보기

(가)는 원형진단, (나)는 역할방출에 대한 설명

Check Point

🖋 간학문, 초학문적 접근 비교

구분	간학문적 팀	초학문적 팀
진단	팀 구성원 각자에 의한 개별적 진단	팀 구성원들과 가족이 함께 아동의 발달에 대한 포괄적 진단 실행
부모참여	• 부모들이 팀 구성원으로 참여가 이루어짐 • 부모들이 팀 또는 팀 대표자와 만남	부모들이 팀 구성원으로서 적극적 참여
서비스 계획 개발	팀 구성원들이 그들 각각의 계획에 대해 서로 공유	팀 구성원들과 부모들이 가족의 우선 순위와 요구, 자원에 기초하여 서비스 계획
서비스 계획 책임	팀 구성원들은 계획된 부분을 실행하는 것에 책임	팀 구성원들은 주 서비스 제공자가 계획을 어떻게 실행하는가에 책임
서비스 계획 실행	팀 구성원들은 그들이 계획한 부분을 실행하며 가능하면 다른 부분들과 협응	주 서비스 제공자는 계획을 가족과 함께 실행하도록 할당

23 　2013 유아B-3

모범답안

2)	ⓛ 교수자료의 수정(또는 교수방법의 수정) ⓒ 물리적 환경의 수정(또는 교수환경의 수정)

24 　　　　　　　　　　　　　　　　2013 초등A-1

모범답안

1)	팀보조개별학습(TAI)
2)	• 자신의 수준에 맞는 개별학습이 가능하기 때문이다. • 기능훈련 및 형성평가를 반복적으로 시행함으로써 수학의 기능을 향상시킬 수 있기 때문이다.
3)	• 요소(원리) : 개인적 책임 • 문제점 : 무임승차 효과

해설

2) 팀보조개별학습 모형에서는 각 학생의 학습 속도 및 수준에 적합한 학습 자료를 제공하기 때문에 자신의 수준에 맞는 개별학습이 가능하다. 또한 훈련과 평가(기능훈련, 형성평가, 단원평가)를 반복적으로 시행함으로써 수학의 기능을 향상시킬 수 있다.

Check Point

☑ 협동학습의 원리(Miguel)
① 긍정적 상호 의존 : "네가 잘돼야, 나도 잘된다."
② 개인적 책임 : "내가 맡은 일은 내가 잘 할게."
③ 동등한 참여 : "참여의 기회가 똑같다."
④ 동시다발적인 상호작용 : "같은 시간에 여기저기서"

25 　　　　　　　　　　　　　　　　2013 중등1-18

정답 ②

해설

ㄱ. 학생 A에게 설정된 교육목표는 의사소통 기술을 지도하고 있으므로 과학 교과 안에서의 교육목표 위계 개념에 기초했다고 할 수 없다. 학생 A에게는 과학교과의 목표가 아닌 다른 교육과정/다른 교과의 교육목표를 적용한 중첩교육과정을 적용한 것이다.

ㄷ. '지역사회 공공기관에서 일하는 사람들의 역할 익히기' 목표와 '지역사회 공공기관 이름 익히기' 목표는 동일한 교과 내의 각기 수준이 다른 목표라고 할 수 있으므로 중첩교육과정이 아닌 중다수준교육과정에 해당한다.

ㄹ. 학생 D의 능력, 노력, 성취 측면을 고려하는 평가 방식은 다면적 평가에 해당한다.

26 　　　　　　　　　　　　　　　　2013 중등1-25

정답 ④

해설

ㄱ. 학급 교사의 역할과 책임을 또래교사를 하는 학생에게 위임하는 것은 아니다. 또래교수는 또래교사가 교사를 대신하여 학습에 어려움이 있는 또래 학습자의 학습활동을 도와주는 것이다.

ㄹ. 또래지원학습전략(PALS)은 상보적 또래교수전략 중의 하나이다. 또한 고학년 일반학생이 저학년 장애학생의 짝이 되도록 지도하는 것은 상급생 또래교수에 대한 설명이다.

27 　　　　　　　　　　　　　　　　2013추시 중등B-3

모범답안

3)	평가 본래의 목적에서 벗어나기 때문이다.
4)	통합된 환경 내에서 도움이 필요한 학생의 수준에 맞춰 보충의 기회를 제공해 줄 수 있기 때문이다.

28 　　　　　　　　　　　　　　　　2014 유아A-2

모범답안

2)	• 협력교수 유형 : 대안교수 • 문제점 : 다음 중 택 1 　－ 도움이 필요한 학생만 계속 선택하기 쉽다. 　－ 분리된 학습 환경을 조성할 수 있다. 　－ 학생을 고립시킬 수 있다.

해설

2) 활동계획안에서 대집단은 유아교사, 소집단은 유아특수교사가 각각 집단별로 수업을 한다는 진행한다는 점에 근거하여 대안교수라고 할 수 있다.

Check Point

☑ 대안교수의 장단점

장점	• 심화학습의 기회를 제공한다. • 결석한 학생에게 보충 기회를 제공할 수 있다. • 못하는 부분을 계발해 주는 시간을 만들 수 있다. • 개인과 전체 학급의 속도를 맞출 수 있다.
단점	• 도움이 필요한 학생(성취 정도가 떨어진 학생)만 계속 선택하기 쉽다. • 분리된 학습 환경을 조성한다. • 학생을 고립시킬 수 있다.

출처 ▶ 이소현 외(2011)

29 ⎸ 2014 중등A-6

모범답안

㉠	제시형태 조정(또는 평가자료의 조정)
㉡	반응형태 조정(또는 응답방법의 조정)

해설

㉠ 한꺼번에 많은 정보가 주어졌을 때, 정보에 주의를 기울이는 데 어려움이 있음을 고려하여 시험지의 문제 배열을 조정(두개의 단을 하나의 단으로)하여 제공한 것으로 평가조정의 형태 중 제시형태 조정에 해당한다.

㉡ 소근육의 문제를 보완하기 위해 정답 표시방법을 ●에서 ∅으로 변경한 경우에 해당하는 것으로 평가조정의 형태 중 반응형태의 조정에 해당한다.

• 원본 답안지와 조정된 답안지를 비교할 때 두 개의 단을 하나의 단으로 수정하여 확대하였으며 정답 표시 방법 역시 ●에서 ∅으로 변경하였다. 이와 같이 수정한 내용의 공통점은 소근육에 문제가 있어 작은 공간에 답을 표시하는 데 어려움이 있는 학생 A가 쉽게 답안지를 작성할 수 있도록 하였다는 것이다.

Check Point

📝 **평가조정 방법에 대한 접근**

평가조정의 방법을 조정내용에 따라 범주화하면 크게 평가환경의 조정, 평가도구의 조정 및 평가방법의 조정으로 분류할 수 있으며, 이 범주를 다시 하위영역으로 세분할 수 있다.

① 평가환경의 조정은 하위영역을 특수교육 교실이나 독립된 방의 제공 등과 같은 평가공간의 조정과 시간 연장, 회기 연장, 휴식시간 변경 등과 같은 평가시간의 조정으로 구분할 수 있고,

② 평가도구의 조정은 하위영역을 시험지의 확대, 점역, 녹음 등과 같은 평가자료의 조정과 수화통역사, 대필자, 점역사, 속기사 제공 등과 같은 보조인력의 조정으로 구분할 수 있다.

③ 평가방법의 조정은 하위영역을 지시 해석해주기, 소리 내어 읽어주기, 핵심어 강조하기 등과 같은 제시방법의 조정과 손으로 답 지적하기, 답을 위하여 보기 이용하기, 구술하기, 수화로 답하기, 컴퓨터로 답하기, 시험지에 답 쓰기 등과 같은 응답방법의 조정으로 구분할 수 있다.

출처 ▶ 정동영(2017 : 239)

30 ⎸ 2015 유아A-4

모범답안

1)	간학문적 접근
2)	원형진단

해설

1) 통합학급 교사, 치료실의 치료사나 심리학자, 의사 등에 의해 이루어진 개별진단 결과를 토대로 상호작용하는 형태이므로 간학문적 접근에 해당한다.

지문 돋보기

• 유아특수교사, 통합학급 교사, 치료사, 심리학자, 의사 : 개별 전문가
• 진단 결과나 중재 목표를 받아서 : 독립적으로 수행된 진단 결과 및 중재 계획의 통합/정보의 공유
• 부모의 요구와 우선 순위 파악 : 가족의 참여

2) 여러 관련서비스 영역의 전문가들과 심리학자, 사회복지사, 부모, 그리고 통합유치원교사가 한 팀이 되어 교육진단 계획, 교육진단 시 팀 구성원들의 동시 관찰 및 평가, 교사의 촉진자 역할 수행, 팀의 합의에 따른 개별화교육계획 작성 등을 통해 볼 때 초학문적 접근의 원형진단 과정을 설명하고 있다.

31 ┃ 2015 초등A-4

모범답안

3)	ⓐ 동일 교과영역을 학습하고 있지만 은수에게는 일반학생과는 다른 수준의 학습목표를 제시하고 있기 때문이다. ⓑ 중다수준 교육과정은 장애학생이 다른 학생들과 함께 동일한 교과영역을 다른 수준으로 학습하는 것인 데 반해 중복교육과정은 학생들이 동일한 학습활동을 하지만 서로 다른 교육과정 영역에서 다른 교수목표를 추구한다.

Check Point

☑ 중다수준 교육과정과 중복 교육과정

구분	차이점	공통점
중다수준 교육과정	학습목표와 학습 결과들은 동일한 교과목 안에 있고, 학생들은 학습량과 난이도를 감당해야 한다.	• 동일한 연령의 다양한 학습 수준을 가진 학생들이 수업을 한다. • 정규학급 활동 안에서 학습이 일어난다. • 각각의 학습자들이 적절한 수준의 난이도로 개별화된 교수학습목표를 가진다.
중복 교육과정	같은 교실 안의 일반학생들이 교과(예 과학, 수학, 역사 등)에 목표를 둔다면 장애학생들의 학습목표는 다른 영역, 예를 들어 의사소통, 사회화 또는 자기관리 능력 등이 될 수 있다.	

32 ┃ 2015 초등B-1

모범답안

1)	개별 점수와 팀별 점수를 모두 산출함으로써 활동의 끝까지 개인적 책임에 충실할 수 있도록 하기 위함이다.
2)	ⓐ 또래지원 학습전략 ⓑ 다음 중 택 1 • 시범 보이기 • 오류 교정해 주기(또는 교정적 피드백)
3)	또래학습자가 읽은 내용을 다시 말하기(또는 읽은 내용을 간략히 말하기)

해설

1) 모둠 활동의 초반에는 관심을 보이지만, 이내 싫증을 내서 끝까지 참여하는 데 어려움을 보이는 특성을 고려할 때 개인의 책임이 모둠 전체의 점수에도 영향을 주는 모둠성취분담모형의 적용을 고려할 수 있다.

Check Point

☑ 또래지원 학습전략

단계	활동
파트너 읽기	• 또래교사가 먼저 읽고 또래학습자가 다시 읽기 • 또래학습자가 읽을 때 또래교사는 오류 교정해 주기 • 또래학습자가 읽은 내용을 다시 말하기
단락(문단) 요약	• 또래교사가 단락을 먼저 읽고 또래학습자가 다시 읽기 • 단락이 끝날 때 또래학습자가 단락 요약하기 • 또래학습자의 단락 요약하기에 대해 또래교사는 오류 교정해 주기
예측 릴레이	• 또래교사와 또래학습자는 다음에 읽을 내용에 대해 예측하기 • 또래교사와 또래학습자는 예측한 내용이 옳은지 확인하기

출처 ▶ 2012 초등1 2 기출, 2017 중등D 7 기출

33 ┃ 2015 초등B-5

모범답안

3)	자율적 협동학습 모형

해설

3) <활동 1>에서 소주제별 모둠을 구성한 후 <활동 2>에서 모둠 내 더 작은 소주제를 생성하는 것은 자율적 협동학습의 특성을 잘 드러내 준다.

Check Point

☑ 자율적 협동학습 모형

① 전체 학급에서 교사가 제시한 주제에 대하여 학생들이 대략적인 토의를 한 뒤, 여러 소주제로 나누고, 자신이 원하는 소주제를 다루는 소집단에서 토의를 통하여 조사하는 방법(= 도우미 학습)

② 소주제를 탐구하는 과정에서 학생 개개인의 흥미나 관심에 따라서 세부적인 간단한 주제를 선택하여 학습함으로써 모둠학습에 보다 적극적으로 참여하도록 하는 구조로 진행된다. 구체적인 절차는 다음과 같다.

【탐구 주제 제시】
교사는 탐구 주제를 선정하여 아동들에게 소개한다.

⇩

【소주제 결정】
교사가 제시한 학습주제에 대해 학급토론을 개최하고
최종적으로 다룰 소주제를 선정한다.

⇩

【모둠 구성】
소주제 중 아동들은 자신이 학습하고자 하는 주제를 선택하고,
아동들이 선택한 주제를 중심으로 모둠을 편성한다.

⇩

【모둠 내 역할 분담 및 개별 탐구학습】
각 모둠은 소주제와 관련하여 모둠 구성원들의 흥미에 따라
역할을 분담한 후 개별적으로 해당 주제에 대한 정보를
수집하고 개별 학습한다.

⇩

【소주제에 대한 미니 주제 선정】
모둠 구성원들은 소주제를 탐구하는 과정에서 아동 개개인의
흥미나 관심에 따라서 세부적인 간단한(mini) 주제를
선택하여 학습함으로써 모둠학습에 보다 적극적으로
참여하도록 한다.

⇩

【협동학습 및 발표 준비】
각자가 학습했던 소주제들을 팀 구성원들에게 제시한 후
종합하여 모둠별 보고서를 만든다.

⇩

【학급 보고】
각 모둠은 전체 학급을 대상으로 결과물을 발표한다.

⇩

【평가】
팀 동료에 의한 팀 기여도 평가, 교사에 의한
소주제 학습기여도 평가, 전체 학급 동료들에 의한
팀 보고서 평가 등 세 가지 수준에서 평가가 이루어진다.

---

34   2016 유아A-4

모범답안

2)	① 간학문적 접근 ② 하나로 통합된 서비스 계획에 기여한다. ③ 다음 중 택 1 　• 독립적인 진단이 이루어지므로 시간이 오래 걸린다. 　• 전문가들이 융통성이 없는 경우 합의된 진단 결과를 　　도출하지 못할 수도 있다.

해설

2) ① 다음과 같은 전문가 협력의 내용에 담겨 있는 의미
　를 살펴볼 때 인호를 위한 전문가 팀의 협력 모델은
　간학문적 접근임을 알 수 있다.

지문 돋보기

전문가 협력의 내용	설명(의미)
유아특수교사, 청각사 등 다양한 영역의 전문가들이 참여함	다양한 영역의 전문가가 참여함
• 전문가별로 중재 계획을 개발하고 정보를 서로 공유함 • 때때로 팀원 간에 인호의 문제를 논의함	다학문적 접근에서와 같이 진단 과정에서는 각 영역의 전문가가 독립적으로 작업하지만 그 과정과 결과의 보고에 있어서 서로 정보를 교환하고 협력하게 됨
인호의 부모가 팀원임	다학문적 진단과는 달리 가족도 팀의 구성원으로 참여함

② 장점 중 지문에 포함된 내용(다양한 영역의 전문가
　참여, 정보 공유, 부모 참여)은 제외하는 것이 적절
　하다.

Check Point

✎ 협력 모형에 따른 세 가지 접근 방법의 장단점

협력 유형	장점	단점
다학문적 접근	• 서비스 계획과 제공에 하나 이상의 전문가가 참가한다. • 의사결정에 다양한 전문성이 반영된다.	• 통일된 접근을 실행하기 어렵다. • 팀의 결속력과 기여도가 부족하다.
간학문적 접근	• 활동과 교육목표가 다른 영역을 보충하고 지원한다. • 하나로 통합된 서비스 계획에 기여한다. • 서비스 대표자를 통해서 정보를 공유할 수 있다.	• 전문가들의 고집이 협력을 위협할 수도 있다. • 전문가들이 융통성이 없는 경우 효율적이지 못할 수도 있다. • 서비스 대표자의 역할이 불분명하기 때문에 역할 수행에 있어서 독단적일 수 있다.

초학문적 접근	• 다양한 전문 영역 간의 상호작용을 격려한다. • 역할을 공유하도록 권장한다. • 종합적이면서 통일된 계획을 제공한다. • 유아에 대해서 좀 더 잘 이해하도록 돕는다. • 전문가의 지식 및 기술을 향상시키고 전문성을 강화한다.	• 다양한 영역의 전문가 참여가 요구된다. • 서비스 대표자의 역할을 하는 교사에게 가장 큰 책임이 주어진다. • 고도의 협력과 상호작용을 필요로 한다. • 전문가 간의 의사소통과 계획에 많은 시간이 소모된다.

출처 ▶ 이소현(2020 : 242)

35 [2016 초등A-1]

모범답안

4)	태도, 노력 등을 점수화하고 칭찬함으로써 학습된 무기력, 저조한 성취 경험, 타인의 낮은 기대로 인한 심리적 위축을 줄일 수 있기 때문이다.

36 [2016 초등B-1]

모범답안

1)	세희와 또래들 간의 상호작용을 제한할 수 있기 때문이다.

Check Point

🖉 통합교육의 형태

물리적 통합	장애학생과 일반학생이 같은 물리적 환경에서 함께 교육을 받는 것 - 가장 기본적인 조건
사회적 통합	장애학생이 일반학급 내에서 일반학생들과 의미 있는 상호작용을 함으로써 장애학생과 일반학생 모두가 서로를 진정한 학급 구성원으로 받아들이는 것 - 성공적인 사회적 통합은 학업적인 측면에서도 긍정적인 효과를 가져올 수 있고, 일반학생에게도 자연스럽게 개인의 다양성과 차이를 인정하는 계기가 될 수 있다.
교육 과정적 통합	일반학교에서 함께 교육을 받는 장애학생과 일반학생의 교육과정이 서로 관련 없는 별개의 교육내용으로 나뉘는 것이 아니라 공동의 교육과정적 틀 속에서 이 두 개의 교육과정을 하나의 광범위한 연속체로 조화시키는 것 - 일반학급에 통합된 장애학생이 일반학생과 함께 수업을 받으면서 그 수업을 통해 자신의 교육적 성취를 이루도록 하는 것이 목표 - 교육과정 수정과 교수적 수정을 통해 장애학생은 단순히 일반학생과 같은 공간에 머무는 것에 그치지 않고 일반학급에서 자신에게 필요하고 자신의 능력에 맞는 교육목표를 달성할 수 있는 교육을 받게 될 것이다.

37 [2016 중등B-8]

모범답안 개요

서론	생략

본론	• 평행교수와 스테이션교수의 장점(학습자 측면)
	  - 평행교수: 효과적인 복습이 가능하다. / 학생들의 학습 참여기회가 증가된다.
	  - 스테이션교수: 주의집중을 증가시킨다. / 학생들 간의 모둠활동을 통한 사회적 상호작용의 기회가 증가된다.
	• 평행교수와 스테이션교수의 차이점
	  - 교수 집단의 구성 측면: 평행교수는 능력 면에서 이질적인 학생들로 두 개의 집단(집단별 15명, 집단별로 장애학생은 각 1명 배치)을 구성한다. 스테이션교수는 학생들을 동질적 또는 이질적으로 세 개의 집단(집단별 10명, 장애학생은 전략적으로 배치 가능)을 구성한다.
	  - 교수·학습 활동의 내용 측면: 평행교수는 두 교사가 동일한 내용을 교수하고, 자기점검표를 이용하여 교수·학습 내용을 복습(또는 점검)하도록 한다. 스테이션교수는 각 스테이션별로 안내노트를 사용하여 각기 다른 내용을 교수하고, 교사가 없는 스테이션에서는 학생들 스스로 독립적인 활동을 수행하도록 한다.
	• 특수교사의 지원 내용
	  - 긍정적 상호작용이 일어날 수 있도록 학습 집단을 구성한다.
	  - 집단 내 상호작용 기술, 의사소통 기술 등을 가르친다.
	  - 일반학생을 대상으로 장애이해 교육을 실시한다.
	  - 장애학생의 학급활동 참여를 위해 학급 내 역할을 부여한다.

결론	생략

해설

평행교수와 스테이션교수의 차이점을 기술함에 있어 교수·학습 지도안에 제시된 '대상', '교수·학습활동', '자료 및 유의점' 등을 참고하도록 하고 있다. 해당 내용을 살펴보면 평행교수를 시행할 때의 교수·학습활동은 두 가지, 그리고 스테이션교수에서의 교수·학습활동은 세 가지임을 알 수 있다. 따라서 집단의 구성을 언급함에 있어 평행교수는 두 개의 집단, 스테이션교수는 세 개의 집단으로 구성한다는 내용이 포함되어야 한다. 그리고 자료 및 유의점에 제시된 자기 점검표, 안내 노트를 설명 안에 적절히 포함시켜 내용을 전개해야 한다.

(1) 평행교수의 장단점

장점	• 효과적인 복습이 가능하다. • 학생의 반응을 독려할 수 있다. • 집단학습과 복습을 위한 교사-학생 간 비율을 감소시킨다.
단점	• 동일한 내용에 대해 모둠 간 동일 수준으로 성취하기가 어려울 수 있다. • 두 교사 간 활동을 설명하는 수준의 난이도와 수업 진행 속도에 대한 조율이 어렵다. • 상대방 교사의 속도에 대해 점검해야 한다. • 교실이 시끄러워진다. • 모둠 간의 경쟁이 가열될 수 있다.

출처 ▶ 이소현 외(2011)

(2) 스테이션교수의 장단점

장점	• 능동적인 학습 환경을 제시한다. • 소그룹을 전제하므로 주의집중을 증가시킬 수 있다. • 협동과 독립성을 증진시킨다. • 학생들 간의 모둠 활동을 통한 사회적 상호작용의 기회가 증가된다. • 전략적으로 집단을 구성할 수 있다.
단점	• 스테이션 교수를 실시하기 위해서는 많은 계획과 준비가 필요하다. • 스테이션 간의 이동을 전제로 하므로 넓은 공간의 교실이 필요하고, 이동 시에 교실이 시끄러워질 수 있다. • 학생의 경우 집단으로 활동하는 기술과 독립적인 학습 기술이 필요하다. • 감독하기가 어렵다.

출처 ▶ 이소현 외(2011)

(3) 협동학습의 효율적 운영을 위한 요소
① 긍정적 상호 의존
② 대면적 상호작용
③ 개인적 책무성
④ 소집단 사회적 기술
⑤ 효율적인 집단 절차

38 | 2017 초등B-3

모범답안

2) ⓓ, 집단별 점수는 팀 구성원의 개별 향상점수 총합의 평균 점수이다.

✐ Jigsaw Ⅱ

개념	• 직소 Ⅰ 모형의 개별보상에 집단보상이 추가된 것이다. • 직소 Ⅰ 보다 과제의 상호 의존성을 낮추고 보상 의존성을 높인 것이다.
수업 절차 도식	수업안내(학습 절차와 보상 설명하기) ↓ 집단 구성 ↓ 개인별 전문과제 부과 ↓ 전문과제별 모임 및 전문가 집단에서의 협동학습 ↓ 원소속 집단에서의 협동학습 ↓ 개별 평가 ↓ 개인점수, 향상점수, 집단점수 산출 ↓ 개별보상 및 집단보상

39

【모범답안】

4) 교수자료의 수정(또는 교수방법의 수정)

【해설】

4) 교수방법의 수정은 교수가 제시되고 전달되는 방식에서의 수정을 의미하는 것으로 교수활동, 교수전략 및 교수자료의 수정을 포함한다.

Check Point

☑ 교수방법의 수정

교수활동	• 과제를 작은 단계로 나누어서 제시한다. • 과제의 양을 줄인다. • 과제를 쉽게 또는 구체적으로 수정한다. • 과제를 활동 중심적으로 수정한다.
교수전략	• 수업 형태의 수정: 강의나 시범과 같은 전통적인 교수 형태가 사용될 수 있다. 게임, 모의 실시, 역할 놀이, 발표, 활동 중심적 수업 등 학생들의 활발한 참여와 발견 학습이 중시되는 전략이 사용될 수 있다. • 교육공학 및 보조공학의 활용: 워드프로세싱, 컴퓨터 보조학습용 소프트웨어 및 장애아동의 기능적 능력을 향상시키는 보조공학 등이 사용될 수 있다. • 행동 강화 전략의 사용: 수업내용의 효과적 교수를 위하여 행동계약, 모델링, 토큰경제, 부모와 빈번한 의사소통, 즉각적인 개별적 피드백, 칭찬 등이 사용된다. • 정보 제시 및 반응 양식의 수정: 전체 제시 방법, 부분 제시 방법, 시각적, 청각적 및 촉각적 학습 양식에 따른 정보 제시 방법들을 개별 아동의 다양한 학습 특성에 따라 적합하게 사용한다.
교수자료	학습목표에 도달할 수 있도록 사용되는 매개물인 교수자료를 수정하는 것으로, 교육활동에 필요한 자료를 학생들에게 적합하도록 수정해 가는 과정을 의미한다.

40

【모범답안】

㉠	상보적 또래교수
㉡	교실을 돌아다니면서 각 팀이 제대로 또래교수를 수행하는지 점검하고, 문제가 있는 부분은 수시로 교정한다.

【해설】

㉠ 상보적 또래교수는 두 학생이 책임을 서로 바꾸게 됨을 의미한다. 즉, 튜티는 튜터가 되고, 튜터는 튜티가 되는 것이다(Prater, 2011 : 248).
• 상보적 또래교수의 하위 유형을 파악할 수 있는 구체적인 설명은 제시되어 있지 않다.

41

【모범답안】

㉢	• 단계명: 단락 요약(또는 문단 요약) • 활동 　- 튜터가 단락을 먼저 읽고 튜티가 다시 읽기 　- 단락이 끝날 때 튜티가 단락 요약하기 　- 튜티의 단락 요약하기에 대하여 튜터는 오류 교정해 주기

Check Point

☑ 또래지원 학습전략(PALS)

파트너 읽기, 단락(문단) 요약, 예측 릴레이 등 세 가지의 구조화된 활동으로 구성

파트너 읽기	• 성취 수준이 높은 학생이 먼저 소리 내어 큰 소리로 읽고, 이어서 성취 수준이 낮은 학생이 동일한 부분을 다시 읽는다. 읽기 수준이 높은 학생이 듣고 발음, 내용, 어휘 등에 대해 실문하고 필요하면 실명과 시범을 보인다. • 활동 내용 구체화 　- 또래교사가 먼저 읽고 또래학습자가 다시 읽기 　- 또래학습자가 읽을 때 또래교사는 오류 교정해 주기 　- 또래학습자가 읽은 내용을 다시 말하기
단락 (문단) 요약	• 성취 수준이 높은 학생은 책을 읽은 학생들에게 단락이 누구 혹은 무엇에 관한 것인지, 그리고 그 누구와 무엇에 있어 가장 주요한 것이 무엇인지 물어봄으로써 주제를 확인하게 유도한다. 요약에 대해서 오류가 있을 경우 이를 수정해 준다. • 활동 내용 구체화 　- 또래교사가 단락을 먼저 읽고 또래학습자가 다시 읽기 　- 단락이 끝날 때 또래학습자가 단락 요약하기 　- 또래학습자의 단락 요약하기에 대해 또래교사는 오류 교정해 주기
예측 릴레이	• 글을 읽은 학생에게 다음에 읽을 내용이 무엇인지 예상하게 한다. • 활동 내용 구체화 　- 또래교사와 또래학습자는 다음에 읽을 내용에 대해 예측하기 　- 또래교사와 또래학습자는 예측한 내용이 옳은지 확인하기

42 　　　　　　　　　　　　　 2017 중등B-8

모범답안 개요

서론	생략

본론	• 장애의 원인론
	  － 의료적 모델: 장애를 개인의 신체적, 정신적 제한으로 간주하며, 이를 개인적인 문제와 비극으로 본다.
	　　예 대화 내용 중 김 교사는 학생 A가 휠체어를 타고 있기 때문에 수학여행에 참여하는 것이 무리라고 한 점, 때에 맞춰 약을 먹어야 하는 개인적인 문제가 있다고 한 점, 일이 생겼을 때 혼자 해결하기 어렵다고 한 점, 장애가 있어서 매사 어려움이 많고 친구들과 어울리기도 힘들다고 한 점 등이 이를 뒷받침한다.
	  － 사회적 모델: 장애는 개인과 사회와의 관계에서 나타난다고 가정하는 모형이다.
	　　예 대화 내용 중 이 교사가 인식의 차이, 사회적 환경을 만들어야 함, WHO의 ICF 모델을 언급한 점 등이 이를 뒷받침한다.
	• ICF 체계의 모델
	  － 장애를 바라보는 관점: 장애란 신체의 기능과 신체의 구조에 문제가 있는 손상이 있거나 개인에 의한 임무 혹은 일상 행위의 활동에 개인이 겪을 수 있는 어려움, 즉 제한이 있거나, 실질적인 생활 환경의 참여에 있어서 경험하게 되는 한계가 있을 때를 장애가 있다고 보는 시각(또는 장애는 개인적 요소와 환경적 요소의 상호작용에 의한 것으로 보는 시각)이다.
	  － 장애의 제한을 최소화하는 방법: 장애를 최소화하기 위해 환경적, 사회적 장벽의 제거가 필요하다.
	• 장애의 개념에 대한 본인의 생각: 생략

결론	생략

Check Point

(1) 장애의 의학적 모형과 사회적 모형

용어	의학적 모형	사회적 모형
장애	개별적인 부담, 개인적인 비극 또는 개인적 문제인 손상으로 인하여 과제를 수행할 수 없는 존재로서의 조건	장애인의 주류 사회활동에의 참여를 배제하는 환경 설계에 기인하는 불리나 활동의 제한
함의	개인은 사회와 확립된 환경에 적응하거나 적합하게 되기 위하여 더욱 정상적이 되어야 함	사회는 환경의 설계를 적합하게 하여야 함. 개인차는 정상으로 간주되며, 통합적이고 유연한 환경의 설계를 통하여 수용됨

(2) 국제 기능·장애·건강분류(ICF) 모델

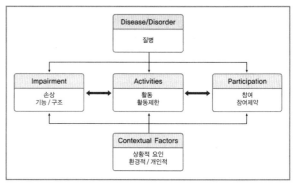

① 장애는 장애 그 자체가 문제인 것이 아니라 장애로 인한 인간의 기능적 제약이 근본적인 문제라는 시각이 대두되면서 장애의 개념을 달리하게 됨
② 손상과 활동이 개별적 모형의 개념을 포함시킨 것이라면, 참여는 사회적 모형의 개념을 포함시킨 것

43 　　　　　　　　　　　　　 2018 유아B-2

모범답안

3)	① 평행교수 ② 두 교사 간 활동을 설명하는 수준의 난이도와 수업 진행 속도에 대한 조율이 어렵다.

44   2018 초등B-2

모범답안

1)
① 대안교수
② 다양한 학생들이 소집단 교수를 받을 수 있는 기회를 갖도록 계획하는 것이 필요하다(또는 소집단 구성원을 자주 교체한다).

해설

1) ② 지혜, 진우, 세희와 같이 학습에 어려움이 있는 학생들만으로 소집단을 구성할 경우 이 학생들만을 대상으로 하는 교수가 증가하고 이로 인해 분리된 학습 환경이 조성되는 문제점이 있다. 따라서 교사는 다양한 학생들이 소집단 교수를 받을 수 있는 기회를 갖도록 계획하는 것이 필요하다.

Check Point

☑ 대안교수의 장단점

장점	• 심화학습의 기회를 제공한다. • 결석한 학생에게 보충 기회를 제공할 수 있다. • 못하는 부분을 계발해 주는 시간을 만들 수 있다. • 개인과 전체 학급의 속도를 맞출 수 있다.
단점	• 도움이 필요한 학생(성취 정도가 떨어진 학생)만 계속 선택하기 쉽다. • 분리된 학습 환경을 조성한다. • 학생을 고립시킬 수 있다.

출처 ▶ 이소현 외(2011)

45   2018 중등B-1

모범답안

• ㉠ 각 학생의 학습 속도 및 수준에 적합한 학습지를 제공함
• ㉡ 형성평가에서 80% 이상 성취하면 실시함
• 기호와 이유
  ㉢ 학생 C에 대한 언어적 촉진을 점진적으로 증가시키면 촉진 의존성이 생길 수 있기 때문이다.
  ㉣ 장소를 옮기는 데 어려움을 보이므로 자리를 수시로 바꾸며 모둠 활동을 진행하는 것은 적절하지 않기 때문이다.

해설

㉣ 하나의 활동에서 다른 활동으로 옮겨 가는데 문제가 있으므로 시각적 단서를 통해 예측 가능성을 높여 줄 수 있다.

㉤ 수업에 별다른 관심이 없기 때문에 수업 시삭 선, 수업이 끝난 후 수업 내용을 칠판에 적어 놓거나 관련 자료를 제공하는 것은 수업에 대한 관심을 증가시킬 수 있는 방법이다.

Check Point

☑ 팀 보조 개별학습에서의 평가

① 형성평가에서 80% 이상 도달되면 집단에서 주는 합격증을 받고 단원평가를 치르고, 집단점수는 각 집단 구성원이 해결한 평균 단원수와 단원 평가의 점수를 기록해서 계산한다(신진숙, 2014 : 118-119).

② 학생들은 이 프로그램의 어느 수준에 위치하고 있는지를 알기 위해 사전 검사를 받는다. 그리고는 4~5명의 이질적인 팀에 배정이 되고 팀 내에서 개인별 단원으로 공부한다. 각각 단원에는 단계적 습득을 위한 지시와 설명문, 여러 장의 기능 문제지, 확인 검사지, 그리고 최종 검사지와 정답지가 있다. 학생들은 4문제를 계산한 후 팀 동료와 교환하여 정답을 채점한다. 4문제가 다 정답이면 다음의 기능 문제지로 건너뛸 수 있으며, 오답이 있으면 다른 4문제를 계산한다. 기능 문제지를 다 마치면 확인 검사를 받으며, 8개 이상이면 최종 검사를 받을 수 있다(송준만 외, 2016 : 280-281).

46   2018 중등B-3

모범답안

- ㉠ 초학문적 팀 모델
  ㉡ 원형진단

47   2019 유아B-3

모범답안

1)	① 스테이션교수
	② 다음 중 택 1
	• 능동적인 학습 환경을 제시한다.
	• 소그룹을 전제하므로 주의집중을 증가시킬 수 있다.
	• 협동과 독립성을 증진시킨다.
	• 학생들 간의 모둠 활동을 통한 사회적 상호작용의 기회가 증가된다.
	• 전략적으로 집단을 구성할 수 있다.

해설

1) ① '유아들은 세 가지 활동에 모둠으로 나누어 참여했다.', '한 활동이 끝나면 유아들끼리 모둠별로 다음 활동으로 이동해 세 가지 활동에 모두 참여할 수 있도록 해주었다.'와 같은 단서를 통해 스테이션교수임을 알 수 있다.

48   2019 초등A-4

모범답안

3)	ⓐ 전학급 또래교수(CWPT)
	ⓑ 전문가 또래교수

해설

3) ⓐ 전학급 또래교수(CWPT)는 학급구성원 모두가 또래교수에 참여하는 형태로, 학생들이 짝을 지어 역할을 바꾸어 가면서 서로를 가르치는 상보적 또래교수에 해당한다.
ⓑ 일대일의 형태로 또래교수가 이루어지면서 학습 수준이 높은 학생이 낮은 학생을 지도하는 교수자 역할을 수행하는 또래교수 모형은 전문가 또래교수이다.

49   2019 초등B-2

모범답안

1)	동일한 학습활동을 하지만 은지에게는 실과가 아닌 국어의 교수목표를 지도하려고 하기 때문이다.

해설

1) 실질적으로 실과 수업 시간이지만 해당 교과 시간에 은지에게는 실과의 수업목표가 아닌 다른 교과, 즉 국어과의 학습목표를 지도하려고 하기 때문에 중복 교육과정이라고 할 수 있다.

50   2019 중등A-1

모범답안

㉡ 다양성

Check Point

☑ 통합교육의 목적

	개인 간의 다양한 능력 수준은 차별과 집단화의 근거가 되는 것이 아니라 개인차와 독특한 교육적 요구로 인정되어야 한다.
다양성의 인정 및 수용	• 학교 교육에서 다양성을 추구해야 하는 이유는 다음과 같이 설명된다. − 개인별 취향을 인정하듯 학교 구성원의 저마다 다른 개성을 인정하고 교육적 요구를 수용함으로써 필요한 교육을 제공해야 함 − 다차원적 관점이나 가치관을 학습하는 것이 중요함(다원성) − 불평등한 사회 구조의 변혁을 위해 소수자 관점의 교육도 중요함(평등성) − 학생의 능력, 개성, 자질을 동등하게 존중하고 가치를 부여해야 함(수월성)
교육의 평등성 추구	교육의 평등성이란 개인이 지니고 있는 학습 능력과 개인의 요구에 적합한 교육 서비스를 제공해 주는 것을 의미한다.
교육의 수월성 추구	교육의 수월성을 보장해 주기 위해서는 개인의 잠재력을 최대한 계발시켜 주는 방법을 사용할 수 있다.
조화의 극대화	구성원의 한 사람도 소외되지 않고, 각자가 역할을 맡아서 수행하며, 기능을 발휘하고, 집단의 공동선을 위해 기여하며, 조화를 이루어 살아가는 사회를 이룩하는 것이다.

51

모범답안 개요

서론	교수적 수정의 필요성	• 일반학급의 일상적인 수업에서 특수교육적 요구가 있는 학생의 수업 참여의 양과 질을 최대화하기 위해서이다. • 특수교육대상자를 통합학급에서 효과적으로 그리고 각자에게 유의미하게 지도하기 위해서이다.
본론	교수적 수정의 적용	• 학생 A−교육내용−시각적 수행능력에 따른 수준 조절 • 학생 B−교육방법−동영상 자료에 자막 제공 • 학생 C−교수 집단화−집단 구성원의 수를 적게 구성
	평가수정 방법	• 시각장애 학생 A−반응 형태의 수정 예 확대 답안지에 답안 제출 • 청각장애 학생 B−제시 형태의 수정 예 듣기 평가는 필답으로 대체 • 자폐성장애 학생 C−시간 조정 예 휴식 시간 조정(또는 학생이 집중할 수 있는 시간대에 시행)
결론	교수적 수정의 한계 및 보편적 학습설계의 시사점	교수적 수정을 장애학생의 낮은 학업 능력 수준에 맞게 일반학교 교육과정을 하향화하는 수단으로 오해할 소지가 크다. 따라서 교수적 수정은 장애학생의 학업 능력에 대한 보다 높은 기대를 가지고, 이들이 일반학교 교육과정에 접근하고 참여하고 성취하도록 하기 위한 수단으로 활용되어야 한다. 교수적 수정은 장애학생에 대한 낮은 기대를 가지고 일반학교 교육과정에 대한 하향식 접근을 하기 위한 도구가 아니라, 보다 높은 기대를 가지고 장애학생이 일반학교 교육과정에 접근하도록 하기 위한 도구로 활용되어야 함에 주목할 필요가 있다.

해설

평가수정 방법) 시각장애 학생 A를 위한 반응 형태 수정의 예와 청각장애 학생 B를 위한 제시 형태 수정의 예는 국립특수교육원 자료(2016)를 기준으로 한 것이다.
- 시각장애 학생 A의 경우 저시력임을 고려하여 점자 답안지 제공, 점자정보단말기로 답안 작성 등은 제외한다.
- 청각장애 학생 B의 경우 수어를 사용한다는 단서가 제시되어 있지 않으므로 수어 제공은 제외하는 것이 적절하다.

Check Point

✍ 평가조정

(1) 평가수정 방법(국립특수교육원, 2003)
① Thurlow 등(1993, 2000), 김동일(1995)에 따르면 검사의 수정이나 조정의 형태는 크게 제시형태의 소성(예 섬사

본, 확대경 이용, 글자 확대, 지시 및 문제 구술, 수화 지시), 반응형태의 조정(예 템플리트(글자판)이용, 구두 반응, 컴퓨터/타자기 이용, 수화 반응), 검사시간의 조정(예 검사시간 연장, 검사 중의 휴식, 몇 차례로 나누어 실시), 그리고 검사환경의 조정(예 재택 실시, 본인의 학교나 학급에서 실시, 고사장에서 단독 실시, 소수집단 실시) 등의 4가지로 나누어 볼 수 있다(김동일, 2002 ; 국립특수교육원, 2003 : 50−51 재인용). 다음은 이러한 검사 조정의 형태별로 고려할 수 있는 방법들을 예시한 것이다.

제시형태	반응형태	검사시간/스케줄	검사 환경/기타
① 점자로 된 시험지	① 점자 응답	① 시간연장	① 독립공간
② 확대 인쇄	② 구두 응답 (대필)	② 잦은 휴식	② 조명시설
③ 확대경(또는 확대독서기)	③ 문제지에 응답(또는 별도의 답안지)	③ 긴 휴식	③ 증폭/방음시설
④ 대독자(읽어 주기)	④ 수화 응답	④ 분할 실시	④ 장애인용 책상
⑤ 녹음테이프	⑤ 의사소통판 이용	⑤ 스케줄(요일, 시간대 등) 조정	⑤ 장애인 편의시설
⑥ 비디오녹화 테이프	⑥ 컴퓨터 장비		⑥ 주의산만 시각 자극 제거
⑦ 의사소통판 이용			⑦ 재택(또는 병원) 실시
⑧ 청각보조기			
⑨ 세심한 시험지 편집(줄 간격, 여백 등)			

② 다양한 검사 조정의 형태들과 장애유형별로 검토 가능한 검사 조정 방법을 시각장애, 청각장애, 지체장애, 학습장애 유형을 중심으로 정리하면 다음과 같다(국립특수교육원, 2003 : 53).

장애 유형	평가조정의 형태			
	제시형태	반응형태	검사시간/스케줄	검사 환경/기타
시각장애	점자, 글자확대, 확대경(또는 확대기) 이용, 대독 또는 녹음테이프	점자 응답(점자판/점필 이용) 또는 구두응답, 별도 답안지(답안 이기),	시간연장(예 1.5배/20분), 잦은 휴식	별도 시험실(적절한 조명, 큰 책상)
청각장애	수화 통역, (비디오), 청각보조기(보청기 등) 사용	수화 응답(답안 이기)	(시간연장)	별도 시험실(증폭, 방음 등), 듣기평가-필답고사로 대체

		문제지에 응답, 템플리트(글자판), 응답 영역 보호 자석/테이프, 구두 응답 또는 가리키기, 대필(뇌성마비)	시간연장(**예** 20분), 잦은 휴식	별도 시험실(1층, 경사로 등 접근성 확보, 휠체어용 책상, 연필잡이, 기타 편의시설 등)
지체장애	보완대체 의사소통 기구 또는 컴퓨터			
학습장애	(읽기, 쓰기, 수학)-대독 또는 녹음(비디오)테이프 읽기 보조기, 확대 활자, 문항간줄 간격 조정 충분한 여백, 밑줄 또는 강조 인쇄(키워드) 등	쓰기 보조기, 컴퓨터보조기 등	(시간연장)	별도 시험실(자리 배치), 계산기 이용 등

(2) 평가조정 방법(국립특수교육원, 2016)
① 시각장애 학생을 위한 평가조정 방법 예시

과목	평가 방법	평가조정 방법				
		평가운영		평가구성		점수 부여
		환경 조정	시간 조정	제시 형태	반응 형태	
수학	지필평가	비장애학생과 같음	시험시간 1.5배 연장	확대 그림 제공	확대답안지에 답안 제출	비장애학생과 같음
미술	실기평가	비장애학생과 같음	시험시간 1.5배 연장	점토와 은박지 제공함	인물을 입체적으로 표현하게 함	평가 기준에서 채색은 제외함
체육	실기평가	• 골대 뒤와 경기장 중앙에 가이드를 배치함 • 방울이 들어있는 특수공 사용 • 조용한 실내에서 경기를 시행함	비장애학생과 같음	• 가이드는 패스할 상대방의 위치를 소리로 알려줌 • 킥을 찰때 골대 뒤의 가이드가 골대의 위치를 알려줌	비장애학생과 같음	• 자세와 태도 평가는 비장애학생과 같음 • 킥의 기회를 2회 더 제공함

출처 ▶ 국립특수교육원(2016 : 51)

② 청각장애 학생을 위한 평가조정 방법 예시

과목	평가 방법	평가조정 방법				
		평가운영		평가구성		점수 부여
		환경 조정	시간 조정	제시 형태	반응 형태	
국어	지필평가	비장애학생과 같음	비장애학생과 같음	듣기 평가는 필답으로 대체함	듣기평가 시 청각보조기를 착용하고 개별 평가함	비장애학생과 같음
수학	지필평가	비장애학생과 같음	비장애학생과 같음	문장제 문제를 복문에서 단문으로 조정함	비장애학생과 같음	비장애학생과 같음
음악	실기평가	비장애학생과 같음	비장애학생과 같음	리코더 불기 대신 실로폰 치기로 대체 과제 제시	리코더 연주에 맞춰 실로폰으로 대선율(주요 가락)을 연주함	비장애학생과 같음
체육	실기평가	비장애학생과 같음	비장애학생과 같음	시작, 중지, 계속을 시각적 신호(깃발)로 제시함	팀당 인원을 5명이 아닌 4명으로 줄여서 간이 농구 실시	비장애학생과 같음

출처 ▶ 국립특수교육원(2016 : 53)

52 　　　　　　　　　　　　　　2020 유아A-7

모범답안

2)	① ⓒ 간학문적 팀 접근 　ⓒ 초학문적 팀 접근 ② 다음 중 택 1 • 원형진단을 통해 진단에 소모되는 실질적인 시간을 절약할 수 있다. • 역할방출을 통해 효과적인 중재를 제공한다. • 유아가 의미 있고 기능적인 활동을 수행하는 장면에서 중재를 받을 수 있다. • 종합적이면서 통일된 계획을 제공한다.

해설

2) ⓒ '진단과 중재를 각각 하지만 팀 협의회 때 만나서 필요한 정보들을 공유'를 단서로 간학문적 접근임을 유추할 수 있다.
  • 간학문적 접근의 진단 모델은 다양한 영역의 전문가가 서로 밀접하게 의사소통을 함으로써 진단과 교육 계획이 좀 더 화합된 형태로 이루어질 수 있는 협력적 접근 방법이다. 간학문적 접근의 진단에서도 다학문적 접근에서와 같이 진단 과정에서는 각 영역의 전문가가 독립적으로 작업을 하지만 그 과정과 결과의 보고에 있어서 서로 정보를 교환하고 협력하게 된다. 그러나 많은 경우에 있어서 전문가 간 의사소통에 문제가 있는 것으로 지적되고 있는데, 이것은 각 영역의 전문가가 다른 영역의 전문성에 대해서 완전하게 이해하지 못할 뿐만 아니라 전문성에 따라서 교수의 우선순위나 방법에 대한 의견이 다를 수 있기 때문이다. 즉 전문가 간 의사소통 체계를 갖추었다고 하더라도 그러한 의사소통 자체가 의사소통 과정에서 자동적으로 동일한 결론을 내려주지는 않는다는 것이다(이소현, 2020 : 239).
  ⓒ '함께 교육진단', '전 과정에서 함께 협력' 등을 단서로 초학문적 접근임을 유추할 수 있다.
  • 초학문적 접근의 진단은 팀 구성원 간 의사소통과 협력을 최대화하기 위한 노력으로 개발된 방법이다. 초학문적 진단은 가족과의 협력을 통해서 진단 과정의 모든 절차를 공유하며, 더 나아가서는 팀 전체가 서로 지식과 기술을 나누는 하나의 단위로 기능한다는 특성을 지닌다. 초학문적 팀이 다른 접근과 가장 크게 다른 점은 팀의 모든 구성원이 진단과 교육 계획에 함께 책임을 지고 참여하게 되지만 유아에게 주어지는 실질적인 교육 활동은 가족과 주요 서비스 제공자에 의해서 행해진다는 것이다(이소현, 2020 : 240).

53 　　　　　　　　　　　　　　2020 유아B-3

모범답안

2)	① 워커를 이용하여 이동하기 때문이다. ② 물리적 환경의 수정

54 　　　　　　　　　　　　　　2020 초등A-3

모범답안

2)	ⓒ 다음 중 택 1 • 모둠 구성원들의 개별 책무성을 강화할 수 있도록 능력별로 역할을 분담할 수 있는 과제를 부여한다. • 능력이 뛰어난 학생에게 과제 해결을 지원하는 역할을 부여한다. ⓔ 동등하게 기여(또는 참여)하였는지와 관련된 팀 구성원의 평가를 반영하여 팀 성적을 산출하고 이에 따라 보상한다(또는 과제 또는 참여 분량과 질을 평가 준거의 일부로 포함한다).

Check Point

☑ 협동학습에서의 문제행동과 해결 전략

문제행동	적용 가능한 전략
집단에 대한 기여도 부족	• 집단 구성원에게 명시적인 역할과 책임을 분배한다. • 왜 기여도가 적은지 알아내기 위해 집단으로 하여금 그 문제에 대해 토의하도록 한다. • 기여도가 적은 학생과 함께 왜 참여하지 않는지 토의한다. 그들과 함께 문제를 해결한다. • 그 집단이 교사의 중재 없이 문제를 해결할 것이라 믿는다. • 집단 구성원이 평가되는 범위(예 팀 구성원의 평가에 개별 기여도를 포함하여 점수화함)를 바꾼다. • 학생이 완성해야 할 활동의 질을 평가한다.
위축된 행동	• 위축된 행동을 가진 학생을 '지원해 줄' 학생이 속한 집단에 배치한다. • 나눔과 상호작용이 필요한 활동과 자료를 고안한다. 예 가위를 한 개만 제공한다거나, 직소 구조를 포함한다. • 위축된 행동을 하는 학생에게 '위험성은 낮지만' 참여가 요구되는 역할과 책임을 부여한다.
저성취 학생	• '위험성이 낮고' 적합한 역할과 책임을 부여한다. • 학생이 집단 과제와 관련된 특정 영역에서 전문가가 되도록 미리 코치한다. • 다른 집단 구성원이 해당 학생을 도와줄 것이고 지원해 줄 것이라는 점을 보장한다.
파괴적인 행동을 보이는 학생	• '해당 학생을 따돌리거나' 파괴적인 행동을 하도록 자극하는 다른 집단 구성원과 함께 배정하지 않는다. • 해당 학생을 관리하기 위한 전략을 다른 집단 구성원에게 미리 가르친다.

	• 분열적인 행동이 발생하는 상황을 사용하여 모든 학생에게 협력 기술을 가르친다. • 집단 내 학생 수를 줄인다. 분열적인 행동을 가진 학생에게는 파트너 관계만을 사용하는 방안을 고려한다.
집단을 지배하는 학생	• 해당 학생에게 지배하기보다는 지원하는 역할을 부여한다. • 과제 혹은 참여 분량과 질을 평가준거의 일부로 포함한다. **예** 성적의 일정 부분이 동등하게 기여하는지와 관련된 다른 팀 구성원의 평가에 기초한다.

출처 ▶ Prater(2011)

55   2020 초등B-4

모범답안

1) 팀티칭(또는 팀교수)

Check Point

📝 **팀티칭의 장단점**

장점	단점
• 체계적 관찰과 자료수집이 가능하다. • 역할과 교수내용의 공유를 돕는다. • 개별적인 도움을 주기 쉽다. • 학업과 사회성에 있어서 적절한 도움을 구하는 행동의 모델을 보여 줄 수 있다. • 개념, 어휘, 규칙 등을 보다 명확하게 할 수 있다.	• 학습을 풍부하게 하는 것이 아니라 교사의 업무를 분담하는 것에 머무를 수 있다. • 많은 계획을 필요로 한다. • 모델링과 역할놀이 기술을 필요로 한다.

56   2020 중등A-10

모범답안

• ㉠ 능력 면에서 이질적인 소집단으로 구성한다.
• ㉣ 팀원의 개별 향상점수 총합의 평균을 산출하여 집단 점수를 부여한다.

해설

㉣ 학생집단 성취모형(또는 모둠성취분담모형)에서 교사는 학생 개인별로 기본점수를 측정한 후 협동학습 후에 기본점수로부터 향상된 점수를 산출하고, 각 개인의 향상 점수의 평균으로 모둠점수를 계산하여 보상하게 된다.

57   2020 중등B-4

모범답안

• ㉠ 평가방법의 수정(또는 평가조정)
• ㉢ 대안교수
  대안교수는 도움을 필요로 하는 학생들을 소집단으로 구성하지만, 교수-지원 모형은 별도의 집단 구성 없이 (전체 학생들 중) 도움을 필요로 하는 학생을 개별적으로 지원한다.

해설

㉠ 수업의 정리 단계임을 고려할 필요가 있으며, 제시된 내용을 평가조정 유형별로 세분화하면 다음과 같다.

지문 돋보기

• 학생 D에게는 시간을 더 주고: 검사시간 조정
• 글보다 도식과 같은 그림으로 표현하게 하여: 반응형태 조정

㉢ 학습 집단 구성 측면에서 대안교수와 교수-지원모형을 비교해야 한다.

58   2021 유아A-6

모범답안

3)	① 다음 중 택 1 • 달리기를 제외하여 활동을 구성한다. • 달리기를 걷기로 대체하여 활동을 쉽게 구성한다. ② 활동 거리를 줄이기 위해 테이프 선의 길이를 짧게 한다.

해설

3) 4세 이상~6세 미만에 해당하는 GMFCS 2단계인 경우, 아동은 의자에 앉아 양손으로 사물을 자유롭게 다룬다. 바닥이나 의자에 앉은 상태에서 설 수 있지만 팔로 견고한 바닥을 밀거나 잡아당겨야 하는 경우가 많다. 실내에서는 손으로 잡는 보행 보조기가 없이 걸을 수 있고 바닥이 평평한 실외에서 짧은 거리를 걷는다. 아동은 난간을 잡고 계단을 오르지만 달리거나 뛸 수는 없다(정진엽 외, 2013: 44).
• 문제에서는 GMFCS 2단계의 전체적인 내용보다는 달리기를 힘들어한다는 측면을 고려하도록 하고 있다.

Check Point

📝 교수방법의 수정

교수 활동	• 교수할 수업의 과제 특성을 바꿔 수업의 효과성과 효율성을 추구하는 것 • 다음과 같은 활동 포함 － 교수할 주요 과제를 작은 단계로 나누는 것 － 과제의 양을 줄이는 것 － 과제를 쉽게 또는 구체적으로 수정하는 것 － 과제를 활동 중심으로 수정하는 것

교수 전략	교수활동의 맥락에서 내용을 효과적으로 교수하기 위하여 수업의 형태 및 공학의 활용, 행동원리, 정보제시 방법 및 반응 양식 등을 수정하는 것		
	수업형태	강의, 시범, 게임, 역할놀이, 활동중심적 수업 등의 적용	
	교육공학 및 보조공학	교수－학습용 소프트웨어 혹은 보조공학기기 등의 활용	
	행동강화 전략	각종 행동 원리, 즉각적인 피드백 제공 등의 활용	
	정보제시 및 반응양식	다양한 정보제시 및 반응양식 수용	

교수 자료	교사가 사용하는 모든 교수자료 자체를 장애학생 개개인의 능력과 수준에 맞게 변화시키거나 새롭게 만드는 것 예 저시력 학생을 위해 자료에 제시되어 있는 그림의 경계를 더욱 진하게 그어주기 등

• 유아특수 관련 저서(예 이소현, 2011 : 246)에서 교육 과정 수정(유아가 기존의 일과와 활동에 참여할 수 있도록 촉진하기 위해서 진행 중인 학급 활동 이나 교재를 변경하는 것)을 위한 전략으로 소개 되는 교육과정 수정 전략, 즉 환경적 지원, 교재 수정, 활동의 단순화, 선호도 활용, 특수 교재 활용, 성인 지원, 또래 지원, 눈에 보이지 않는 지원과는 구분되어야 한다. 교육과정 수정 전략들은 크게 환 경적 요소를 수정하거나 교수적 요인을 수정하는 두 가지 수정 전략으로 나누기도(이소현, 2011 : 246) 하지만 제시된 문제는 교수적 수정의 유형 을 묻고 있음에 주의한다.

59
2021 유아A-7

모범답안

2)	① 교수자료의 수정 ② 꽃 향기가 나지 않는 물비누를 이용한다(또는 꽃 향기가 나지 않는 비누를 거치대에 고정시킨다).
3)	ⓒ 교수－지원 ⓒ 대안교수

해설

2) ② 꽃 향기를 싫어한다는 점과 손근육 발달이 늦어서 손으로 비누 잡는 것을 어려워 한다는 점을 동시에 고려하는 것이 바람직하다.

60
2022 유아B-2

모범답안

1)	현우에게 딱딱하지 않은 재질로 되어 있는 주사위를 제공한다.

해설

1) (가)의 [A]에서 사용한 교수적 수정 유형은 교수자료의 수정이다.

61
2022 초등B-1

모범답안

3)	① 교수－지원 ② 대안교수는 대집단과 보충 또는 심화 학습을 필요로 하는 소집단으로 구분하여 각각 지도하지만, 교수－지원은 한 교사가 전체를 대상으로 수업을 하고 있는 동안 지원 교사는 도움을 필요로 하는 학생을 대상으로 개별 지원한다.

해설

3) ① 통합학급 교사는 전체 수업을 진행하고, 특수교사는 학급을 순회하며 전체 학생을 관찰하고 지원하는 형태로 학생들에게 학습전략을 개별지도한다는 내용에 근거할 때 협력교수의 유형은 교수－지원이다.

62   2023 유아A-5

모범답안

| 2) | 고정형 자전거 주변에 매트를 깔아준다. |

해설

2) 교수환경의 수정은 학급의 물리적, 사회적 환경을 학생의 학습목표 달성을 촉진하기 위해 수정 및 보완하는 것으로, 물리적 환경과 사회적 환경의 수정이 포함된다.

Check Point

☑ 교수환경의 수정의 예

영역	교수환경 수정
물리적 환경	• 교사와 상호작용이 용이하도록 앞줄 중앙에 배치 • 학습활동 시 또래 지원이 용이한 학생과 짝이 되게 함 • 학습활동 시 불필요한 소음을 줄임 • 모둠활동 시 또래와 상호작용을 원활히 할 수 있는 자리에 배치 • 장애학생의 접근성과 안전을 위해 교실을 1층에 배치
사회적 환경	• 월 1회 장애인식 개선 활동 • 장애학생의 학급활동 참여를 위해 학급 내 역할 부여하기 • 장애학생에게 일부 수정된 규칙 적용하기 • 장애학생의 참여를 위해 모둠활동 시 협력적 과제 부여하기 • 교사가 모든 구성원에게 동등한 배려와 관심 갖기

출처 ▶ 최세민 외(2010)

63   2023 유아A-6

모범답안

| 2) | 다음 중 택 1
• 축구공을 큰 것으로 바꿔준다.
• 축구공을 가벼운 것으로 바꿔준다.
• 축구골대를 큰 것으로 바꿔준다. |

64   2023 유아B-7

모범답안

| 3) | ① 능력 면에서 이질적인 집단으로 구성한다.
② 동일한 내용에 대해 집단 간 동일 수준으로 성취하기가 어려울 수 있다. |

해설

3) ② (나)의 마지막 박 교사 발화 내용 중 "~공놀이를 준비하면서 사전에 구체적인 계획도 세우고 놀이 진행에 대한 충분한 협의를 했었는데"를 통해 수업에 대해서는 충분한 조율이 있었음을 짐작할 수 있다. 그러나 실제 수업 결과 박 교사가 지도한 빨간 팀과 김 교사 지도한 파란 팀의 성취 수준은 각기 다른 것으로 나타났다. 따라서 이는 평행교수 형태를 통해 동일한 내용을 지도하더라도 모둠 간 동일 수준으로 성취하기 어려울 수 있음을 보여준다.

Check Point

☑ 평행교수의 장단점

장점	단점
• 효과적인 복습이 가능하다. • 학생의 반응을 독려할 수 있다. • 집단학습과 복습을 위한 교사-학생 간 비율을 감소시킨다.	• 동일한 내용에 대해 모둠 간 동일 수준으로 성취하기가 어려울 수 있다. • 두 교사 간 활동을 설명하는 수준의 난이도와 수업 진행 속도에 대한 조율이 어렵다. • 상대방 교사의 속도에 대해 점검해야 한다. • 모둠 간의 경쟁이 가열될 수 있다.

65   2023 초등B-2

모범답안

| 3) | ㉣은 개별보상만 제공되지만 ㉤은 집단보상이 이루어지므로 민호가 활동에서 소외되지 않을 가능성이 높기 때문이다. |

66 　　　　　　　　　　 2023 중등A-9

모범답안

• ⓒ 교수활동의 수정(또는 교수방법의 수정)
학생 A가 탬버린 소리를 듣고 티볼 공의 위치를 확인하여 배트로 칠 수 있도록 불필요한 소음을 줄인다.

해설

ⓒ 과제를 더욱 세분화하여 가르치는 활동은 교수방법의 수정 중 교수활동의 수정에 해당하는 내용이다. 교수활동의 수정에 해당하는 활동에는 과제를 작은 단계로 나누어 제시하는 것 이외에도 과제의 양을 줄이기, 과제를 쉽게 또는 구체적으로 수정하기, 과제를 활동 중심적으로 수정하기 등이 포함된다.

• 물리적 환경의 수정은 조명, 소음, 교수자료의 위치, 접근성의 수정을 포함한다. 따라서 ⊙에 제시된 준비물(티볼 공, 배트, 탬버린)을 이용하여 학생 A가 수업에 참여할 수 있도록 환경을 수정해 주는 내용을 제시해야 한다. 준비물의 수정은 대안적 교수자료를 제공하는 교수방법의 수정으로 분류되므로 주의하도록 한다.

Check Point

☑ 교수적 수정의 유형 및 방안

유형	구체적인 방안
교수환경의 수정	• 물리적 환경 : 조명, 소음, 교수자료의 위치, 접근성 • 사회적 환경 : 사회적 분위기, 소속감, 평등감, 존중감, 장애이해 교육
교수집단의 수정	• 학생들의 교수적 집단 배열의 수정 : 대집단, 소집단, 협동학습, 또래교수, 일대일 교수, 자습
교수방법의 수정	• 교수활동의 수정 : 난이도, 양 • 교수전략의 수정 : 수업 형태, 교육공학, 행동강화 전략, 정보 제시 및 반응양식 등 • 교수자료의 수정 : 대안적 교수자료
교수내용의 수정	• 교육과정 내용을 보충 혹은 단순화, 변화시키는 방법 　- 동일한 활동과 교수목표, 동일한 자료 　- 동일한 활동의 쉬운 단계, 수정된 교수목표, 동일한 교수자료 　- 동일한 활동, 수정된 목표와 자료 　- 동일 주제, 다른 과제와 수정된 목표 　- 수정된 주제와 활동
평가방법의 수정	• 시험시간의 융통성 • 시험방법의 수정 • 대안적 평가 : 교사 공동평가, IEP 수행 평가

출처 ▶ 박승희(1999 : 송준만 외, 2022 : 258 재인용)

67 　　　　　　　　　　 2024 유아B-4

모범답안

3) | ① 또래를 도와줄 마음과 의욕
② 교실을 돌아다니면서 각 팀이 제대로 또래교수를 수행하는지 점검하고, 문제가 있는 부분은 수시로 교정한다.

해설

3) ① 상우는 재희랑 놀 때 어떻게 해야 하는지 궁금해 하며, 재희가 다른 친구들하고도 즐겁게 놀이할 수 있는 방법을 알려주고 싶어 할 정도로 또래를 도와줄 마음과 의욕이 넘친다.
• 일반적으로 또래교사 역할에 적당한 학생은 수업 대상내용을 어느 정도 잘 알고 있고, 또래를 도와줄 마음과 의욕이 넘치며, 필요한 방법과 기법에 관한 훈련을 기꺼이 받으려는 학생이 이상적이다(이대식 외, 2018 : 337).
② 일단 학생들이 또래지도를 수행하면 교사는 교실을 돌아다니면서 각 팀이 제대로 또래지도를 수행하는지 점검해야 한다. 문제가 있는 부분은 전체 학급을 대상으로 수시로 교정해야 한다(이대식 외, 2018 : 340).

Check Point

☑ 또래교수 실행 절차
또래교수를 효과적으로 운영하기 위해서는 먼저 또래교수를 통하여 성취할 구체적인 목표와 활동을 계획한 후, 교육 내용에 대해 잘 알고 있는 학생을 또래교사로 선정하고 또래교사로서의 역할을 훈련해야 한다. 또래교사와 또래교사의 도움을 받을 학생을 짝 짓고, 교사는 정기적으로 또래교수를 감독하며 효율성을 평가해야 한다(송준만 외, 2022 : 296).

68 　　　　　　　　　　 2024 유아B-7

모범답안

3) | ⊙ 스테이션교수
유아들이 한 장소(스테이션)에서 다른 장소로 계획된 시간 내에 이동할 수 있도록 교수에 상호 보조를 맞추어야 한다.

69   2024 초등A-6

모범답안

1)	교수환경의 수정

해설

지문 돋보기

• 도덕 수업을 오전에 배치함: 시간적 요소
• 교탁과 가까운 곳에 좌석을 배치하고, 주의집중 방해 요인을 제거함: 물리적 환경(또는 물리적 요소)의 수정
• 바닥에 색 테이프를 붙여 모둠 간의 영역을 분명하게 구분: 물리적 환경(또는 물리적 요소)의 수정
• 해당 모둠 영역 안에서만 활동을 하게 함: 사회적 환경(또는 사회적 요소)의 수정

1) 도덕 수업을 오전에 배치하는 지원 방법은 교수 환경을 물리적, 시간적, 사회적으로 구분하는 경우, 환경의 시간적 요소를 수정한 것으로 볼 수 있다.
  • [B]에는 시간적 요소, 물리적 요소의 수정에 대한 내용뿐만 아니라, 바닥에 색 테이프를 붙여 해당 모둠 영역 안에서만 활동을 하게 하는 일부 수정된 규칙을 적용하는 사회적 요소의 수정에 대한 내용을 모두 포함하고 있다.

70   2024 중등B-9

모범답안

• ㉠ 중복 교육과정
  중복 교육과정은 통합된 상황에서 장애학생과 일반학생이 동일한 활동을 하지만 서로 다른 영역의 목표를 추구하고, 대안 교육과정은 분리된 상황에서 일반학생의 활동과 독립적으로 장애학생의 기능성과 일상적 생활에 초점을 맞추어 운영된다(또는 중복 교육과정은 통합된 상황에서 동료들과 동일한 활동을 하지만, 대안 교육과정은 분리된 상황에서 다른 주제, 다른 활동을 한다).
• ㉡ 자율적 협동학습 모형

해설

㉡ 제시된 내용을 자율적 협동학습 모형의 절차에 따라 구분하면 다음과 같다.

지문 돋보기

• 교사와 학생이 토의하여 학습할 주제를 선정: 소주제 결정
• 자신이 원하는 주제를 선택, 원하는 모둠에 들어감: 모둠 구성
• 소주제를 분담: 모둠 내 역할 분담
• 조사한 결과를 발표, 전체 학급에서 발표할 보고서를 준비: 협동학습 및 발표 준비
• 전체 학생들 앞에서 발표: 학급 보고
• 교사가 학생들의 소주제에 대한 학습 기여도를 평가하고, 학생들은 모둠 내 기여도와 전체 동료 동료에 의한 모둠 보고서 평가를 할 수 있습니다. : 평가

Check Point

(I) 교수내용의 조정과 수정 정도에 따른 교육과정 유형

교육과정 유형	단계	내용
동일수준 교육과정	같은 활동, 같은 교수목표, 같은 교수자료	• 대상학생의 IEP 목표와 목적들이 일반교육과정의 수업에서 그대로 다루어질 수 있다. • 어떠한 수정도 요구되지 않는다. • 만약 대상학생이 감각 장애가 있다면 점자, 보청기, 수화 등이 사용될 수 있다.
중다수준 교육과정	같은 활동, 수정된 교수목표, 같은 교수자료	• 대상학생은 그의 또래 동료들 수준과 비교하여 선수 단계의 교육과정에 참여한다. • 같은 활동을 하지만 대상학생의 교수목표는 다르다. • 대상학생의 반응양식이 수정될 수 있다.
중복 교육과정	같은 활동, 다른 교수목표, 다른 교수자료	• 이 수준에서의 활동은 그의 동료와 같은 것으로 유지되지만, 그 활동에 대상학생의 동등한 참여를 가능케 하기 위해서 교수목표와 교수자료가 변화된다. • 개별화의 정도는 이 단계에서 더욱 강해지지만 대상학생은 그의 또래 동료들과 같은 책상이나 테이블에서의 학습을 위해 물리적으로 함께 위치하게 된다.
기능적 교육과정 (대안 교육과정)	다른 주제, 다른 활동	• 이 수준의 교육과정 내용 수정은 기능성과 장애학생의 일상적 생활에 초점을 둔다. • 대상학생의 IEP의 목표와 목적은 일반교육과정과 직접적인 연관이 되지 않으며 일반학급의 다른 학생의 활동과는 독립적으로 다루어진다. • 교수는 고도로 개별화되고, 대상학생은 자주 교실 안이나 교실 이외의 장소에서 학습을 한다.

(2) 자율적 협동학습 모형

① 전체 학급에서 교사가 제시한 주제에 대하여 학생들이 대략적인 토의를 한 뒤, 여러 소주제로 나누고, 자신이 원하는 소주제를 다루는 소집단에서 토의를 통하여 조사하는 방법이다(= 도우미 학습).

② 소주제를 탐구하는 과정에서 학생 개개인의 흥미나 관심에 따라서 세부적인 간단한 주제를 선택하여 학습함으로써 모둠학습에 보다 적극적으로 참여하도록 하는 구조로 진행된다. 구체적인 절차는 다음과 같다.

【학습 과제 제시】
교사는 학습 과제를 선정하여 학생들에게 소개한다.
⇩
【소주제 결정】
교사가 제시한 학습 과제에 대해 학급토론을 개최하고 최종적으로 다룰 소주제를 선정한다.
⇩
【모둠 구성】
소주제 중 학생들은 자신이 학습하고자 하는 주제를 선택하고, 학생들이 선택한 주제를 중심으로 모둠을 편성한다.
⇩
【모둠 내 역할 분담 및 개별 탐구학습】
각 모둠은 소주제와 관련하여 모둠 구성원들의 흥미에 따라 역할을 분담한 후 개별적으로 해당 주제에 대한 정보를 수집하고 개별 학습한다.
⇩
【소주제에 대한 미니 주제 선정】
모둠 구성원들은 소주제를 탐구하는 과정에서 학생 개개인의 흥미나 관심에 따라서 세부적인 간단한(mini) 주제를 선택하여 학습함으로써 모둠학습에 보다 적극적으로 참여하도록 한다.
⇩
【협동학습 및 발표 준비】
각자가 학습했던 소주제들을 팀 구성원들에게 제시한 후 종합하여 모둠별 보고서를 만든다.
⇩
【학급 보고】
각 모둠은 전체 학급을 대상으로 결과물을 발표한다.
⇩
【평가】
교사에 의한 소주제 학습기여도 평가, 팀 동료에 의한 팀 기여도 평가, 전체 학급 동료들에 의한 팀 보고서 평가 등 세 가지 수준에서 평가가 이루어진다.

---

71 2025 유아B-5

모범답안
1) 평행교수

해설

지문 돋보기
• 아이들을 두 모둠으로 나누고; 두 집단으로 구분
• 두 개의 한옥: 같은 내용을 동시에 각 집단에서 교수
• 주아는 제 모둠, 수지는 김 선생님 모둠에 포함: 능력 면에서 이질적인 두 집단으로 구성

---

72 2025 초등A-2

모범답안
1) ① 또래교수팀 조직
② 다음 중 택 1
• 자존감 및 효능감이 향상된다.
• 사회적 기술과 의사소통 기술이 향상된다.
3) ① 학생 팀 학습은 경쟁체제를, 협동적 프로젝트는 협동체제를 적용한다.
② ⓐ, 두 명의 교사가 수업의 계획과 진행 과정 그리고 수업의 결과 모두에 중점을 둔다.

해설
1) ① 대상 학생의 교우관계, 학생의 강점과 약점 등은 또래교수에 있어 또래교사와 또래학습자를 결정하기 위해 필요한 사항이다.
• 또래교수를 실행하는 학급 상황이나 교수목적에 따라서는 또래교사와 또래학습자의 역할을 변경할 수도 있고, 또래교사는 학습자와 친한 사람, 성이 다른 사람, 상위 학년 학생 등으로 다양하게 지적할 수 있다. 어떤 학생과 짝지을 것인지는 또래교수의 목표, 해당 교과 활동의 성격 등에 따라 달라진다(이대식 외, 2018: 337).
3) ① 협동학습의 기법들은 집단 간 경쟁을 채택하는가 혹은 집단 간 협동을 채택하는가에 따라 학생 팀 학습 유형과 협동적 프로젝트 유형으로 나눌 수 있다. 학생 팀 학습 유형은 집단 내에서는 협동을 하도록 하지만 집단 간에는 경쟁체제를 적용한다. 이 유형에는 모둠 성취 분담 모형, 토너먼트 학습 모형, 직소 Ⅱ, 팀 보조 개별학습 모형 등이 있다. 그리고 협동적 프로젝트 유형은 집단 내 협동뿐 아니라 집단 간 협동도 하도록 하고 있다. 이 유형에는 직소 Ⅰ, 집단조사 모형, 자율적 협동학습 모형, 함께 학습하기 모형 등이 있다(송준만 외, 2022: 305).

Check Point

✎ 또래교수 적용절차

또래교수 목표 및 대상내용 설정
⇩
구체적인 수업지도안 작성
⇩
또래교수팀 조직 관련 사항 결정
⇩
또래교수 관련 목표와 절차 및 규칙 사전교육
⇩
또래교수과정 점검
⇩
또래교수 효과 평가

출처 ▶ 이대식 외(2018)

74

모범답안

• [C] 교수-지원
• [D] 평행교수
교실이 시끄러워진다.

해설

[C] 교과 교사는 전체 학생을 지도하고, 특수 교사는 도움이 필요한 학생을 개별적으로 지도하는 교수-지원 유형이다.

[D] 통합 학급 학생들을 수준이 비슷한 두 모둠으로 나누어 교과 교사와 특수 교사가 떡볶이 만들기라는 동일한 내용을 각각 지도하고 있으므로 이는 협력 교수 유형 중 평행교수에 해당한다. 평행교수는 동일한 교실 공간에서 두 모둠으로 나누어 학습이 이루어지므로 교실이 시끄러워지는 단점이 있다.

지문 돋보기

• 교사 대 학생의 비율이 줄어서 효과적으로 수업하기 좋겠어요.
  : (장점) 교사-학생 간 비율을 감소시킴
• 시식도 해야 하니 서로 시간을 잘 점검해요. : (단점) 상대방 교사의 속도에 대해 점검해야 함

73

모범답안

㉠ 다학문적 접근
㉡ 다양한 영역의 전문가가 동시에 대상학생을 진단한다 (또는 원형진단을 실시한다).

PART 03

특수교육평가

KORea Special Education Teacher

01

정답 ④

해설

④ 만 4~17세의 아동 및 청소년을 대상으로 하는 아동·청소년 행동평가척도(K-CBCL)에서 내재화 문제척도는 위축, 신체증상, 우울/불안척도의 합이며, 외현화 문제척도는 비행, 공격성척도의 합이다. 따라서 어머니가 작성한 프로파일에 의하면 은비는 내재화문제보다 외현화문제를 더 많이 나타내는 것으로 보인다.

⑤ K-CBCL은 진단에 앞서 특정 문제행동의 유무를 판단하는 초기 선별도구이다. 또한, 정서·행동장애 아동들에게 나타나는 문제행동을 지도하기 위하여 문제행동평가의 기초자료로 활용할 수 있는 유용한 도구이다. 그러나 검사자가 학부모 또는 보호자로 되어 있어 전문지식의 부족과 부모의 편파성으로 인해 결과가 다소 왜곡될 가능성이 있다(노선옥 외, 2009). 따라서 심층평가를 위해서는 다른 검사들을 통해 더 많은 정보를 수집할 필요가 있다.

02

정답 ⑤

해설

ㄱ. 풍부한 자료 수집과 신뢰도와 타당도 확보는 무관하다.
• 평가자의 주관적인 판단과 채점이 배제되어야 신뢰도 확보가 가능하며 평가 목적에 맞춰 자료를 수집했을 때 타당도 확보가 가능하게 된다.

ㄴ. 활동 사진, 비디오 테이프, 활동 결과물은 포트폴리오를 의미한다.

03

정답 ④

해설

① 학생의 장애 여부와 특성 및 정도에 관한 정보를 파악하는 것은 진단이다.

② 개별화교육계획 작성에 필요한 학생의 현행 수준을 파악하는 것은 (교육)진단이다.

③ 진도 점검은 형성평가로 학기 중에 이루어지며, 프로그램 평가는 총괄평가로 학기 말에 시행한다.

⑤ 프로그램의 효과를 파악하기 위하여 필요할 때마다 학생의 진전에 관한 정보를 수집하는 것은 프로그램 평가 중 형성평가에 관한 내용이다.

04

정답 ①

해설

ㄹ 개별화교육지원팀은 교육장이 아닌 각급학교의 장이 구성하도록 되어 있다. 따라서 진희가 배치된 초등학교의 장이 진희를 위한 개별화교육지원팀을 구성해야 하는 것이다.

ㅁ 매 학기 시작일로부터 30일 이내에 개별화교육계획을 작성하여야 한다.

Check Point

(1) 장애인 등에 대한 특수교육법
제22조(개별화)

① 각급학교의 장은 특수교육대상자의 교육적 요구에 적합한 교육을 제공하기 위하여 보호자, 특수교육교원, 일반교육교원, 진로 및 직업교육 담당 교원, 특수교육 관련서비스 담당 인력 등으로 개별화교육지원팀을 구성한다.

② 개별화교육지원팀은 매 학기마다 특수교육대상자에 대한 개별화교육계획을 작성하여야 한다.

③ 특수교육대상자가 다른 학교로 전학할 경우 또는 상급학교로 진학할 경우에는 전출학교는 전입학교에 개별화교육계획을 14일 이내에 송부하여야 한다.

④ 특수교육교원은 제1항부터 제3항까지의 규정에 따른 업무를 수행하기 위하여 각 업무를 지원하고 조정한다.

⑤ 제1항에 따른 개별화교육지원팀의 구성, 제2항에 따른 개별화교육계획의 수립·실시 등에 관하여 필요한 사항은 교육부령으로 정한다.

(2) 장애인 등에 대한 특수교육법 시행규칙
제4조(개별화교육지원팀의 구성 등)

① 각급학교의 장은 법 제22조 제1항에 따라 매 학년의 시작일부터 2주 이내에 각각의 특수교육대상자에 대한 개별화교육지원팀을 구성하여야 한다.

② 개별화교육지원팀은 매 학기의 시작일부터 30일 이내에 개별화교육계획을 작성하여야 한다.

③ 개별화교육계획에는 특수교육대상자의 인적사항과 특별한 교육지원이 필요한 영역의 현재 학습수행수준, 교육목표, 교육내용, 교육방법, 평가계획 및 제공할 특수교육 관련서비스의 내용과 방법 등이 포함되어야 한다.

④ 각급학교의 장은 매 학기마다 개별화교육계획에 따른 각각의 특수교육대상자의 학업성취도 평가를 실시하고, 그 결과를 특수교육대상자 또는 그 보호자에게 통보하여야 한다.

05   2009 초등1-32

정답) ④

해설

① 모둠활동 평가에서는 과정중심의 평가를, 종합평가에서는 결과중심의 평가를 실시하였다. 따라서 ④ 학생의 수행 과정과 결과에 초점을 맞추어 평가하였다고 볼 수 있다. '학습의 과정과 결과를 모두 중시하는 평가'는 수행평가의 일반적 특징에 해당한다.

② 수행평가에서는 평가의 주목적이 학생의 학습을 지도하고 부족한 부분을 개선하는 것에 있다(황정규, 2020 : 367).

　　• 학습과정에서 나타나는 실제 수행을 관찰하고 이를 바탕으로 학생의 능력과 기능 수준을 판단할 뿐만 아니라, 평가결과를 바탕으로 현재 학생의 능력 또는 기능 수준을 향상시키기 위한 수업계획이 만들어지는 과정, 즉 교육과 평가 활동 간의 상호적 과정이 중시된다(황정규, 2020 : 367-368).

③ 모둠활동 평가 중 못함, 보통, 잘함의 기준이 제시되어 있지 않으며 종합평가 중 '정확히', '분명하게' 등의 표현은 교사의 주관적 판단이 포함되었음을 보여준다.

Check Point

(1) 수행평가의 정의

본래 의미의 수행평가는 심동적 행동특성을 평가하기 위하여 음악이나 체육 등과 같은 분야에서 주로 사용하던 평가방법으로 학습한 지식이나 습득한 기능, 기술을 얼마나 잘 수행하느냐를 판단하는 평가방법이다. 일반적으로는 관찰에 의존하여 행위를 수행하는 모든 과정과 수행이 끝났을 때의 결과를 종합적으로 판단한다. 그러므로 본래 의미의 수행평가는 행위의 정도를 보여주는 분야에서 개발된 평가방법이라 할 수 있다(성태제, 2019 : 388).

⇨ 배운 내용이나 지식, 그리고 습득한 기술이나 기능을 행위로 나타내는 정도를 측정하여 판단하는 평가방법

(2) 수행사정의 일반적 특징

① 수업과 평가를 통합함으로써 유의미한 학습 촉진

② 인지적 영역은 물론 정의적 및 심동적 영역 전반에 걸친 총체적 평가 지향

③ 교수-학습의 성과는 물론 과정도 중요한 평가대상으로 고려

④ 학습자의 발달양상을 정확하게 파악하기 위하여 단편적인 영역에 대한 일회적인 평가 지양, 전체적인 영역에 대한 지속적인 평가 지향

⑤ 교육목표의 달성 여부를 실제 상황에서 확인

⑥ 학습의 성공 여부를 판단하기 위해 복합적인 준거 활용

⑦ 평가과제를 수행하는 데 상당한 정도의 시간 허용

⑧ 주로 관찰과 판단을 통한 채점

⑨ 평가결과는 총점이 아니라 프로파일로, 점수가 아니라 서술적으로 보고

06   2009 중등1-5

정답) ①

해설

ㄱ. A의 학업특성상 반전현상이 나타나므로 시지각검사를 실시할 필요가 있다.

ㄴ. 포테이지 발달검사는 영유아 대상의 발달검사이다.

ㄷ. 학습준비도검사는 학습을 위한 기본 능력에 내한 검사로 특별한 조력이 제공되지 않으면 초등학교 2학년 학습을 수행할 만한 준비성이 없는 것으로 생각되는 아동들을 미리 선별하는 데 목적을 두고 개발된 집단검사이며 따라서 유치원 졸업생 또는 초등학교 1학년 초기의 아동들을 대상으로 실시된다. 학습준비도검사는 8개 요인(지식, 신체개념, 정서적 지각, 부모상지작, 놀이지각, 시각-운동협응, 지시순종, 기억)으로 구성되어 있다. 읽기, 쓰기 및 수학 기초학력은 국립특수교육원 기초학력검사(KNISE-BAAT)를 이용하여 측정할 수 있다.

ㅂ. 아동·청소년행동평가척도, 즉 K-CBCL을 통해서는 각 하위척도별 백분위점수와 T점수를 파악할 수 있으며 SA(사회연령)와 SQ(사회성 지수)를 측정할 수는 없다. SA(사회연령)와 SQ(사회성 지수)는 사회성숙도검사를 통해 산출할 수 있다.

ㅅ. <평가도구>의 유형은 지도요소에 대한 수행 여부를 파악하고 있으므로 교육과정중심평가라고 할 수 있으며, 기준에 대한 도달(수행 여부)을 파악하고 있으므로 준거참조 검사도구라고 할 수 있다.

ㅇ. 적응행동검사를 통해 A의 적응행동능력을 측정할 수 있으며, 이 검사는 21개 영역의 95개 문항으로 구성되어 있으며 제1부와 제2부로 나누어져 있다. 또한 적응행동검사는 개인요구 충족, 지역사회요구 충족, 개인 및 사회적 책임, 사회적 적응, 개인적 적응의 5개 요인으로 구성되어 있는데 첫 3개 요인은 제1부에 속하고 나머지 2개 요인은 제2부에 속한다. 자조, 이동, 작업, 의사소통, 자기관리, 사회화는 사회성숙도검사의 하위영역에 해당한다.

✎ K-WISC-Ⅲ의 구성 내용

언어성 검사	동작성 검사
2. 상식 4. 공통성 6. 산수 8. 어휘 10. 이해 12. 숫자	1. 빠진곳찾기 3. 기호쓰기 5. 차례맞추기 7. 토막짜기 9. 모양맞추기 11. 동형찾기 13. 미로

출처 ▶ 이승희(2014)

07   2009 중등1-9

정답 ③

해설

① 교육장 또는 교육감은 제1항에 따라 특수교육대상자를 배치할 때에는 특수교육대상자의 장애정도·능력·보호자의 의견 등을 종합적으로 판단하여 거주지에서 가장 가까운 곳에 배치하여야 한다(장애인 등에 대한 특수교육법 제17조 제2항).

② 제3항에서 정하는 심사결정에 이의가 있는 특수교육대상자 또는 그 보호자는 그 통보를 받은 날부터 90일 이내에 행정심판을 제기할 수 있다(장애인 등에 대한 특수교육법 제36조 제6항).

③ 특수교육대상자의 선정 및 배치 절차 과정에서 특수교육지원센터가 보호자에게 직접적으로 통보하는 내용은 없다.

④ 보호자 또는 각급학교의 장은 제15조 제1항 각 호에 따른 장애를 가지고 있거나 장애를 가지고 있다고 의심되는 영유아 및 학생을 발견한 때에는 교육장 또는 교육감에게 진단·평가를 의뢰하여야 한다. 다만, 각급학교의 장이 진단·평가를 의뢰하는 경우에는 보호자의 사전 동의를 받아야 한다(장애인 등에 대한 특수교육법 제14조 제3항).

⑤ 교육장 또는 교육감은 특수교육지원센터로부터 최종의견을 통지받은 때부터 2주일 이내에 특수교육대상자로의 선정 여부 및 제공할 교육지원 내용을 결정하여 부모 등 보호자에게 서면으로 통지하여야 한다. 교육지원 내용에는 특수교육, 진로 및 직업교육, 특수교육 관련서비스 등 구체적인 내용이 포함되어야 한다(장애인 등에 대한 특수교육법 제16조 제3항).

08   2009 중등1-30

정답 ③

해설

㉠ 그림어휘력 검사는 수용어휘력 측정을 목적으로 한다.
㉣ 구문의미 이해력 검사는 하위 범주가 없으며 57개의 검사문항은 아동 언어학적 관점에서 문법적 요소와 의미적 요소에 초점을 두어 두 부분으로 나눌 수 있다. 원인추론(또는 원인이유)을 측정할 수 있는 검사도구는 언어문제 해결력 검사이다.

(1) 그림어휘력 검사
① 목적 : 수용어휘력 측정
② 대상 : 2세 0개월부터 8세 11개월까지
③ 검사 방법 : 4개의 그림 중에서 검사자가 지시하는 것을 아동이 손으로 가리키도록 한다.

(2) 구문의미 이해력 검사(KOSECT)
① 목적 : 아동의 구문의미 이해력 측정
② 대상 : 4세부터 초등학교 3학년 정도의 구문이해력 범주에 있는 아동
③ 검사 방법 : 아동이 검사자가 읽어준 문장을 듣고 그에 해당하는 그림을 지적하게 한다.

(3) 언어문제 해결력 검사
① 목적 : 특정 상황에서 대답하는 능력을 평가함으로써, 언어를 통한 문제해결 능력 측정
② 대상 : 만 5세부터 12세까지
③ 검사 방법 : 문제 상황이 표현된 그림판을 보여 주며 그 그림과 관련된 검사자의 질문을 듣고 대답하게 한다.
④ 문항의 구성 : 원인이유, 해결추론, 단서추측에 해당하는 총 50문항

09 　　　　　　　　　　　2010 유아1-14

정답 ②

해설

ㄱ. 각급학교의 장이 진단·평가를 의뢰하는 경우 보호자의 사전 동의를 받아야 한다.

ㄹ. 진단·평가기관은 진단·평가가 회부된 후 30일 이내에 진단·평가를 실시하여, 그 진단·평가를 통하여 특수교육대상자로의 선정 여부 및 필요한 교육지원 내용에 대한 최종의견을 작성하여 교육장 또는 교육감에게 보고하여야 한다. 그리고 교육장 또는 교육감은 특수교육지원센터로부터 최종의견을 통지받은 때부터 2주일 이내에 특수교육대상자로의 선정 여부 및 제공할 교육지원 내용을 결정하여 부모 등 보호자에게 서면으로 통지하여야 한다.

10 　　　　　　　　　　　2010 유아1-33

정답 ②

해설

ㄴ. 기초학습기능검사는 규준참조검사이므로 규준을 통해 각 영역별 연령점수와 상대적인 현재수준을 알 수 있다.

ㄷ. 비형식적 검사 시 관찰 결과가 관찰자들 사이에서 얼마나 일치하는지를 알아보는 신뢰도 검증이 필요하다.

ㄹ. K-DIAL-3는 표준화된 발달 검사로 유아들의 영역별(운동, 인지, 언어, 자조, 사회성) 발달 정도를 측정하는 데 활용된다.

Check Point

☑ 영유아를 위한 사정, 평가 및 프로그램 체계(Assessment, Evaluation, and Programming System for Infants and Children, AEPS)

① 목적 및 대상: 출생부터 만 3세까지(출생~36개월) 또는 만 3세부터 만 6세까지(36~72개월)의 장애유아나 장애위험유아를 대상으로 발달정도를 사정하기 위한 도구

② 구성: 두 연령수준(출생~36개월, 만 3~6세)별로 6개 발달영역(소근육운동, 대근육운동, 인지, 적응, 사회-의사소통, 사회성)으로 구성

③ 실시: 검사자의 관찰이나 직접검사 또는 보고의 세 가지 방법을 통해 실시

④ 결과: 각 영역별로 원점수와 퍼센트점수 산출

11 　　　　　　　　　　　2010 초등1-13

정답 ③

해설

① 우측의 종합점수에 의하면 예지는 사회자립 영역보다 기본생활 영역에서 더 높은 수준을 보인다.

② 지역사회 적응검사(CIS-A)의 임상집단은 지적장애인과 자폐성장애인이다.

④ 일반집단 규준에 근거하여 예지의 종합 점수를 볼 때, 지역사회통합 훈련에서는 점수가 가장 낮은 사회자립 영역을 우선 지도해야 한다.

⑤ 사회자립 영역의 경우 예지의 지수 점수는 평균인 100을 기준으로 일반집단 규준(실선 그래프)에서는 적응행동지체 수준을 보이지만, 임상집단 규준(점선 그래프)에서는 평균의 수행 수준을 보인다.

12 　　　　2010 중등1-39

정답 ④

해설

ⓒ 진점수는 획득점수를 무한반복 후 평균을 산출하여 얻을 수 있다. 그리고 진점수가 존재할 범위(즉, 신뢰구간)는 획득점수 ± (Z × 측정의 표준오차) 공식을 이용하여 산출할 수 있다.

ⓔ 공인타당도란 검사와 동일한 능력을 측정하고 타당성이 인정된 다른 검사와의 상관계수를 비교하는 타당도를 평가하는 방법이다. 일반적으로 상관계수가 .40~.60인 경우 '타당도가 있다'고 평가되며, .60~.80은 '타당도가 높다', .80~1.00은 '타당도가 매우 높다'고 평가한다.

Check Point

타당도의 종류

내용 타당도	• 검사 도구가 얼마나 검사의 목적을 달성할 수 있는 문항으로 구성되었는지를 나타내는 것 • 검사문항들이 측정하고자 하는 전체 내용을 얼마나 잘 대표하고 있는가를 전문가가 주관적으로 판단하는 주관적 타당도
준거 타당도	• 연구자가 측정한 검사점수와 그 개념에 대한 준거와의 상관관계 추정을 통해 검사도구의 타당도를 검사하는 방법 • 준거가 가지는 예측성과 일치성에 따라 공인타당도와 예언타당도로 구분
	공인 타당도	검사와 준거 변수에 관한 자료를 거의 동시에 수집하여 두 변수 간의 상관 정도를 나타내는 증거를 수집하는 과정
	예언 타당도	검사를 통해 얻어진 결과가 향후 학생의 행동이나 특성을 얼마나 정확하게 예측할 수 있는지를 나타내는 것
구인 타당도	연구자에 의해서 가설된 검사의 구인을 검사결과로 얼마나 잘 측정할 수 있는지를 평가할 수 있는 증거들을 수집하는 과정

13 　　　　2011 유아1-5

정답 ⑤

해설

① DQ(발달지수)는 [(발달연령/생활연령) × 100]의 비율을 통해 개인의 성숙 정도를 파악하는 점수이다. 따라서 발달연령과 생활연령이 동일했을 때 DQ는 100이 된다. 검사 결과 DQ가 85라는 것은 생활연령이 발달연령보다 더 높음을 의미한다. 그러나 발달연령과 사회연령 간의 관계를 알 수 있는 검사 결과는 제시되어 있지 않다. 이뿐만 아니라 다른 검사의 결과를 이용하여 발달연령과 사회연령을 비교할 수도 없다. 예를 들어 사회성숙도검사의 경우 SQ(사회지수)는 [(사회연령(SA)/생활연령(CA)) × 100]의 공식에 의해 산출되는 점수로 해당 검사 내의 사회연령과 생활연령 간의 관계를 파악할 수는 있으나 발달지수의 발달연령과 사회지수의 사회연령을 서로 비교하는 것은 불가하다.

② 발달검사의 DQ는 (발달점수의) 지수점수이며 유아지능검사의 IQ 85는 (상대적 위치 점수를 보여주는) 표준점수(구체적인 유형은 능력점수)이기 때문에 수치가 동일하다고 하여 수준이 동일하다고 할 수 없다. 이뿐만 아니라 SQ가 95로 DQ 85에 비해 더 높다고도 할 수 없다. 왜냐하면 각 점수는 각기 다른 검사도구의 산출 결과로 각기 다른 과정을 통해 산출된 점수이기 때문이다.

③ 정규분포곡선의 면적으로 고려할 때 인수보다 지능이 높은 유아의 비율은 85%라고 할 수 있다. 그러나 발달검사의 발달지수는 지수점수로 상대적 위치는 파악할 수 없고 발달률을 추정할 뿐이다.

④ 사회성숙도검사에서의 SQ는 [(사회연령(SA)/생활연령(CA))×100]의 공식에 의해 산출되는 지수점수로, 평균을 준거로 비교하는 것이 아니라 생활연령을 기준으로 수준을 파악한다. 따라서 '평균보다 조금 낮다'라고 표현할 수 없다. 주의집중문제척도의 백분위가 65이므로 인수보다 주의 집중 문제가 더 심각한 유아의 비율은 약 35%라고 할 수 있다.

⑤ T점수는 평균 50 표준편차 10의 표준점수이다. 위축척도가 70T이므로 정규분포곡선의 +2표준편차의 위치에 해당하며 +2표준편차 이상이 차지하는 면적은 약 2%이다.

14

정답 ④

해설

ㄱ. 인지처리과정척도 [마법의 창] 검사와 [수회생] 검사에서의 수행능력은 원점수는 동일하지만 비교를 위해 백분위 점수를 통해 나타난 상대적 위치에는 차이가 있다. 따라서 동일 수준이라고 할 수 없다.

ㄴ. 습득도척도 [인물과 장소] 검사결과의 진점수가 72점(85−13)과 98점(85+13) 사이에 있을 확률이 95%이다.

ㄹ. 습득한 지식과 기술은 습득도척도, 정보처리는 순차처리척도와 동시처리척도, 문제해결 능력은 인지처리과정척도를 의미한다.

ㅁ. 백분위 비교 시 순차처리(27) 능력이 동시처리(21) 능력보다 더 우수한 것으로 되어 있으나 종합척도 간의 비교에서 순차처리와 동시처리는 동일 수준인 것(백분위 점수 차이는 통계적으로 유의하지 않은 것)으로 제시되어 있다.

15

정답 ②

해설

① 검사 결과를 통해 원점수, 환산점수, 백분위점수, 지표점수, 지능지수점수를 알 수 있다.
   • 한국 웩슬러 아동지능검사는 크게 언어성 검사와 동작성 검사의 두 부분으로 구성되어 있다. 한국 웩슬러 아동지능검사의 검사 결과는 언어성 IQ점수, 동작성 IQ점수, 전체 IQ점수에 더하여 네 개의 요인에 근거한 언어이해 지표점수, 지각조직 지표점수, 주의집중 지표점수, 처리속도 지표점수도 제공하는데, 이러한 점수들은 모두 평균이 100이고 표준편차가 15이다(이승희, 2014: 221−222).

③ 기초학습기능검사는 학년점수와 연령점수 그리고 학년별 백분위점수와 연령별 백분위점수를 제공하며 각 소검사 및 전체검사로 제시된다.

④ 지적장애의 진단·평가 영역에는 행동 발달 검사가 포함되어 있지 않다.
   • 행동 발달 검사는 정서·행동장애/자폐성장애의 진단·평가 영역에 해당한다.
   • 검사 내용을 제시되는 바에는 오류가 없다.

⑤ 오세르츠키 운동능력검사는 운동연령만 제공한다.

Check Point

🖉 특수교육대상자 선별검사 및 진단·평가 영역(장애인 등에 대한 특수교육법 시행규칙 제2조 제1항 관련)

구분		영역
장애 조기 발견을 위한 선별검사		1. 사회성숙도검사 2. 적응행동검사 3. 영유아발달검사
진단·평가 영역	시각장애·청각장애 및 지체장애	1. 기초학습기능검사 2. 시력검사 3. 시기능검사 및 촉기능검사(시각장애의 경우에 한함) 4. 청력검사(청각장애의 경우에 한함)
	지적장애	1. 지능검사 2. 사회성숙도검사 3. 적응행동검사 4. 기초학습검사 5. 운동능력검사
	정서·행동장애 및 자폐성장애	1. 적응행동검사 2. 성격진단검사 3. 행동발달평가 4. 학습준비도검사
	의사소통장애	1. 구문검사 2. 음운검사 3. 언어발달검사
	학습장애	1. 지능검사 2. 기초학습기능검사 3. 학습준비도검사 4. 시지각발달검사 5. 지각운동발달검사 6. 시각운동통합발달검사

비고: 특수교육대상자 선정을 위한 장애유형별 진단·평가 시 장애인증명서·장애인수첩 또는 진단서 등을 참고자료로 활용할 수 있다.

16 | 2011 중등1-12

정답 ③

해설

ⓔ 학습자들은 한 학기 혹은 한 해 동안 모아 온 작품집에서 작품을 선별하여 평가자에게 제출하기 때문에 포트폴리오에서는 학습자의 자기반성과 평가의 과정이 포함된다. 즉 포트폴리오는 학습자들에게 자기평가의 기회를 제공할 뿐 아니라 교사와 학부모에게도 학생들의 학습의 진보와 강·약점에 대한 정보를 제공하여 학생들의 성취에 대한 의사소통을 하는 데 용이하다(성태제, 2019 : 387).

ⓜ 두 명 이상이 채점한 결과를 비교하는 것은 신뢰도이다.

Check Point

(1) 포트폴리오
① 포트폴리오사정 : 아동의 성취를 평가하기 위해 아동 그리고/또는 교사가 선택한 아동의 작업이나 작품의 수집에 의존하는 사정방법
② 포트폴리오 : 영역 또는 그 이상의 영역에서 학생의 능력, 진보, 성취를 나타내주는 의미 있는 학생 작품 모음집
 ㉠ 단순한 누적 기록과는 구분되며 학생의 활동, 기준, 판단 등이 함께 포함되어 향상을 설명해주는 자료
 ㉡ 포트폴리오의 목적 : 포트폴리오는 단순한 학생활동 결과의 수집이 아닌 학생의 결과물을 교사와 학생이 함께 순차적으로 평가하고 비교함으로써 수행능력을 향상시키는 데 있음

(2) 타당도
① 검사도구가 측정하고자 하는 것을 얼마나 충실히 측정하였는가를 의미
② 무엇(what)을 얼마나 충실하게 측정했는가를 뜻하는 개념
③ 검사목적에 따른 검사도구의 적합성을 의미
④ 일반적으로 내용타당도, 준거타당도, 구인타당도로 구분

(3) 신뢰도
① 측정도구가 측정하려는 것을 얼마나 안정적으로 그리고 일관성 있게 측정하였는지를 나타내는 용어
② 어떻게(how) 측정하였는가와 관련된 것
③ 측정의 오차 그리고 객관성의 정도를 보여줌

17 | 2011 중등1-31

정답 ②

해설

ㄱ. CBM을 통해서는 계산 유창성의 원인을 명확히 파악할 수 없다. 즉 개인 내적인 문제인지 다른 외적인 문제인지에 대해 명확히 알 수 없다.
ㄴ. CBM은 규준참조검사의 대안적인 방법이면서 형식적 사정에 속한다.
ㄹ. 계산 유창성의 수준은 파악 가능하지만 효율적인 계산 전략의 적용 여부를 파악할 수는 없다.
ㅁ. CBM 결과를 통해 또래의 성취 수준과 비교 가능하다.

Check Point

✎ **교육과정중심측정의 특징**
① 수업활동과 연계된 직접 평가 : 특수아동들의 수업활동에서 활용되고 있는 읽기 자료들을 사용해 개발할 수 있기 때문에 수업활동과 그 결과를 직접적으로 반영할 수 있다.
② 학습기능의 성장을 평가 : 교육과정중심측정은 주별 또는 격주별로 검사를 반복적으로 실시함으로써 아동의 상대적인 서열보다는 교육 프로그램 제공에 따른 학습기능의 성장을 평가하는 것에 관심을 갖는다.
③ 프로그램의 효과성에 대한 형성적 평가 자료 : 특수아동의 성장에 대한 평가 결과는 현재 특수아동에게 제공되고 있는 교육 프로그램의 효과성에 대한 형성적 평가 자료로서 활용된다.
④ 높은 측정학적 적합성 : 지금까지의 경험적 연구들은 교육과정중심측정 검사가 평균 .90 이상의 높은 신뢰도와 .70 이상의 준거지향 타당도를 가지고 있는 것으로 보고하고 있다.

18

정답) ⑤

해설

① 연지의 생활연령은 4년 4개월(2011년 9월 5일 - 2007년 4월 25일=4년 4월 10일)이다.

② 만 3세 0개월부터 만 6세 11개월까지 사용할 수 있다.

③ 이 검사 도구에서 교사는 질문지를 통해 부모를 평가하고, 교사는 직접 검사나 관찰을 통해 연지를 평가한다.

④ 한국판 DIAL-3는 선별검사이기 때문에 별도의 진단평가를 실시하여 검사결과에 따라 특수교육대상자를 선정한다.

⑤ 5개 발달 영역 중 운동 영역, 인지 영역, 언어 영역에서는 검사자가 피검자를 대상으로 직접 검사를 실시하고 검사 실시 중에 각 영역별로 피검자의 행동을 관찰하여 심리사회적 행동 영역(사회성 영역의 보완 영역)의 문항들을 평정한다. 자조 영역과 사회성 영역은 부모용으로 제작된 질문지를 사용하여 부모가 응답하게 되어 있다.

19

정답) ④

해설

ㄱ. 소검사 원점수가 0점인 경우, 이때의 0은 '상대영점'에 해당하는 것으로 그 소검사에서 측정하는 수행 능력이 완전히 결핍되었다고 볼 수 있는 '절대영점'과는 구분된다.

ㅁ. 전체 지능지수점수는 표준점수로 각 지표점수의 환산점수를 모두 합한 후 이를 평균 100, 표준편차 15로 변환한 표준점수, 즉 능력점수이다. 비율지능지수는 개인의 정신연령을 생활연령을 기준으로 비추어 본 비율로 환산하여 나타낸다. 이 지수는 생활연령이 증가하듯이 정신연령도 오차의 범위 내에서 직선적으로 증가하는 양상을 보일 것이라는 가정하에 도입된 지능지수다. 그러나 실제로 정신연령의 발달은 청소년기 이후에는 양적으로 증가하지 않고 완만하거나 비슷한 수준을 유지한다. 결과적으로 생활연령은 증가하지만 정신연령은 어느 시점에서는 고원곡선의 양상으로 진행되기 때문에 나이가 들수록 지능지수가 낮아지는 딜레마에 빠지게 된다. 이러한 문제를 해결하기 위해 Wechsler는 편차지능지수라는 새로운 개념을 개발하였다. 편차지능지수는 한 사람의 특정 연령에서의 지능을 자신과 동일한 연령집단에서의 상대적 위치로 표현하는 방법을 가리킨다(황정규 외, 2016: 146-147). 즉, 점수의 유형 중 비율지능지수는 지수점수를, 편차지능지수는 능력점수를 의미한다.

• 학생의 발달 비율을 알 수 있는 점수는 지수점수이다.

Check Point

(1) 비율지능지수(비율 IQ)

① 정신연령을 생활연령과 비교하여 지능의 정도를 표시하는 방법으로, 생활연령이 100일 때 정신연령이 어느 정도 되는가를 나타내는 것

비율지능지수(IQ) = 정신연령(MA)/생활연령(CA) × 100

② 나이에 기대되는 성장 속도에 대한 비율로 아동의 정신적인 성숙 속도를 의미

(2) 편차지능지수(편차 IQ)

① 동일 연령 집단 내에서의 상대적 위치로 규정한 IQ

② 웩슬러는 지능지수(IQ)라는 말을 사용하였지만 실제로는 지능편차치를 구하는 다음 공식에 의해 표시. 이것을 편차지능지수(DIQ)라고 함

편차지능지수(DIQ) = 15Z + 100

출처 ▶ 김삼섭(2010: 170-171)

(3) 점수의 유형

원점수				
변환 점수	백분율 점수			
	유도 점수	발달 점수	등가 점수	연령등가점수
				학년등가점수
			지수점수	
		상대적 위치 점수	백분위점수	
			표준 점수	Z점수
				T점수
				능력점수
				척도점수
				정규곡선등가점수
				구분점수

20

정답 ②

해설

ㄱ. 학생 A의 읽기 능력(학년점수 2.5)은 일반적인 초등학교 2학년의 다섯 번째 달에 해당하는 학생 수준이다.
   - 학년등가점수는 연령등가점수와 구분하기 위하여 보통 학년과 달을 소수점으로 연결하여 나타내며 학년등가점수 1.2란 1학년 둘째달을 나타내며 아동이 1학년 둘째달 아동들의 평균 수행 수준을 보인다는 것을 의미한다. 즉, 아동의 원점수가 1학년 둘째달 아동들의 평균점수와 같다는 것이다.

ㄴ. 읽기 검사 결과의 T점수는 표준점수($T = 10Z + 50$)이므로 Z점수로 환산하지 않아도 집단 내에서의 학생 A의 읽기 수준을 알 수 있다.

ㄷ. K-CBCL의 내재화 문제척도는 위축, 신체증상, 우울/불안척도로 구성되어 있다.

ㄹ. 학생 A의 주의집중 문제는 85%ile로 +1표준편차~+2표준편차의 범위 안에 들어, 심각한 편이다(정규분포곡선에서 +1표준편차까지의 면적은 84%임).

Check Point

✎ BASA의 현재 학년 계산 방법

현재 학년이란 학생이 학교에 다니기 시작한 시점을 기준으로 하여 산출된 연령이다. 즉, 3월에 입학한 1학년 아동의 학령은 3월 현재 1.0이며, 4월이 되면 1.1, 5월이 되면 1.2로 기록된다. 단, 여름방학인 8월과 겨울방학인 1월은 현재 학년 계산에서 제외하므로, 1학년 7월의 현재 학년은 1.4, 그 다음에는 9월의 학령을 1.5로 정해진다. 초등학교 1학년의 월별 현재 학년은 다음과 같다.

	1학년	2학년	3학년
3월	1.0		
4월	1.1		
5월	1.2		
6월	1.3		
7월	1.4		
9월	1.5	1학년과 동일한 방법 적용	
10월	1.6		
11월	1.7		
12월	1.8		
2월	1.9		

21

모범답안

1)	• 오류 종류 : 위음 • 문제점 : 선우에게 필요한 특수교육을 조기에 받지 못하는 불이익을 당할 수 있다.

해설

1) 위음이란 아동이 심층평가로 의뢰되지 않았는데 나중에 특수교육이 필요한 아동으로 확인되는 경우이다. 위음은 위양에 비해 더 심각한 결과를 낳게 되는데 그 이유는 선별과정의 실수로 인해 해당아동이 더 필요한 특수교육을 조기에 받지 못하는 불이익을 당하게 되기 때문이다(이승희, 2019 : 38).

Check Point

✍ **위양**

위양이란 아동이 심층평가로 의뢰되었으나 특수교육이 필요하지 않은 것으로 판별된 경우를 말한다. 즉, 선별에서 아동을 특수교육이 필요한 아동으로 잘못 판단한 것이다(이승희, 2019 : 38).

22

모범답안

2)	⑤, ③, ①, ②
3)	• 이유 : 절차상 3주 연속으로 목표선의 점수보다 낮을 경우 전략을 교체하는 것으로 되어 있기 때문이다(또는 전략 교체 기준에 도달하지 않았고, 읽기능력이 지속적으로 향상되고 있기 때문이다). • 수정 방법 : 다음 중 택 1 - 중재 시간을 늘려서 제공한다. - 중재 횟수를 늘려서 제공한다.

해설

2) 제시된 전략의 실시 및 평가 절차 내용은 다음과 같다.

지문 돋보기

① 반복 읽기 전략을 주 2회 10분씩 실시한다. : 중재(반복 읽기) 실시
② 매주 1회 1분간 CBM 구두 읽기검사를 실시한다. : 진전도 분석을 위한 형성평가
③ 또래의 성장 속도를 고려하여 소영이의 목표선을 설정한다. : 목표선 설정
④ 소영이의 점수가 3주 연속으로 목표선의 점수보다 낮을 경우 전략을 교체한다. : 형성평가 결과에 기초한 진전도 분석
⑤ 반복 읽기 전략을 적용하기 전에 소영이에게 실시한 3회의 CBM 구두 읽기검사 점수의 중앙치를 찾는다. : 기초선 설정을 위한 기초평가 실시 및 목표선 설정을 위한 중앙치 찾기

3) • 이유) 진전도 분석방법으로 성장선과 목표선 간 비교를 사용한 경우라면 성장선의 기울기가 목표선의 기울기보다 작기 때문에 중재 전략을 변경할 수 있다. 그러나 (나)의 ④에 의하면 '소영이의 점수가 3주 연속으로 목표선의 점수보다 낮을 경우 전략을 교체'하는 것을 기준으로 하고 있다.
 - 전략 교체 기준에 도달하지 못했다는 점, 5주간 틀리게 읽는 음절수가 없다는 점, 소영이의 성장선이 증가 추세에 있음을 종합적으로 고려한 결과라고 유추할 수 있다.
• 수정 방법) 제시된 목표선 아래에 있는 점수는 연속 2주에 그치고 있으므로 남은 기간 동안은 반복 읽기 전략을 교체하지 않고 중재 시간을 늘리거나(10분 → 10분 이상), 중재 횟수를 늘리는(주 2회 → 주 3회) 방법 등을 통해 읽기 능력의 향상 정도를 살펴볼 수 있다.

23 ｜ 2013 중등1-7

정답 ①

해설

(나) 국립특수교육원 기초학력검사는 읽기, 쓰기, 수학의
세 개의 소검사로 이루어져 있다.
- 읽기, 수, 정보처리 영역으로 구성되어 있는 검사도
구는 없으며, 기초학습기능검사는 언어, 수, 정보처
리의 세 가지 기능을 측정한다.
- 하위검사별 환산점수, 백분위점수, 학력지수, 학년
규준점수를 알 수 있다.
(라) 한국판 시지각발달검사(K-DTVP-2)는 일반시지각, 운
동-감소시지각, 시각-운동통합으로 구성되어 있다.
- 문제의 경우 지적장애를 대상으로 하고 있기 때문에
한국판 시지각발달검사는 진단·평가 영역에 포함
되지 않는다. 장애인 등에 대한 특수교육법의 특수
교육대상자 선별검사 및 진단·평가 영역 중 지적장
애를 대상으로는 지능검사, 사회성숙도검사, 적응행
동검사, 기초학습검사, 운동능력검사를 실시한다.
- K-DTVP-2는 3개의 종합척도별로 연령지수, 백분
위점수 그리고 지수(평균 100, 표준편차 15)를 제공
한다(이승희, 2014 : 292).

24 ｜ 2013 중등1-12

정답 ②

해설

ㄴ. 준거참조가 아닌 규준참조에 대한 설명이다.
ㄹ. 일정 관찰기간 동안 지속적으로 관찰하여 관찰 대상 행
동이 발생할 때마다 기록하는 방법은 시간표집법이 아
닌 사건기록법(또는 빈도기록법)에 대한 설명이다.

25 ｜ 2013추시 유아A-3

모범답안

1)	일반유아집단
2)	① 정신지체 ② 84
3)	준거참조검사

해설

1) 국립특수교육원 적응행동검사의 적응행동 프로파일은
일반학생 규준과 정신지체학생 규준의 두 가지 결과가
제시되는데, 위쪽은 정신지체학생 규준, 아래쪽은 일반
학생 규준의 그래프이다.
2) ① 동희의 전체 적응행동지수가 115라는 것은 적응행
동이 평균 수준에 걸쳐 있는 위쪽의 그래프에 해당
하며, 이때의 규준집단은 정신지체 유아 집단이다.
② 정규분포곡선의 면적을 참고하여 풀이한다. 적응행
동지수 115는 평균 100, 표준편차 15인 적응행동검
사에서 +1표준편차에 해당하는 지점(84%)이다.

Check Point

☑ 상대적 위치점수들과 정규분포의 관계

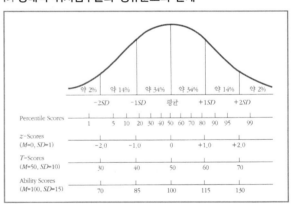

26   2013추시 유아A-5

[모범답안]

2) 구조화된 면담

[Check Point]

✍ 구조화 정도에 따른 면담 유형

비구조화 면담	개념	• 비구조화 면담이란 특정한 지침 없이 면담자가 많은 재량을 가지고 융통성 있게 질문을 해나가는 면담 방법이다. • 아무런 준비 없이 면담이 이루어지는 것은 아니며 면담 목적과 대상자를 고려하여 미리 약술된 주제를 설정해 놓는 등의 사전계획이 필요하다.
	특성	• 반구조화 면담이나 구조화 면담에 앞서 전반적인 문제 확인에 유용하다. • 특성 영역을 심층적으로 다루고자 할 때나 아동의 문제가 즉각적인 의사결정을 필요로 할 만큼 심각한 상태일 때 선호된다. • 면담 주제를 중심으로 자유롭게 대화하면서 심층적인 정보를 수집한다.
반구조화 면담	개념	반구조화 면담은 미리 준비된 질문목록을 사용하되 응답 내용에 따라 필요한 추가 질문을 하거나 질문 순서를 바꾸기도 하면서 질문을 해나가는 면담 방법이다.
	특성	• 특정 심리적 관심사나 신체적 문제에 대한 자세한 정보를 얻고자 할 때 유용하다. • 준비된 질문 항목을 중심으로 면담 대상자의 응답에 따라 질문을 변화시켜 가면서 정보를 수집한다.
구조화 면담	개념	• 구조화 면담은 미리 준비된 질문목록 순서에 따라 정확하게 질문을 해나가는 면담 방법이다. - 면대면 면담 외에도 질문지나 평정 척도를 사용하여 정보를 획득할 수도 있다.
	특성	• 정신의학적 진단을 내리거나 연구를 위한 자료를 얻고자 할 때 유용하다. • 진단 대상자에 관한 특정 정보를 수집한다.

27   2013추시 중등B-2

[모범답안]

1)
- 기호와 수정 내용: ㉠, 전체 적응행동 지수 62는 -2표준편차 이하 범위로 임상 범위의 적응행동을 보인다.
- 기호와 수정 내용: ㉢, 쓰기 백분위점수 2는 -2표준편차 이하로 또래들보다 쓰기 기술이 낮다.

28   2014 유아A-2

[모범답안]

3) 포트폴리오 사정

[해설]

3) 문제에서 '수행평가 방법의 하나'라고 언급된 점, 하위 문항의 제시문에서 '작업샘플들(사진, 일화기록 등)을 분석', '서류파일' 등의 핵심어를 근거로 할 때 평가방법은 포트폴리오 평가라고 할 수 있다.

29   2014 중등A-4

[모범답안]

㉠	신뢰구간
㉡	진점수

[Check Point]

(1) 신뢰수준
① 진점수 추정의 정확성을 확률로 표현한 개념
② 사회과학에는 95%, 99%, 99.9%를 통계적으로 유의한 신뢰수준으로 사용
③ 해석방법: 95%의 신뢰수준을 설정했다면, 진점수가 이 구간 내에 포함될 수 있는 가능성이 95%임을 의미

(2) 신뢰구간
① 진점수(또는 모수치)가 존재할 범위
② 신뢰구간을 설정하기 위해서는 획득점수와 측정의 표준오차(SEM) 외에 선택된 신뢰수준에 해당하는 Z점수(95% 신뢰수준인 경우의 $Z = 1.96$, 99% 신뢰수준인 경우의 $Z = 2.58$) 필요

$$신뢰구간 = 획득점수 \pm Z(SEM)$$

③ 해석방법: 획득점수가 72점이고 95% 신뢰수준에서 신뢰구간을 추정했을 때 그 값이, [68~76]이라면, 이는 진점수가 68점과 76점 사이에 있을 확률이 95%라는 의미

30   2015 유아A-4

모범답안

5)	선별과정에서 특수교육이 필요하지 않은 아동으로 잘못 판단하여 심층평가로 의뢰되지 않았는데 나중에 특수교육이 필요한 아동으로 확인되는 경우이다(또는 선별과정에서 아동을 특수교육이 필요하지 않은 아동으로 잘못 판단한 것이다).

해설

5) 음성 오류(부적 오류, 위음)란 아동이 심층평가로 의뢰되지 않았는데 나중에 특수교육이 필요한 아동으로 확인되는 경우이다. 양성 오류(양적 오류, 위양)란 심층평가로 의뢰되었으나 특수교육이 필요하지 않은 것으로 판별된 경우로, 선별에서 아동을 특수교육이 필요한 아동으로 잘못 판단한 것이다.

31   2015 유아A-5

모범답안

3)	ⓒ 언어성검사, 동작성검사 ⓔ 독립적 적응행동(영역), 문제행동(영역)
4)	장애진단 검사 결과는 개별화교육계획 수립에 필요한 구체적인 정보를 제공하지 않기 때문이다.

해설

3) ⓒ 한국 웩슬러 유아지능검사(K-WPPSI)는 만 3세 0개월부터 만 7세 3개월까지의 아동을 대상으로 지능을 측정하기 위한 검사이다. K-WPPSI는 동작성검사와 언어성검사의 두 부분으로 구성되어 있다(이승희, 2014 : 223).
- 한국 웩슬러 유아지능검사-4판(K-WPPSI-IV)은 유아의 인지능력을 임상적으로 평가하기 위한 개인 지능 검사이다. 이 검사도구는 한국 웩슬러 유아지능검사(K-WPPSI)의 개정판으로 지능, 인지발달, 신경발달, 인지뇌과학에 대한 새로운 연구를 종합하여 문항과 소검사를 개발하였다. 또한 웩슬러 아동지능검사 4판(WISC IV)과 일관성을 유지하도록 용어를 수정하였다(김남진 외, 2017 : 101-102).
4) 장애진단 검사는 검사점수와 함께 임상적인 판단 결과, 프로그램을 위한 막연한 제언 등을 제공해 주기는 하지만 개별화교육계획 수립을 위한 실질적인 내용을 제공해 주지는 못한다.
- 장애진단과 교육진단의 차이를 구분할 수 있어야 한다. 장애진단이 유아특수교육의 필요성을 결정했다면 교육진단에서는 개별화된 교육이 계획되어야 한다(이소현, 2020 : 211).

Check Point

(1) 한국 웩슬러 유아지능검사(K-WIPPSI)
① 목적 및 대상

목적	유아의 인지능력 평가
대상	만 3세 0개월~7세 3개월

② 검사의 구성

동작성 검사	언어성 검사
1. 모양 맞추기	2. 상식
3. 도형	4. 이해
5. 토막짜기	6. 산수
7. 미로	8. 어휘
9. 빠진 곳 찾기	10. 공통성
11. 동물 짝짓기	12. 문장

(2) 한국판 적응행동검사(K-SIB-R)
① 목적 및 대상

목적	• 선발과 배치 그리고 서비스 적격성 결정 - 다양한 일상생활 영역에서 지적장애아동의 적응행동 수준 평가 - 추후 학생의 개별화가족지원계획이나 개별화교육프로그램의 교육 목표 설정 및 프로그램 계획에 유용한 자료로 사용
대상	만 0~17세

② 검사의 구성

영역	범주	하위척도
독립적 적응행동	운동기술	• 대근육운동 • 소근육운동
	사회적 상호작용 및 의사소통 기술	• 사회적 상호작용 • 언어 이해 • 언어 표현
	개인 생활기술	• 식사와 음식 준비 • 신변 처리 • 옷 입기 • 개인위생 • 가사/적응행동
	지역사회 생활기술	• 시간 이해 및 엄수 • 경제생활 • 작업 기술 • 이동 기술
문제행동	내적 부적응행동	• 자신을 해치는 행동 • 특이한 반복적인 습관 • 위축된 행동이나 부주의한 행동
	외적 부적응행동	• 타인을 해치는 행동 • 물건을 파괴하는 행동 • 방해하는 행동
	반사회적 부적응행동	• 사회적으로 공격적인 행동 • 비협조적인 행동

(3) 장애진단과 교육진단

① 장애진단

　　㉠ 선별을 통해서 의뢰된 유아의 장애 종류와 상태 또는 발달지체의 성격과 정도를 정확하게 판단하여 특수교육적인 도움이 필요한지를 결정하는 과정을 의미

　　㉡ 다음과 같은 4가지 종류의 정보 수집을 포함하는 것이 바람직함

　　　• 부모 또는 주양육자와의 면담을 통한 아동의 행동과 가정환경에 대한 정보

　　　• 임신 기간부터의 생육사와 병력

　　　• 환경 내에서의 아동의 행동에 대한 직접적인 관찰을 통한 사회성이나 의사소통 기술 등의 일반적인 능력에 대한 의견

　　　• 표준화 검사의 결과

　　㉢ 수집된 정보는 특수교육 적격성을 결정하기 위한 기초 자료로 사용되기 때문에 철저한 검사, 공식적인 전문가의 임상적 판단, 가족을 포함하는 팀에 의해서 이루어져야 함

② 교육진단

　　㉠ 장애유아를 직접 가르치는 교사에게 있어서 가장 중요한 기능

　　㉡ 유아가 현재 지니고 있는 기술과 습득하지 못한 기술이 무엇이며 또한 앞으로 반드시 습득해야 하는 기술이 무엇인지를 아는 작업

📝 장애진단과 교육진단의 차이

적격성 판정을 위한 장애진단	프로그램 계획을 위한 교육진단
대상 유아를 집단과 비교한다.	유아의 발달 기술, 행동 지식에 있어서의 현행 수준을 결정한다.
이미 정해진 항목이나 기술을 포함하고 있는 검사도구, 관찰, 점검표 등을 사용한다.	유아가 자신이 생활하고 있는 환경에서 기능하기 위해서 필요한 기술과 행동을 결정한다.
유아의 기술이나 행동이 정해진 수준 이하인지 결정한다.	유아의 가족과 주 양육자가 중요하다고 생각하는 기술, 행동, 지식을 결정한다.
대상 유아가 다른 유아들과 어떻게 다른지를 결정하기 위해서 계획된다.	유아의 개별적인 강점과 학습 양식을 결정하기 위해서 계획된다.
진단 도구의 항목은 어린 유아의 일상적인 생활 특성을 반영하지 않는다.	진단 도구의 항목은 일반적으로 준거참조검사나 유아의 일상적인 생활에서 중요한 기능적 기술에 초점을 맞춘다.

출처 ▶ 이소현(2020 : 255)

모범답안

1)	ⓐ 최고한계점 ⓑ 기저점 이전 문항에 부여된 배점의 합과 기저점
2)	하위 9%

해설

1) ⓑ 전체 문항들이 난이도에 따라 쉬운 문항부터 배열되어 있는 규준참조검사의 경우 원점수 산출은 다음과 같은 방법으로 이루어진다.

> 기저점 이전의 문항 수 + 기저점과 최고 한계점 사이의 정답 문항 수

Check Point

📝 취학전 아동의 수용언어 및 표현언어 발달척도(PRES)

① 개요

취학전 아동의 수용언어 및 표현언어 발달척도(PRES)는 김영태, 성태제, 그리고 이윤경이 취학전 아동의 수용언어 및 표현언어 능력을 평가하기 위하여 개발하였다.

② 목적 및 대상

　㉠ PRES는 2세 0개월부터 6세 5개월까지의 아동을 대상으로 언어발달이 정상적으로 이루어지고 있는지 혹은 언어발달에 지체가 있는지의 여부를 판별하기 위한 검사다.

　㉡ PRES는 일반아동뿐 아니라 언어발달 지체나 장애를 나타낼 가능성이 있는 아동들의 언어능력을 평가하는 데 사용할 수 있다. 즉, 단순언어장애, 지적장애, 자폐성장애, 청각장애, 뇌성마비 또는 구개파열 등으로 인하여 언어발달에 결함을 나타낼 가능성이 있는 아동들의 언어능력을 평가하는 데 활용할 수 있다.

③ 구성

PRES는 수용언어영역과 표현언어영역의 두 부분으로 구성되어 있는데 각 영역은 45문항씩을 포함하고 있어 총 90문항으로 이루어져 있다.

④ 실시

PRES는 수용언어검사부터 시작하고 수용언어검사가 끝난 후 표현언어검사를 실시한다.

⑤ 결과

PRES는 언어발달연령과 백분위점수를 제공하고 있는데 언어발달연령은 수용언어, 표현언어, 통합언어별로 그리고 백분위점수는 수용언어와 표현언어별로 산출된다.

출처 ▶ 이승희(2019 : 279-280)

33 　　　　　　　　　　　　　　2016 유아A-5

모범답안

3)	① 의뢰 전 중재 ② 다음 중 택 1 • (특수교육이 필요하지 않은 아동을 심층평가에 의뢰하는) 위양을 줄이는 것이다. • 특수교육대상자의 과잉진단을 예방하는 것이다.

해설

3) • 의뢰 전 중재란 일반적으로 학습문제 그리고/또는 행동문제와 관련하여 공식적인 심층평가에 의뢰하기 전에 주로 일반학급에서 실시되는 비공식적 문제해결 과정으로서 특수교육이 필요하지 않은 아동을 심층평가에 의뢰하는 위양을 줄이는 데 목적이 있다(이승희, 2019 : 39).
• 의뢰 전 중재란 공식적인 평가 단계로 아동을 의뢰하기 전에 일반학급 내에서 학습이나 행동 문제를 보이는 아동을 도와주기 위한 절차이다. 교사는 장애가 의심되는 아동에 대한 의뢰 전 중재를 통하여 개별 아동의 필요에 따른 적절한 교육을 제공할 수 있으며 특수교육대상자의 과잉진단을 예방할 수 있을 것이다(이소현 외, 2011 : 476).

Check Point

🖋 의뢰 전 중재에 대한 이해(미국의 예)

① 대부분의 학교는 형식적인 진단평가를 위한 검사나 평가를 요청하기 전에 의뢰 전 중재라는 과정을 거친다.
② 장애인교육법이 의뢰 전 중재를 의무적으로 요구하고 있지 않지만, 지역 교육청은 장애인교육법 재정의 15%까지 사용하여 "특수교육과 관련 서비스가 필요하지 않더라도 일반교육환경에서 학습과 행동 면에서 추가적인 지원이 필요한 유치원생부터 12학년 학생들을 대상으로 … 조기중재 서비스를 개발하거나 실행한다."
③ 의뢰 전 중재는 학생지원 팀, 교사지원 팀, 문제해결 팀이라고도 불리는 조기중재지원 팀에 의해 수립되는데, 일반학급에서 학업적 또는 행동적 어려움을 나타내는 학생들을 위한 중재를 고안하고 실행하기 위해 교사를 지원한다.
　㉠ 조기중재지원 팀은 학교 관리자, 교육행정가, 보건교사, 상담가, 다양한 학년을 가르쳐본 경험이 있는 교사들, 그리고 1명이나 또는 그 이상의 특수교사로 구성되는데 적어도 이들 중 1명은 행동중재계획을 수립하는 기술이 있어야 한다.
　㉡ 담임교사가 학생의 학업적인 문제나 행동적인 문제를 설명해주면 그 팀은 함께 "학생 문제의 원인뿐만 아니라 가능한 문제해결 방안에 대해 자유 토론을 한다."
　㉢ 조기중재지원 팀은 중재전략을 개발하고 담임교사가 그것을 실행하고 수정된 학생의 자료를 가지고 평가하도록 지원한다.

출처 ▶ Heward et al.(2017 : 37-39)

34 　　　　　　　　　　　　　　2017 유아A-3

모범답안

1)	심층평가가 필요한 아동을 식별해 내는 것이다(또는 임시적인 집단을 결정하고 후속 검사가 필요한 아동을 판별하기 위한 것이다).
2)	㉡ 장애진단 ㉢ 교육진단
3)	장애진단을 위한 표준화 검사도구의 결과는 개별 아동의 교육목표 작성에 필요한 구체적인 정보를 제공하지 못한다.
4)	• (형성평가 측면) 아동의 적절한 진전을 보이는가를 결정하기 위해 실시한다(또는 아동의 진전을 점검하고 필요한 경우 교육과정이나 수업방법을 개선시키기 위해 실시한다). • (총괄평가 측면) 아동이 예상된 진전을 보였는가를 결정하기 위해 실시한다(또는 사전에 설정된 프로그램의 성공기준에 비추어 제공된 프로그램이 산출한 가치를 판단하기 위해 실시한다 / 목표 도달 여부를 확인하기 위해 실시한다).

해설

1) 선별이란 심층평가가 필요한 아동을 식별해 내는 과정이라고 할 수 있다. 즉 선별에서는 아동을 효율적이고 경제적으로 평가하여 심층평가에 의뢰할 것인가를 결정하게 된다(이승희, 2019 : 37).
4) 평가는 형성평가와 총괄평가로 구분할 수 있다. 따라서 평가 유형별로 실시 이유를 각각 제시하는 것이 바람직하다.
• IEP 작성과 배치가 이루어진 다음 교수·학습이 시작되고 나면, 아동의 진전에 대한 지속적인 평가, 즉 형성평가를 통해 아동이 적절한 진전을 보이고 있는가에 대한 결정을 해야 한다. 만약 아동이 적절한 진전을 보이지 않을 경우에는 교수·학습방법을 수정할 것인가에 대한 결정도 내려야 한다. 따라서 형성평가란 교수·학습이 진행되는 과정에서 아동의 진전을 점검하고 필요한 경우 교육과정이나 수업방법을 개선시키기 위해 실시하는 평가라고 할 수 있다(이승희, 2019 : 44).

• IEP에 제시된 기간 동안 지속적인 형성평가와 함께 교수·학습이 이루어지고 나면, 이에 대한 종합적인 평가, 즉 총괄평가를 통해 아동이 제시된 기간 동안 IEP에 명시되어 있는 예상된 진전을 보였는지에 대한 결정을 하게 된다. 이와 같이 총괄평가는 일정 단위의 교육프로그램이 실시된 후에 애초에 설정된 프로그램의 성공기준에 비추어 프로그램이 산출한 가치를 판단하기 위해 실시하는 평가를 말한다. 총괄평가의 결과에 근거해서 그 아동이 특수교육을 계속 받아야 될 필요가 있는지에 대한 결정도 하게 된다(이승희, 2019 : 44).

Check Point

☑ 평가의 단계와 의사결정의 유형

단계	의사결정
선별	아동을 심층평가에 의뢰할 것인가를 결정
진단	아동이 장애를 가지고 있는가, 그렇다면 장애의 원인은 무엇인가를 결정
적부성	아동이 특수교육대상자로 적격한가를 결정
프로그램 계획 및 배치	아동에게 어떤 교육 및 관련서비스를 어디에서 제공할 것인가를 결정
형성평가	아동이 적절한 진전을 보이는가를 결정
총괄평가	아동이 예상된 진전을 보였는가를 결정

출처 ▶ 이승희(2019 : 36)

---

35   2017 초등A-1

모범답안

2)	① ㉠, K-WSIC-Ⅳ는 규준참조검사이기 때문이다. ② ㉡, 전체 지능지수는 전체 IQ의 환산점수 합계를 표준점수로 환산한 것이기 때문이다.
3)	① 66 ② 학생의 수행 발달정도(또는 진전도)를 점검함으로써 필요한 경우 교수목표 또는 교수방법을 수정하기 위해서 실시한다.

해설

3) ① 중앙치란 측정치들의 크기 혹은 양의 순서로 배열했을 때 사례수를 정확하게 이등분하는 위치에 있는 측정치를 말한다. 즉, 전체 사례수를 이등분하는 점에 해당되는 수치이다. 짝수인 경우 가운데에 분포하는 두 수치의 평균값이 중앙치가 된다[**예** 75, 80, 85, 90, 95, 100의 경우 (85 + 90) / 2 = 87.50이므로 중앙치는 87.5가 된다]. 문제에서 검사 결과를 순서대로 배열하면 63, 66, 68이므로 중앙치는 66이 된다.

---

36   2018 유아A-5

모범답안

1)	① 처리속도는 하위 3퍼센트(%)에 해당한다(또는 민지의 처리속도 점수 이하의 점수를 받은 유아는 100명 중 3명이다). ② 민지의 처리속도 진점수가 61점과 85점 사이에 있을 확률이 95%이다.
2)	① ㉢, 민지를 또래들과 비교하기 위해서는 백분율 점수가 아닌 상대적 위치 점수를 산출해야 하기 때문이다(또는 백분율 점수를 통해서는 민지의 상대적 위치를 알 수 없기 때문이다). ② ㉺, 시공간 능력의 향상 정도를 파악하기 위해서는 준거참조검사를 실시해야 하기 때문이다(또는 지능검사는 진전도를 파악하기 위한 검사가 아니기 때문이다).

해설

2) ㉠ 한국판 웩슬러 유아 지능검사(K-WPPSI-Ⅳ)는 규준참조검사이기 때문에 시능을 또래와 비교히어 상대적인 위치를 알 수 있다.

㉡ 한국판 웩슬러 유아 지능검사(K-WPPSI-Ⅳ)는 규준참조검사인 동시에 표준화검사이다.

지문 돋보기

• 민지와 같은 또래들과 비교할 수 있도록 규준이 만들어져 있고 : 규준참조검사
• 실시 방법과 채점 방법 등이 정해져 있어요. : 표준화검사

㉢ 백분율 점수란 총 문항수에 대한 정답문항수의 백분율 또는 총점에 대한 획득점수의 백분율이라고 할 수 있으며 준거참조검사에서 아동의 수행 수준을 묘사할 때 유용하게 사용된다. 규준참조검사인 지능검사에서는 제시되지 않는 점수유형이다.

㉣ 민지의 검사 결과 중 백분위를 보면 시공간 능력이 0.3으로 가장 낮다. 백분위점수란 특정 원점수 이하의 점수를 받은 아동의 백분율(%)을 의미하므로 전체 아동의 0.3%가 민지의 시공간 원점수보다 낮은 점수를 받았다는 의미이다.

㉺ 한국판 웩슬러 유아 지능검사(K-WPPSI-Ⅳ)는 진전도 파악을 위한 검사도구가 아닌 진단을 위한 검사도구이다.

37 · 2018 초등A-1

모범답안

1)	다음 중 택 1 • KABC-Ⅱ • 한국판 라이터 비언어성 지능검사
2)	적응행동의 상대적 위치를 일반 또래와 비교함으로서 적응행동에 유의미한 제한성이 있는지를 우선적으로 확인하기 위해서이다.

해설

2) 개념적 적응행동검사·사회적 적응행동검사·실제적 적응행동검사 및 전체 적응행동검사의 환산점수의 합을 산출한 다음, 이 합을 가지고 <부록Ⅱ>와 (부록Ⅴ)의 적응행동지수 산출표에서 해당하는 적응행동지수를 찾으면 피검사자의 적응행동지수를 산출할 수 있다. 그러나 적응행동지수는 일반학생 적응행동지수 산출표로 먼저 산출한 다음, 어느 한 검사나 전체 검사의 적응행동지수가 평균으로부터 −2표준편차 이하에 포함되는 경우 정신지체 학생 적응행동지수 산출표로 또 하나의 적응행동지수를 더 산출해야 한다. 그렇지 않은 경우는 정신지체 학생 적응행동지수산출표를 이용할 필요가 없다(정인숙 외, 2003 : 67).

Check Point

(Ⅰ) KABC-Ⅱ

① 이중 언어를 사용하는 아동을 검사하는 경우

우리말을 유창하게 사용하지 못하는 다문화 가정의 아동들에게는 KABC-Ⅱ의 비언어성 척도를 사용해야 한다. 그러나 우리말을 능숙하게 사용하는 이중언어 아동을 검사할 때는 KABC-Ⅱ 전체검사를 실시해야 한다.

② 비언어성 척도를 실시할 경우

㉠ 비언어성 척도는 언어를 사용하지 않고 몸짓으로 반응할 수 있는 검사들로 구성되어 있으며 언어장애가 있거나 우리말을 유창하게 사용할 수 없는 아동들의 인지적 능력을 측정하기 위해 표준화되었다.

㉡ 보통의 경우, 비언어성 척도는 청각장애나 듣기에 문제가 있는 아동, 보통 정도에서 중등까지의 언어장애 아동, 사실상 우리말을 거의 할 수 없는 아동들을 위해 실시된다.

(2) 한국판 라이터 비언어성 지능검사-개정판(K-Leiter-R)

목적 및 대상	• 2세 0개월부터 7세 11개월의 아동들을 대상으로 인지기능 평가 • 이중 언어환경에서 자란 아동이나 청각장애, 의사소통장애, 주의력결핍과잉행동장애, 학습장애, 뇌손상을 가진 아동들에게도 실시할 수 있는 비언어성 지능검사
구성	• 검사와 평정척도의 두 부분으로 구성 • 검사 : 시각화 및 추론(VR) 검사, 주의력 및 기억력(AM) 검사 • 평정척도 : 검사자 평정척도, 부모 평정척도
실시	• 검사자는 임상적 필요에 따라 VR검사와 AM검사 중 하나만 선택하여 실시할 수 있음 • 검사자 평정척도는 VR검사만 실시한 경우에는 VR검사가 종료된 직후에 그리고 VR검사와 AM검사가 모두 실시된 경우에는 AM검사가 종료된 직후에 실시 • 부모 평정척도는 부모 혹은 주양육자가 직접 작성하게 하는데 읽기능력이 부족할 경우 검사자(또는 보조자)가 문항을 읽어 주면서 작성할 수 있으며 필요한 경우 검사자가 전화면담으로 실시 가능

38 · 2018 중등A-2

모범답안

㉠	내용타당도

39 2019 초등A-1

모범답안

3)	ⓒ 준거참조검사
	② 규준참조검사
4)	백분위점수

해설

4) 스테나인 점수는 표준점수의 일종으로 분류되기도 하고 독립적으로 구분하기도 한다.
- 표준점수의 종류에는 Z점수, T점수, 스테나인(stanine) 점수 등이 있고 가장 흔히 사용되는 표준점수는 Z점수이다(국립특수교육원, 2018 : 504).
- 스테나인(stanine) 점수는 9개의 범주를 가진 표준점수로서 평균을 5, 표준편차를 2로 표준화한 점수이다(성태제 외, 2006 : 150).
- 가장 일반적으로 사용되는 표준점수는 Z점수(Z score), T점수(T score), 그리고 스테나인 점수(stanine score)이다(김남진 외, 2017 : 50∼51).
- 일부 검사의 경우 구분척도를 사용하여 원점수를 정규분포로 변환하기도 한다. 구분척도(stanine은 standard nines을 줄인 표현)란 전체 정규분포의 범위를 총 9개의 범위로 나눈 후 각각의 범위에 1부터 9까지 부여된 숫자를 의미한다(여승수 외, 2019 : 112).

Check Point

☑ 결과 산출을 위한 점수 유형

원점수			피검사자가 옳은 반응을 보인 문항의 수
변환점수	백분율 점수		총 문항 수에 대한 정답 문항 수의 백분율 또는 총점에 대한 획득점수의 백분율
	유도 점수	발달 점수 / 등가 점수	• 원점수를 평균수행으로 나타내는 연령 또는 학년 • 연령등가점수, 학년등가점수
		지수 점수	발달률의 추정치
		상대적 위치 점수 / 백분위 점수	규준집단에서 특정 점수 이하의 점수를 얻은 사람들이 전체의 몇 %를 차지하는가를 나타내는 것(= 퍼센타일)
		표준 점수	• 한 분포의 평균치를 기준으로 원점수가 평균치로부터 떨어져 있는 정도를 표준편차 단위로 표시해 비교 가능한 척도로 변환한 점수 • Z점수, T점수, 능력점수, 척도점수 ※ 환산점수 : 규준집단과의 상대적인 비교나 개인의 내적의 비교를 위해 원점수를 모두 동일한 비중을 가진 표준점수로 환산한 점수
		구분 점수	정규분포를 9개 범주로 분할한 점수(= 스테나인 점수) ※ 구분점수는 표준점수로 분류되기도 함

40 2019 중등A-3

모범답안

| ㉠ | 역동적 평가 |
| ㉡ | 학습의 과정 |

해설

㉠ 역동적 평가는 비고츠키의 근접발달영역 이론에 근거하여 개별 학생의 향상도를 평가하기 위한 방법으로, 개별 학생의 향상도 측정과 개별 학생의 교수·학습활동을 개선하거나 촉진하기 위해 어떠한 교육적 처방이 필요한지를 파악하는 것을 목적으로 한다. 역동적 평가는 학생의 잠재적 발달 수준에 대한 양적 정보와 심리과정에 대한 질적 정보를 획득하는 평가방안인 것이다.
- 역동적 평가는 교사가 학생과의 대화나 상호작용을 통해 학습자의 잠재적 발달 수준에 대한 정보를 수집하고 교육 활동 속에서 학생의 학습 능력을 평가하는 방법으로, 역동적 평가를 통해 교사는 학생의 사고나 학습 상황에 대한 반응을 파악할 수 있다(강혜경 외, 2018 : 52∼53).

Check Point

(1) 역동적 평가의 특징
① 발달 중인 과정을 강조하여 학습 결과보다는 학습과정에 초점
② 피드백이나 힌트를 제공하여 장애학생이 주어진 문제를 해결하는 데 어떤 피드백을 얼마나 활용하는지 확인하여 학생의 학습 능력 평가
③ 평가자가 장애학생을 도와줌으로써 평가자와 학습자 간의 역동적 상호작용 강조

(2) 역동적 평가의 장점
① 교육목표와 달성도뿐만 아니라 향상도를 평가하기 위한 것이고, 학습의 결과뿐만 아니라 학습의 과정도 중요시하고, 지속적이고 종합적인 진단 평가 강조
② 학생의 교수-학습활동을 개선하고 교육적인 지도와 조언 제공 강조
③ 상호작용적인 교수를 통해 학생의 반응성을 최대한 이끌어 냄
④ 검사-교육-재검사의 과정을 거치며 학생의 교육 향상을 위해 지속적으로 노력

41 | 2020 초등A-3

모범답안

4)
- ㉏, 93%ile은 +1SD와 +2SD 사이에 해당한다.
- ㉒, '신체증상'은 의학적으로 확인된 질병이 없음에도 불구하고 다양한 신체증상을 호소하는 것과 관련된다.

해설

4) ㉠ T점수 70은 +2SD에 해당하는 점수로 정규분포곡선에서 차지하는 면적이 98%(50%+34%+14%)에 이른다.

㉏ 93%ile은 표준편차(SD)를 활용하면 +1SD~+2SD에 해당된다.

㉒ '신체증상' 척도는 의학적으로 확인된 질병이 없음에도 불구하고 두통, 복통, 구토 등과 같은 다양한 신체증상을 호소하는 정도를 반영한다.

Check Point

(1) ASEBA 문제행동증후군척도(CBCL 6-18)

척도		소척도 및 내용
문제 행동 증후군 척도	불안/우울	정서적으로 우울하고 지나치게 걱정이 많거나 불안해하는 것과 관련
	위축/우울	위축되고 소극적인 태도, 주변에 대한 흥미를 보이지 않는 것 등과 관련
	신체증상	의학적으로 확인된 질병이 없음에도 불구하고 다양한 신체증상을 호소하는 것과 관련
	규칙위반	규칙을 잘 지키지 못하거나 사회적 규범에 어긋나는 문제행동들을 충동적으로 하는 것과 관련
	공격행동	언어적·신체적으로 파괴적이고 공격적인 행동이나 적대적인 태도와 관련
	사회적 미성숙	나이에 비해 어리고 미성숙한 면, 비사교적인 측면 등 사회적 발달과 관련
	사고문제	어떤 특정한 행동이나 생각을 지나치게 반복하거나, 실제로는 존재하지 않는 현상을 보거나 소리를 듣는 등의 비현실적이고 기이한 사고 및 행동과 관련
	주의집중 문제	주의력 부족이나 과다한 행동 양상, 계획을 수립하는 것에 곤란을 겪는 것 등과 관련
	기타문제	'손톱을 깨문다', '체중이 너무 나간다' 등 위에 제시된 8개 증후군에는 포함되지 않지만 유의미한 수준의 빈도로 나타나는 문제행동과 관련
	내재화 총점	• 소극적이고 위축된 행동과 같이 지나치게 통제된 행동 문제 • 불안/우울, 위축/우울, 신체증상 척도의 합
	외현화 총점	• 통제가 부족한 행동 문제 • 규칙위반과 공격행동 척도의 합
	총 문제행동 점수	전체 문제행동 문항을 합한 것(=문제행동총점)

(2) 상대적 위치점수들과 정규분포의 관계

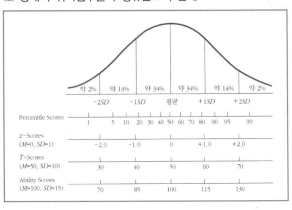

42 | 2020 중등B-8

모범답안

- 작업기억의 진점수가 68점과 85점 사이에 있을 확률이 95%이다.
- ㉠ 규준
- ㉡ 표준점수

Check Point

📝 규준과 규준집단

규준 집단	• 규준집단: 모집단에서 선정된 표본 • 검사의 규준의 적절성 여부는 규준집단이 모집단을 얼마나 잘 대표하는가로 판단 • 규준집단의 양호성은 대표성, 크기, 적절성의 세 가지 요인과 관련해서 평가할 것을 권유하고 있음	
	대표성	대상 집단의 특성에 대한 대표성
	크기	규준집단에 포함된 사례 수
	적절성	검사를 받는 아동에 대한 규준집단의 적용 가능성
규준	• 규준: 규준집단의 점수 분포 • 아동에게 검사를 실시하는 목적에 따라 규준의 유형이 다를 수 있음: 국가단위규준 또는 지역단위 규준	

43 　　　　　　　　　　　　　　　　2021 초등B-2

모범답안

2) 교육과정중심측정(CBM)은 동형검사를 이용하여 반복적으로 학생의 진전도를 평가할 수 있기 때문이다.

44 　　　　　　　　　　　　　　　　2021 중등B-5

모범답안

ⓒ 동형

해설

ⓒ 동형검사를 제작할 때에는 두 검사가 동일한 내용을 측정하여야 하며, 동일한 형태의 문항과 문항 수, 그리고 동일한 문항난이도와 문항변별도를 가져야 한다(성태제, 2019 : 347).

45 　　　　　　　　　　　　　　　　2022 초등B-1

모범답안

1) ① 세희의 읽기능력은 4학년 넷째 달 학생들의 평균 수행 수준을 보인다.
② 내용타당도

해설

1) ① 학년등가점수는 하이픈으로 연결하여 나타내는 연령등가점수와 구분하기 위하여 보통 학년과 달을 소수점으로 연결하여 나타낸다. 예를 들어, 학년등가점수 1.2란 1학년 둘째 달을 나타내며 아동이 1학년 둘째 달 아동들의 평균 수행 수준을 보인다는 것을 의미한다. 즉, 아동의 원점수가 1학년 둘째 달 아동들의 평균 수행 수준을 보인다는 것을 의미한다(이승희, 2019: 87).
② 내용타당도란 측정하고자 하는 영역을 검사문항이 대표하고 있는 정도를 말한다. 즉, 측정하고자 하는 영역을 검사문항이 얼마나 충실하게 대표하는가를 의미한다(이승희, 2019: 97).

46 　　　　　　　　　　　　　　　　2022 중등B-10

모범답안

ⓒ 아동이 정반응을 한 경우에는 "응 그렇구나"등과 같은 반응을 해준다.
ⓢ 오조음을 보인 단어의 경우 목표음소를 대치한 경우는 대치한 음소를 그대로 기록하고, 왜곡한 경우는 D, 생략한 경우는 ∅로 표기한다.

47 　　　　　　　　　　　　　　　　2023 유아A-1

모범답안

1) ① 위음
② 선우에게 필요한 특수교육을 조기에 받지 못하는 불이익을 당하기 때문이다.

해설

1) ① 위음이란 아동이 심층평가로 의뢰되지 않았는데 나중에 특수교육이 필요한 아동으로 확인되는 경우이다.
　• (가)의 대화 내용 중 석 달 전 선별검사에서 특별한 문제가 없는 것으로 나타나 진단·평가에 의뢰하지 않았으나 (나)에서 선우가 발달지체를 가진 특수교육대상자로 선정되었다는 것은 선별 과정에 위음이 있었음을 의미한다.

지문 돋보기

(가)
• 석 달 전 선별검사에서 특별한 문제가 없었지요. 그래서 진단·평가에 의뢰하지 않았지요. : 음성(-)
(나)
• 선우가 발달지체를 가진 특수교육대상자로 선정되었어요. : 양성(+)

② 위음은 위양에 비해 심각한 결과를 낳게 되는데, 그 이유는 선별 과정의 실수로 인해 해당 아동이 필요한 특수교육을 조기에 받지 못하는 불이익을 당하게 되기 때문이다.

48　　　　　　　　　　　　　　　2023 초등A-2

모범답안

1)	평균으로부터 −2표준편차 이하의 수준이다(또는 평균 미만의 2표준편차 이상 낮은 수준이다).
2)	수행의 과정에 초점을 두어 채점하기 위한 것이다.
3)	① (다) 총체적 채점 방법 　(라) 평정척도방법(또는 분석적 채점 방법) ② 사운드 북의 나사못에 드라이버를 수직으로 맞추고 드라이버를 오른쪽(시계 방향)으로 돌려 나사못을 잠근다.

해설

1) '평균과 표준편차에 의거하여'라는 단서가 제시되어 있다. (가)에 의하면 평균은 100, 표준편차는 15로 제시되어 있으며, 은주의 일반 시지각은 64이므로 이는 평균으로부터 −2표준편차(70) 이하에 해당하는 수준이라고 설명된다.

2) 수행사정에서는 수행의 과정 혹은 결과에 초점을 두거나 또는 과정과 결과 모두에 초점을 둘 수도 있다(이승희, 2019 : 205).

　• (다)는 수행 과정에 대한 전반적인 인상을, (라)는 수행 과정을 구성요소별로 채점할 수 있도록 구성한 것이다.

Check Point

☑ 수행사정의 채점 방법

채점 방법	설명
검목표방법	검목표를 활용하여 채점기준표를 만들어 채점하는 방법이다.
평정척도방법	• 평정척도를 활용하여 채점기준표를 만들어 채점하는 방법이다. • 총체적 채점 방법과 대비하여 분석적 채점 방법이라고도 한다. • 검목표방법과 유사하게 수행의 과정이나 결과를 판단하는 방법이지만 단순히 행동이나 특성의 유무를 판단하는 대신에 행동이나 특성의 정도를 판단한다는 점에서 검목표방법과 구별된다. • 주로 3~5점 숫자척도가 사용된다.

총체적 채점방법	• 수행의 과정이나 결과를 채점할 때 개별적인 요소를 고려하기보다는 전체적으로 판단하여 단일점수를 부여하는 방법이다. 　− 과정보다는 결과를 채점할 때 좀 더 사용하기 수월한 경향이 있다. • 장단점		
		장점	준비와 실시에서 시간과 노력을 절약할 수 있다.
		단점	− 전반적인 인상에 의한 단일점수를 부여하기 때문에 일관성이 낮아질 수 있다. − 아동의 강점과 약점에 대한 구체적인 정보를 제공하지 못한다.

49　　　　　　　　　　　　　　　2023 중등A-12

모범답안

• ⊙ 학력지수
• ⓒ 시공간
　ⓒ 귀납적 추론과 양적 추론능력, 전반적인 시각 지능, 동시처리, 개념적 사고, 추상적 사고능력 등을 측정한다.
• ⓔ 무게 비교

해설

⊙ 국립특수교육원 기초학력검사는 백분위점수, 환산점수, 학력지수, 학년규준점수를 제공한다. 그리고 국립특수교육원 기초학습능력검사는 원점수, 표준점수(환산점수), 백분위점수, 학력지수, 학년규준이 제시된다.

ⓔ K-WISC-Ⅴ에서 새롭게 개발된 3개의 소검사는 퍼즐, 무게비교, 그림기억이다.

Check Point

(1) K-WISC-Ⅴ와 K-WISC-Ⅳ의 지표점수 비교

		K-WISC-Ⅴ	K-WISC-Ⅳ
기본지표	①	언어이해지표	언어이해지표
	②	시공간지표	지각추론지표
	③	유동추론지표	
	④	작업기억지표	작업기억지표
	⑤	처리속도지표	처리속도지표
추가지표	①	양적추론지표	
	②	청각작업기억지표	
	③	비언어지표	
	④	일반능력지표	
	⑤	인지효율지표	

(2) K-WISC-V 지표의 내용

지표	내용
언어이해	언어적 추론, 이해, 개념화, 단어 지식 등을 이용하는 언어 능력 측정
시공간	시공간 조직화 능력, 전체−부분 관계성의 통합 및 종합능력, 시각적 세부사항에 대한 주의력, 시각−운동 협응 능력 등을 측정
유동추론	귀납적 추론과 양적 추론 능력, 전반적인 시각 지능, 동시처리, 개념적 사고, 추상적 사고 능력 등을 측정
작업기억	주의력, 집중력, 작업기억(제시되는 정보를 효율적으로 처리하기 위해 아주 짧은 시간 동안 머릿속에 정보를 유지하는 능력) 등을 측정
처리속도	간단한 시각적 정보를 빠르고 정확하게 탐색하고 변별하는 능력, 정신 속도와 소근육 처리 속도 등을 측정
전체 IQ	5개 지표 IQ의 일부 소검사로 전반적인 인지적 능력을 측정

출처 ▶ K-WISC-V 검사결과 소견서

50 　　　　　　　　　　　　　　　2024 유아A-8

모범답안

2)	구조화된 면담은 피면담자가 표현하고자 하는 문제나 피면담자의 우선순위 등을 간과할 수 있지만 비구조화된 면담은 면담 중 피면담자의 요구에 민감하게 반응하여 다양한 혹은 확장된 정보를 얻을 수 있다.

Check Point

☑ 면담 방법에 따른 특성과 장점

방법	특성	장점	제한점
비구조화 면담	면담 주제를 중심으로 자유롭게 대화하면서 심층적인 정보 수집	• 면담 대상자와 교사가 편안한 면담 분위기에서 친숙한 관계를 형성할 수 있음 • 면담 중 부모의 요구에 민감하게 반응하여 다양한 혹은 확장된 정보를 얻을 수 있음	교사의 능숙한 면담 실행 기술이 요구됨
반구조화 면담	준비된 질문 항목을 중심으로 면담 대상자의 응답에 따라 질문을 변화시켜 가면서 정보 수집	• 면담 대상자의 응답에 따라 질문을 변화시킬 수 있음 • 면담 중 부모의 요구에 민감하게 반응하여 다양한 혹은 확장된 정보를 얻을 수 있음 • 응답자의 응답 내용에 따라 보다 구체적인 정보를 탐색할 수 있음	원하는 정보를 얻기 위해 구조화 면담보다 많은 시간이 소요됨
구조화 면담	진단 대상자에 관한 특정 정보 수집	• 질문의 항목이 미리 결정되어 있으므로 수량화가 가능함 • 정해진 질문을 순서대로 진행하기 때문에 초임교사도 쉽게 실행할 수 있음	부모 및 가족이 면담 상황을 부담스럽게 인식할 수 있음

출처 ▶ 이소현(2020)

51 　　　　　　　　　　　　　　　2024 초등A-4

모범답안

2) 목표를 상향 조정한다.

해설

2) 목표선과 비교하여 목표 달성 여부를 확인하고, 만약 수집된 점수들이 목표선에 미치지 못하는 경향을 보이면 교수법을 수정한다. 제시된 그래프의 경우 평가 결과가 목표보다 높게 나타나고 있으므로 목표를 상향 조정하는 것이 바람직하다.

Check Point

☑ 교육과정중심측정 실행 절차

단계	설명
[1단계] 측정할 기술 확인하기	• 어떤 기술을 측정할 것인가를 결정해야 하는데 아동의 필요에 따라 한 가지 이상의 기술을 측정할 수도 있다.
[2단계] 검사지 제작하기	• 측정할 기술이 결정되면 그 기술과 관련된 향후 1년간의 교육과정을 대표할 수 있는 검사지를 제작한다. • CBM 기간에 실시할 검사의 횟수와 동일한 숫자의 동형검사지를 제작한다. 　− 동형검사란 문항의 내용, 유형, 문항 난이도가 유사한 검사를 의미한다. 　− 동형검사지를 사용하면 반복적인 측정을 통해 진전도를 파악할 수 있다. • 읽기, 철자법, 셈하기의 핵심적 기법을 고려하여 검사지를 제작한다.
[3단계] 검사의 실시횟수 결정하기	• CBM은 향후 1년간 해당 기술영역에서의 아동의 진전을 점검하게 되는데 이 과정에서 주 2회 검사를 실시할 것이 권장된다. • 주당 2회, 최소 7회 이상 검사하는 것이 바람직하다.
[4단계] 기초선 점수 결정하기	• 기초선 점수란 아동의 진전 여부를 결정하는데 기초가 되는 시작 점수이다. • 기초선 점수를 결정하기 위해 3회의 검사점수가 필요하며 3회의 점수 중 중앙값이 기초

	선 점수가 된다.
[5단계] 목표 설정하기	• 해당 학년이 끝날 때 기대되는 목표점수를 결정한다. • 주단위 기대성장률을 적용하여 아동의 학년 말 현실적 목적과 도전적 목적을 산출한다.
[6단계] 목표선 설정하기	• 목표선(표적선): 현 기초선 단계의 수행 수준과 일정 기간 후 도달해야 할 성취 수준을 연결하는 선이다. • 기초선 설정 이후 아동의 진전을 점검할 때 근거가 된다.
[7단계] 자료 수집하기	• 목표선이 설정된 그래프가 그려지고 나면 일주일에 2회씩 검사를 실시하여 그 결과를 그래프에 표시한다.
[8단계] 자료 해석하기	• 계획된 CBM 실시기간이 종료되면 그래프를 근거로 아동의 진전에 대한 해석을 내린다. 　- 목표선과 비교하여 수집된 점수들이 목표선을 웃도는 경향을 보이면 목표를 상향 조정한다. 　- 목표선과 비교하여 수집된 점수들이 목표선과 유사한 경향을 보이면 현재의 교수법을 계속 유지한다. 　- 목표선과 비교하여 목표 달성 여부를 확인하고, 만약 수집된 점수들이 목표선에 미치지 못하는 경향을 보이면 교수법을 수정하고 교수방법이 바뀐 시점을 세로선으로 표시한다.

출처 ▶ 이승희(2019). 내용 요약정리

52 ｜ 2024 중등A-4

모범답안

㉠	고기능형
㉡	T점수

해설

㉡ K-CARS2는 검사결과 원점수, T점수, 백분위점수를 제공한다.
　• ㉡이 T점수인 것은 '표준화된 도구'라는 점, '45~54 사이의 분포를 평균 수준으로 본다'는 점을 통해 유추 가능하다.

Check Point

☑ K-CARS2의 구성

유형	설명
표준형 평가지 (K-CARS2-ST)	• 초판을 개정하여 다시 명명한 것 • 전반적 IQ가 79 또는 그 이하이면서 의사소통 능력이 손상되었거나 측정 IQ와는 상관없이 6세 미만인 아동을 진단하는 데 사용 • K-CARS2-ST의 평정은 심리측정 검사나 학급 관찰과 같은 다양한 상황에서의 관찰, 자녀에 대한 부모 보고, 종합적인 임상 기록 또는 이러한 정보를 종합함으로써 이루어질 수 있음
고기능형 평가지 (K-CARS2-HF)	• 고기능형 평가지로, 개정판에 새롭게 추가 • IQ 80 이상이고 구어가 유창한 6세 이상의 아동을 대상으로 사용하는 평가지
부모/양육자 질문지 (K-CARS2-QPC)	• 표준형 평가지, 고기능형 평가지와 공통적으로 실시하는 검사지 • 행동관찰과 양육자 면담 검사지

53   2024 중등A-8

모범답안

- ㉠ 자기관리
- ㉡ 검사자가 피검자에게 문항에 관한 질문을 제시하고, 피검자의 답변을 기록지에 작성한다.
- ㉣ 사회지수 70(점)은 생활연령에 비해 사회연령이 낮다는 것을 의미하기 때문이다(또는 사회지수는 지수점수이므로 표준점수에 의한 해석을 할 수 없기 때문이다).
- ㉥ 영역별 (적응)지수, 적응지수는 모두 표준점수이기 때문이다.

해설

㉡ CISA-2는 검사자가 피검자에게 문항에 관한 질문을 제시하고, 피검자의 답변을 기록지에 작성한다(송현종 외, 2021 : 355).

- 국내·외 대부분의 적응행동 검사도구들이 교사나 부모와 같은 정보 제공자의 관찰이나 면접보고를 통해 정보를 수집하는데, 이러한 간접평가는 정보 제공자 반응의 타당도와 신뢰도에 전적으로 의존하게 된다는 약점이 있다. 면접 체크리스트와 같은 형식을 따르는 것은 피검자의 의사소통 기술상의 제약과 관찰의 비실용성 때문인데, CIS-A는 이러한 약점을 극복할 수 있도록 말이나 신체 조작으로 반응하지 않고 답을 얻을 수 있게 구성되어 있다(김동일 외, 2018 : 23).
- 사회성숙도 검사의 검사 실시 방법에 제시되어 있는 내용에 상응하는 지역사회적응검사의 실시 방법을 제시하는 것이 적절하다.

㉣ 지수점수란 발달률의 추정치를 말하는데, 아동의 연령등가점수를 아동의 생활연령으로 나눈 후 100을 곱해서 산출한다. 지수점수의 하나인 사회지수의 경우 공식(사회연령/생활연령)×100에 의해 산출되는 값이다. 따라서 사회지수가 100에 미치지 못하는 값이 산출되었다는 것은 생활연령에 비해 사회연령이 낮다는 것을 의미한다.

㉥ 지역사회적응검사 2판(CISA-2)은 세 영역별 영역지수(기본생활지수, 사회자립지수, 직업생활)와 전반적인 적응지수를 제공하는데 이러한 지수들은 모두 평균이 100이고 표준편차가 15인 표준점수이다(이승희, 2019 : 249).

Check Point   •

✎ 지역사회적응검사 2판(CISA-2)의 검사 실시 방법

① 원칙적으로 검사자와 피검사 외에 다른 사람이 없는 검사실에서 실시된다.

- 간혹 검사자의 판단하에 원만한 검사진행을 위해서 보호자가 검사실 안에 있도록 허락할 수도 있는데 이런 경우 보호자는 검사 시 피검자가 볼 수 없는 곳에 조용히 앉아 있어야 한다.

② 대체로 하위영역 1에서 10의 순서로 진행되지만 검사자의 판단하에 하위 영역의 실시순서를 변경할 수도 있다.

54   2025 유아A-1

모범답안

1)	① 심층평가가 필요한 아동을 식별해 내는 것이다(또는 전형적인 발달 범위 내에 들어가지 않는 아동을 확인하는 것이다). ② 적부성 단계

해설

1) ① 선별이란 심층평가가 필요한 아동을 식별해 내는 과정이라고 할 수 있다(이승희, 2014 : 42).

- 선별은 보다 전문적인 장애진단이 필요한지를 결정하는 과정으로 유아의 현재 및 과거의 행동을 대략적으로 평가하여 전형적인 발달 범위 내에 들어가지 않는 유아를 확인하는 것을 목적으로 한다(이소현, 2020 : 205-206).

② 적부성이란 특수교육대상자로서의 적격성을 말한다. 따라서 이 단계에서는 아동이 특수교육대상자로 적격한가를 결정하게 된다. 이는 이전 단계인 진단 과정에서 아동이 장애를 가진 것으로 판명되었다 하더라도 특수교육대상자로 반드시 선정되는 것이 아님을 뜻한다(이승희, 2024 : 46).

55   2025 초등B-2

모범답안

3) 지우의 평가 결과가 목표선에 미치지 못하는 경향을 보였기 때문이다.

Check Point

CBM의 결과 및 후속 조치
① 목표선과 비교하여 수집된 점수들이 목표선을 웃도는 경향을 보이면 목표를 상향 조정한다.
② 목표선과 비교하여 수집된 점수들이 목표선과 유사한 경향을 보이면 현재의 교수법을 계속 유지한다.
③ 목표선과 비교하여 목표 달성 여부를 확인하고, 만약 수집된 점수들이 목표선에 미치지 못하는 경향을 보이면 교수법을 수정하고 교수방법이 바뀐 시점을 세로선으로 표시한다.

56   2025 중등A-6

모범답안
- 교육과정중심측정(CBM)
- ㉠ 문항의 내용과 유형, 문항 난이도를 유사하게 제작해야 한다.
- ㉡ 위양
  ㉢ 개별 학생의 필요에 따른 적절한 교육을 제공할 수 있다.

해설
㉠ 반복 측정을 위해 검사의 실시 횟수에 따라 동형검사지를 제작해야 한다. 동형검사란 문항의 내용, 유형, 문항 난이도가 유사한 검사를 의미하므로 동형검사지를 제작할 때는 이와 같은 조건이 충분히 반영하여야 한다.
㉡ 위양이란 학생이 심층평가로 의뢰되었으나 특수교육이 필요하지 않은 것으로 판별된 경우를 말하는 것으로, 선별에서 학생을 특수교육이 필요한 학생으로 잘못 판단한 것이다.
㉢ 교사는 장애가 의심되는 아동에 대한 의뢰 전 중재를 통하여 개별 아동의 필요에 따른 적절한 교육을 제공할 수 있으며 특수교육대상자의 과잉진단을 예방할 수 있을 것이다(이소현 외, 2011 : 476). 여기서 개별 아동의 필요에 따른 적절한 교육을 제공할 수 있음은 교육적 측면에서의 장점으로 볼 수 있으며, 과잉진단의 예방은 판별 오류 중 위양을 줄임으로써 가능하다.

- 의뢰 전 중재란 일반적으로 학습문제 그리고/또는 행동문제와 관련하여 공식적인 심층평가에 의뢰하기 전에 주로 일반학급에서 실시되는 비공식적인 문제해결 과정으로서 특수교육이 필요하지 않은 아동을 심층평가에 의뢰하는 위양을 줄이는 데 목적이 있다(이승희, 2024 : 44-45).

57   2025 중등B-3

모범답안
- 수행사정

해설

지문 돋보기
- 대안적 평가 방법을 사용 : 평가의 유형
- 조리 실습 과정에 초점을 두어 평가 : 사정의 초점
- 조리 단계별로 작성된 채점 기준표에 '체크' 표시 : 채점방법
- 활동 목적을 명료화하여 학생에게 동기 부여 : 수행사정의 장점

58 | 2025 중등B-4

【모범답안】

- ⓒ Luria 모델, CHC 모델, 비언어성척도 중 어느 것을 선택하느냐와 피검자의 연령에 따라 실시하는 하위 검사의 수와 검사 소요 시간이 달라져요.
- ⓔ 일부 하위 검사가 비언어성 척도로 구성되어 있기 때문에 한국어가 서툰 학생에게도 실시할 수 있어요.

【해설】

ⓒ 한국판 카우프만 아동 지능 검사(KABC-Ⅱ)의 하위척도는 순차 처리, 동시 처리, 계획력, 학습력, 지식으로 구성되어 있다.

ⓒ 한국판 KABC-Ⅱ는 18개의 하위검사로 구성되어 있지만 Luria 모델, CHC 모델, 비언어성척도 중 어느 것을 선택하느냐와 피검자의 연령에 따라 하위검사의 수와 소요시간에 차이가 있다(이승희, 2024: 277).

ⓔ 한국판 KABC-Ⅱ는 피검자의 연령대별로 4~5개의 하위 검사가 비언어성 척도로 구성되어 있다. 예를 들어 피검자 연령이 3~4세의 경우 손동작, 관계유추, 얼굴기억, 삼각형의 4개 하위검사에서 비언어성척도를 이용할 수 있다.

- 한국판 KABC-Ⅱ는 비언어성척도를 포함하고 있다. 비언어성척도의 하위검사에서는 검사자가 몸짓으로 문항을 제시하고 피검자는 언어가 아닌 동작으로 반응할 수 있게 함으로써 청각이 손실되었거나 의사소통장애로 인해 제한된 언어능력을 가진 다문화가정의 아동들을 보다 타당하게 평가할 수 있다(이승희, 2024: 275).

ⓜ 한국판 라이터 비언어성 지능 검사 개정판(K-Leiter-R)을 적용할 수 있는 실시 대상을 고려할 때 중학생은 적합하지 않다.

- 한국판 라이터 비언어성 지능 검사 개정판(K-Leiter-R)은 2세 0개월부터 7세 11개월까지의 아동들을 대상으로 인지기능을 평가하기 위한 검사이다(이승희, 2024: 268).

Check Point

✎ 한국판 KABC-Ⅱ 비언어성척도의 하위검사 구성

피검자 연령	하위검사
3~4세	• 손동작 • 관계유추 • 얼굴기억 • 삼각형
5세	• 손동작 • 관계유추 • 얼굴기억 • 형태추리 • 삼각형
6세	• 손동작 • 관계유추 • 형태추리 • 이야기완성 • 삼각형
7~18세	• 손동작 • 블록세기 • 삼각형 • 형태추리 • 이야기완성

출처 ▶ 문수백(2014)

김남진
KORSET 특수교육 기출분석 ① 모범답안 및 해설

초판인쇄 | 2025. 3. 12. **초판발행** | 2025. 3. 17. **편저자** | 김남진

발행인 | 박 용 **발행처** | (주) 박문각출판 **등록** | 2015년 4월 29일 제2019-000137호

주소 | 06654 서울특별시 서초구 효령로 283 서경 B/D **팩스** | (02) 584-2927

전화 | 교재 주문 (02) 6466-7202, 동영상 문의 (02) 6466-7201

저자와의
협의하에
인지생략

ISBN 979-11-7262-642-6 / ISBN 979-11-7262-640-2(세트)

정가 25,000원(분권 포함)